A HISTÓRIA DA FÍSICA

*Da filosofia ao enigma
da matéria negra*

A HISTÓRIA DA
FÍSICA

Anne Rooney

*m.*BOOKS

M.Books do Brasil Editora Ltda.

Rua Jorge Americano, 61 - Alto da Lapa
05083-130 - São Paulo - SP - Telefones: (11) 3645-0409/(11) 3645-0410
e-mail: vendas@mbooks.com.br
www.mbooks.com.br

Dados de Catalogação da Publicação

ROONEY, Anne – A História da Física

2013 – São Paulo – M.Books do Brasil Editora Ltda.

1. História   2. História da Física   3. História Geral

ISBN: 978-85-7680-217-4

Do original: The Story of Physics
Original publicado por Arcturus Publishing Limited
ISBN original: 978-1-84837-796-1

© 2011 Arcturus Publishing Limited
© 2013 M.Books do Brasil Editora Ltda.

Editor: Milton Mira de Assumpção Filho

Tradução: Maria Lúcia Rosa

Produção Editorial: Beatriz Simões Araújo

Coordenação Gráfica: Silas Camargo

Editoração: Crontec

2013
M.Books do Brasil Editora Ltda.
Proibida a reprodução total ou parcial.
Os infratores serão punidos na forma da lei.
Direitos exclusivos cedidos à
M.Books do Brasil Editora Ltda.

Para o meu pai, Ron Rooney, que me introduziu às maravilhas da ciência. Feliz aniversário de 80 anos – e obrigada.

Agradecimentos

Com agradecimento especial ao Dr. Adrian Cuthbert, por sua experiência em Física, a Mary Hoffman, Shah Hussain, Sue Frew e Jacqui McCary pelo apoio menos específico, mas não menos essencial. Agradeço também ao meu tolerante e paciente editor, Nigel Matheson.

Sumário

Agradecimentos 7

INTRODUÇÃO
O livro do universo 16
    O nascimento da Física 16
    Do empirismo ao experimento... 18
    A revolução científica 20
    Sociedades científicas.. 21
    A melhor ferramenta científica – o cérebro 23

CAPÍTULO 1
A mente se sobrepõe à matéria 25
    O primeiro físico?... 26
        As sementes da matéria...26
        A mente animando a matéria 26
        Tudo se transforma...28
        Partes indivisíveis..28
        Coisas e não coisas 29
    Matéria atômica e elementar.. 30
        Quatro – ou cinco – elementos...................................30

SUMÁRIO

M-M-Mudanças 31

Atomismo indiano...32

Atomismo islâmico 33

Dos átomos aos corpúsculos............................34

Dos cospúsculos de volta para os átomos 35

A idade da Razão..35

O nascimento da física do estado sólido 36

Átomos e elementos..39

Tudo em proporção..40

Átomos – verdadeiro ou falso?.........................42

Os átomos são divisíveis?..................................43

CAPÍTULO 2
Fazendo a luz trabalhar – Óptica **45**

Uma olhada na luz 46

Brincando com a luz...47

A luz de Deus 48

Saindo do escuro 51

Por meio de um vidro translúcido.....................53

Pressão no éter..53

O senhor da luz: Isaac Newton.........................54

Micrografia de Hooke..56

Onda ou partícula?..57

Frentes de onda e quanta...58

O experimento de dois orifícios de Young 61

Uma nova aurora – a radiação eletromagnética..............61

SUMÁRIO

O fim de um éter: o experimento de Michelson-Morley.............62

Com a velocidade da luz.. 67

Objetivo e verdadeiro...70

O lugar da luz no espectro EMR 71

CAPÍTULO 3
Massa em movimento – Mecânica...73

Mecânica em ação 74

A mecânica dos gregos antigos 75

O problema da dinâmica 77

O experimento do túnel...79

O verdadeiro nascimento da mecânica clássica 80

O experimento da bola de Galileu 81

Parar e começar 84

O mestre fala 85

Movimento e gravidade 85

O universo como campo de testes..85

Ar e água 86

Da água para o mercúrio..88

Dinâmica dos fluidos 88

Juntando fluidos e massa 89

Colocando a mecânica para funcionar.. 89

Colocando a mecânica newtoniana em uma nova posição 90

Inércia e gravidade vêm juntas 91

Grande e pequeno 91

SUMÁRIO

CAPÍTULO 4

Energia campos e forças **93**

A conservação de energia.. 94

Inventando a "energia" 94

Lutando com o fogo..95

Termodinâmica 98

As leis da termodinâmica...100

Zero absoluto..103

Calor e luz.. 103

Radiação do corpo negro e quanta de energia........................104

Outras formas de energia 105

Descobrindo a eletricidade... 106

Pipas e trovões...107

Eletricidade na moda...108

Pondo a eletricidade para funcionar 109

Esperando nos bastidores: magnetismo 110

Eletromagnetismo – o casamento da eletricidade com o
magnetismo.. 111

Alvorada de uma nova era magnética.......................112

Mais ondas... 114

Radiação 116

Procuram-se – átomos...119

CAPÍTULO 5

Dentro do átomo...121

Dissecando o átomo 122

Pudins de passas e sistemas solares.........................122

SUMÁRIO

    O modelo saturnino 124
  Quantum solace... 126
    Luz inteligente 127
    Outro momento newtoniano 129
    Onda ou partícula?..130
    Podemos estar certos?...133
    A interpretação de Copenhagen..134
    Um gato em uma caixa 134
    Muitos universos 135
    Embaralhamento quântico: o paradoxo Einstein-Podolsky-Rosen .. 135
    A busca por mais partículas atômicas......................................137
    Juntando tudo..138
  As coisas desmoronam 139
  Aproveitando a reação em cadeia... 141
  O fim do átomo clássico.. 142
    Matéria e antimatéria 144
    Partículas fantasmas 145
    A última partícula perdida 147
    Partículas das estrelas 149

CAPÍTULO 6
Tentando alcançar as estrelas 151
  Estrelas e pedras.. 152
    Primeiros observadores das estrelas 152
  Da observação ao pensamento 154
    Hiparco – o maior astrônomo da antiguidade? 155

SUMÁRIO

As esferas de Ptolomeu 157

Para dentro e para fora da escuridão 158

Astronomia árabe 158

A grande estrela convidada 162

A Terra se move – novamente 163

Tudo muda 165

Johannes Kepler (1571-1630) 167

Dois por um: os astrônomos em Praga 167

O invisível torna-se visível 169

Galileu, mestre do universo 171

Cruzando espadas com Deus 172

Catalogando os céus 174

Vendo cada vez mais 175

Longe, muito longe 176

Colocando cometas em seu lugar 176

O cometa Halley na história 178

Espectroscopia – uma nova maneira de ver 179

Examinando o vazio 182

Listras das estrelas 184

A vida secreta das estrelas 185

Ouvindo o vazio 186

Quasares – poderosos e remotos 190

Para cima, para cima, e longe 190

CAPÍTULO 7
Espaço-tempo continuando **193**

Uma breve história do tempo 194

SUMÁRIO

Amanhã e amanhã e amanhã 194

Unindo espaço e tempo 196

Tudo é relativo 196

Bem longe e há muito tempo...............................198

De volta ao início 199

Fora do caos...199

O universo moderno 200

Do ovo cósmico ao Big Bang.................................. 202

Quantas estrelas? 204

O universo observável 204

Quantos universos? 205

Tudo montanha abaixo a partir daqui....................205

CAPÍTULO 8
Física para o futuro **207**

Descartando tudo e começando de novo..................... 208

Isto é tudo?...208

Energia escura 209

Onde mais procurar pela matéria? 211

Separando o joio do trigo? 212

Índice...**214**

15

INTRODUÇÃO

O LIVRO DO UNIVERSO

"O livro do Universo não pode ser entendido sem primeiro se aprender a compreender o alfabeto que o compõe. Ele é escrito em linguagem matemática, e seus caracteres são triângulos, círculos e outras figuras geométricas, sem as quais é humanamente impossível entender uma única palavra dela; sem eles, fica-se vagando em um labirinto escuro."

Galileu, O Ensaiador, 1623

A física é a ciência fundamental que constitui a base para todas as outras, a ferramenta com a qual exploramos a realidade; visa a explicar como o universo funciona, das galáxias às partículas subatômicas. Muitas de nossas descobertas sobre o mundo físico representam o auge da realização humana. A História da Física traça a trajetória das tentativas da humanidade em ler o livro do universo, aprendendo e usando a linguagem da matemática descrita pelo cientista renascentista Galileu Galilei (1564-1642). Também revela como nosso conhecimento é ínfimo – a física trata de apenas 4% do universo, os outros 96% são um mistério a ser revelado.

O nascimento da Física

Antes do desenvolvimento do método experimental, os primeiros cientistas – ou os "filósofos naturais", como eram chamados

A galáxia de Andrômeda é a mais próxima de nossa Via Láctea: a física tenta explicar tudo, do início dos tempos ao fim do universo.

INTRODUÇÃO

Os padrões, formas e números que estruturam o mundo natural são assunto da física.

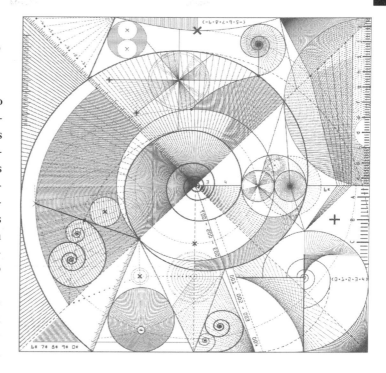

– aplicaram a razão ao que viam em volta deles e chegaram a teorias para explicar suas observações. Como os corpos celestes parecem se mover pelo céu, por exemplo, muitos de nossos antecessores concluíram que a Terra está no centro do universo e tudo gira em torno dela.

Os poucos que pensavam diferente tinham de chegar a bons argumentos para refutar a solução de senso comum, e durante 2000 anos eram a minoria, sendo muitas vezes ridicularizados ou mesmo perseguidos.

Muitas superstições e crenças religiosas têm raízes na explicação do mundo observado. O Sol nasce porque atravessa o céu por um condutor sobrenatural, por exemplo. A ciência, por outro lado, esforça-se para encontrar a verdadeira natureza e as causas dos fenômenos observados. Os gregos antigos são as primeiras pessoas que conhecemos que tentaram substituir as explicações místicas e supersticiosas por outras, baseadas na observação e na razão. A primeira pessoa a tentar explicar o mundo natural sem recorrer à crença religiosa pode ter sido Tales, mas o primeiro cientista verdadeiro talvez tenha sido o pensador

---

TALES DE MILETO (c. 624 a.C. – c. 546 a.C.)

A primeira pessoa que podemos chamar de cientista e filósofo viveu há mais de 2.500 anos no território onde atualmente temos a Turquia. Tales estudou no Egito e credita-se a ele a chegada da matemática e da astronomia à Grécia. Considerado um dos Sete Sábios da Grécia Antiga, ele era reputado como dotado de uma inteligência extraordinária, podendo ter ensinado os filósofos Pitágoras e Anaximander. Tales sugeriu que existe uma causa física, e não sobrenatural, para todos os fenômenos no mundo que nos rodeia, e assim começou a buscar as causas físicas que determinam como as coisas se comportam. Como nenhum de seus escritos sobreviveu, é difícil avaliar sua verdadeira contribuição.

INTRODUÇÃO

grego Aristóteles (384-322 a.C.), que se apoiava totalmente no empirismo. Ele acreditava que pela observação e a medição cuidadosas, entendemos as leis que governam todas as coisas. Aristóteles foi aluno de Platão (c. 428-347 a.C.) e seguiu uma trajetória dedutiva (veja o box), acreditando que apenas a razão não bastava para permitir que a humanidade desvendasse os mistérios do universo. Aristóteles acreditava no "raciocínio indutivo", ou seja, a lógica que funcionava a partir da observação do mundo. Ele iniciou um método científico.

> **RACIOCÍNIO INDUTIVO E DEDUTIVO**
>
> O raciocínio dedutivo é um método "de cima para baixo" exemplificado na abordagem de Platão. O cientista ou filósofo constrói uma teoria, desenvolve uma hipótese para testá-la, faz observações e confirma (ou refuta) a hipótese. O raciocínio indutivo começa com a observação do mundo e prossegue para obter uma explicação, identificando-se um padrão para depois propor uma hipótese que o explique, passando para uma teoria geral. Os métodos de Aristóteles eram indutivos. O cientista Isaac Newton (1642-1727) e o raciocínio indutivo têm lugar no pensamento científico.

Embora não propusesse experimentos, Aristóteles defendia a investigação completa de tudo que tinha sido escrito anteriormente sobre um determinado tópico (uma análise literária, em termos modernos), observação e medidas experimentais seguidas do emprego de raciocínio para se chegar a uma conclusão.

Os gregos foram os primeiros a dividir a ciência em disciplinas diferentes. A grande biblioteca na Alexandria produziu o primeiro catálogo de biblioteca, que foi essencial para o tipo de crítica literária que Aristóteles propôs como parte de qualquer investigação.

Do empirismo ao experimento

Com o fim do período helênico (o auge da civilização grega clássica), o uso do método científico para entender o mundo natural declinou até o surgimento da ciência árabe no século 7 d.C. O brilhante Ibn al-Hassan Ibn al-Haytham (965-1039) desenvolveu

Um retrato medieval de Tales.

INTRODUÇÃO

> *"Eu prefiro encontrar a verdadeira causa de um fato a me tornar rei dos persas."*
> Demócrito (c. 450-c.370a.C.), filósofo.

um procedimento parecido ao método experimental moderno.

Ele começava pelo enunciado de um problema, depois testava sua hipótese por meio de experimentos, interpretava os resultados e chegava a uma conclusão. Ele adotou uma atitude cética e questionadora, e reconhecia a necessidade de um sistema de medidas e investigação controlado rigorosamente. Outros cientistas árabes contribuíram para isso. Abu Rayhan al-Biruni (973-1048) tinha ciência de que os erros e noções tendenciosas podiam ser causados por instrumentos imprecisos ou observadores falhos. Ele recomendava que os experimentos fossem repetidos várias vezes e os resultados fossem combinados para a obtenção de um resultado confiável. O médico Al-Rahwi (851-934) introduziu o conceito da revisão pura, sugerindo que os médicos documentassem seus procedimentos e os tornassem disponíveis para outros médicos de igual postura – embora sua principal motivação fosse evitar a punição pela má prática. Geber (Abu Jabir, 721-815) foi o primeiro a introduzir experimentos controlados no campo da química, e Avicenna (Ibn Sina, c. 980-1027) declarou que a indução e a experimentação deveriam formar as bases da dedução. Os cientistas árabes valorizavam o consenso e tendiam a descartar ideias marginais que não fossem apoiadas pelos outros.

No entanto, acontecimentos no Islã acabaram prejudicando as pesquisas dos cientistas árabes. Questionar o mundo passou a ser visto como uma blasfêmia, como se isso fosse uma forma de vasculhar os caminhos de Deus e uma tentativa de violar os mistérios sagrados. As atividades que um cientista muçulmano fervoroso (ou prudente) poderia desenvolver eram restritas. O entusiasmo pelo trabalho científico que fora abafado pelos filósofos naturais do Islã depois seria retomado pelos estudiosos medievais da Europa cristã.

A ciência árabe e os trabalhos de Aristóteles fluíram para a Europa traduzidos para o latim no início da Idade Média. Os escritores da Renascença do século XII começaram a integrar o método científico embrionário em seus estudos e a cultivá-lo, mas no início não desafiaram as autoridades clássicas. O frei franciscano Roger Bacon (c. 1210-c.1292) foi um dos primeiros a duvidar da aceitação dos escritos dos antigos sem que estes fossem questionados, e defendia que as ideias estabelecidas fossem reexaminadas. Ele visava particularmente a Aristóteles, cujas ideias em muitas áreas

---

O MÉTODO CIENTÍFICO

O método científico empregado, de modo geral, hoje segue as seguintes etapas:

- Enunciado de um problema ou questão. Este pode ser então afunilado para algo que possa estar sujeito a experimentação ou a um conjunto de experimentos.
- Enunciado de uma hipótese.
- Concepção de um experimento para testar a hipótese. O experimento deve ser um teste adequado, com variáveis controladas (fixas) e uma variável independente (a condição que será variada).
- Execução do experimento, fazendo-se e registrando-se observações e medições.
- Análise dos dados.
- Apresentação das conclusões, sendo estas submetidas à análise dos pares.

INTRODUÇÃO

eram aceitas como verdade bíblica, reco-
mendando que as conclusões de Aristóteles
fossem testadas. Sem dúvida, Aristóteles
aprovaria a aplicação de métodos empíricos
para reavaliar e questionar seus próprios
escritos. Em suas investigações científicas,
Bacon seguia como padrão a formulação de
uma hipótese com base em observações e
a execução de um experimento para testar
a hipótese. Ele repetia seus experimentos
para se certificar dos resultados e docu-
mentava seus métodos meticulosamente,
de modo que eles pudessem ser analisados
por outros cientistas. Ele chamava a experimentação de "vexação da natureza". Dizia:
"Aprendemos mais com a vexação ardilosa
da natureza do que o faríamos pela observação paciente".

Outro Bacon, o advogado e filósofo inglês Francis Bacon (1561-1626), propôs
uma nova abordagem à ciência, a qual publicou em 1621 em *Novum Organum Scien-
tiarum* (O Novo Órganon das Ciências).
Ele acreditava que os resultados de experimentos pudessem ajudar a discernir teorias conflitantes e ajudar a humanidade a se
aproximar da verdade. Ele defendia o raciocínio indutivo como a base do
pensamento científico. Bacon instaurou o processo de
observação, experimentação,
análise e raciocínio indutivo que é considerado com
frequência como o início do
método científico moderno.
Seu método começa com um
aspecto negativo – livrar a
mente de "ídolos" ou noções
preconcebidas – e evoluir
para um aspecto positivo que
envolva a exploração, a experimentação e a indução.

A revolução científica

Embora Bacon fosse o primeiro a formular o método, uma abordagem semelhante
à experimentação já tinha sido adotada por
Galileu. Galileu foi um grande proponente
do raciocínio indutivo, percebendo que a
evidência empírica de um mundo complexo nunca corresponderia à pureza da teoria.
Não é possível levar em conta todas as variáveis em um único experimento, ele afirmava. Por exemplo, ele acreditava que suas experiências com a gravidade nunca removiam
os efeitos da resistência do ar ou do atrito.
Entretanto, padronizar métodos e medidas
significa que um experimento executado re-
petidamente, talvez por pessoas diferentes,
poderia produzir um conjunto de resultados
a partir dos quais as conclusões gerais poderiam ser extrapoladas. Galileu acreditava
no método experimental a ponto de arriscar
sua reputação em uma demonstração pública para apresentar um argumento em 1611.
Ele e um professor rival em Pisa discutiram
sobre como a forma de objetos do mesmo
material (e, portanto, com a mesma densidade) afetava sua capacidade de flutuar na
água. Galileu desafiou o professor a uma

Dizem que Bacon teria morrido após conduzir um experimento para produzir o primeiro frango congelado em
1626. "Quando [o senhor Francis Bacon] estava tomando
ar em uma carruagem na companhia do Dr. Witherborne
(um médico), a caminho de Highgate, nevou, e meu senhor pensou, 'por que a carne não poderia ser conservada
na neve, como no sal'. Eles decidiram tentar a experiência. Desceram da carruagem e foram até a casa de uma
mulher pobre na base de Highgate Hill, compraram um
frango e fizeram a mulher tirar-lhe as tripas, então enche-
ram o corpo com neve, e meu senhor ajudou a fazer isso.
A neve esfriou tanto seu corpo que ele adoeceu imediatamente... [Ele contraiu] uma gripe tão forte que em dois ou
três dias, conforme lembro de Mr. Hobbes ter me dito, ele
faleceu sufocado."

John Aubrey, Brief Lives (Vidas Breves).

INTRODUÇÃO

demonstração pública, dizendo que ele iria defender os resultados do experimento; o professor não apareceu.

Sociedades científicas

O interesse crescente pela ciência deu origem a sociedades científicas espalhadas pela Europa a partir do século 17. Estas deram encaminhamento a conversas, experimentações e o desenvolvimento científico. A primeira delas foi a Accademia dei Lincei, formada por Federico Cesi, um rico florentino com grande interesse pela ciência. Embora tivesse apenas 18 anos, Cesi acreditava que os cientistas deveriam estudar a natureza diretamente, em vez de se guiarem pela filosofia aristotélica. Os primeiros membros da academia viviam comunitariamente em uma casa de Cesi, onde ele lhes fornecia livros e um laboratório totalmente equipado. Os integrantes incluíam o físico holandês Johannes Eck (1579-1630), o acadêmico italiano Giambattista della Porta (c.1535-1615) e – o mais famoso – Galileu Galilei. No apogeu, a academia tinha 32 membros espalhados pela Europa. A academia estabeleceu como seus objetivos em 1605 "adquirir conhecimento de coisas e sabedoria... e apresentá-los pacificamente aos homens, sem qualquer prejuízo". Apesar disso, o grupo foi acusado de magia negra, de se opor à doutrina da Igreja e de viver escandalosamente.

O Lincei foi uma aventura muito pessoal, e quando Cesi morreu em 1630, ele logo se dividiu. Foi sucedido pela Academia de Experimento em Florença, fundada em 1657 por dois ex-alunos de Galileu, Evangelista Torricelli (1608-1647) e Vincenzo Viviani (1622-1703). Esta também durou pouco, fechando após dez anos em 1667; na época o centro de desenvolvimento cien-

Robert Boyle quando jovem.

21

INTRODUÇÃO

Não existe nenhum retrato contemporâneo de Robert Hooke. Havia um retrato dele na Royal Society *em 1710, mas conjectura-se que Newton o teria destruído.*

Micrografia, *de Robert Hooke, revelou detalhes mínimos sobre a vida pela primeira vez.*

tífico mudou-se da Itália para a Inglaterra, França, Alemanha, Bélgica e Países Baixos.

A maior das sociedades científicas foi a Royal Society of London (Sociedade Real de Londres). Embora fundada oficialmente em 1660, suas origens estão em uma "faculdade invisível" de cientistas que começaram a se encontrar para discussões em torno de 1640. Em sua fundação, havia 12 membros, entre eles o arquiteto inglês Sir Christopher Wren (1633-1723) e o químico irlandês Robert Boyle (1627-1691). O discurso de abertura de Wren falou em fundar uma "faculdade para a promoção da aprendizagem experimental físico-matemática". A sociedade planejava reunir-se semanalmente para acompanhar experimentos e discutir tópicos científicos, sendo Robert Hooke (1635-1703) o primeiro curador de experimentos. No início aparentemente sem nome, o nome The Royal Society aparece impresso pela primeira vez em 1661, e no Segundo Estatuto Real de 1663 a Sociedade é referida como "The Royal Society of London for Improving Natural Knowledge" (A Sociedade Real de Londres para o Aprimoramento do Conhecimento Natural). Foi a primeira "sociedade real" existente. Começou a adquirir uma biblioteca em 1661 e então um museu de espécimes científicos, e ainda tem slides microscópicos de Hooke. Depois de 1662, a sociedade recebeu alvará para publicar livros, e um dos primeiros dois títulos foi *Micrographia*, de Hooke. Em 1665, a Royal Society lançou a primeira edição de *Philosophical Transactions*, agora o periódico impresso mais antigo.

À Royal Society seguiu-se rapidamente a Académie des Sciences em Paris, em 1666. Os membros

> "Galileu, talvez mais do que qualquer outra pessoa, foi responsável pelo nascimento da ciência moderna."
> Stephen Hawking, cosmologista inglês, 2009.

da Académie não precisavam ser cientistas, e, em certo momento, Napoleão Bonaparte foi presidente. Grandes realizações científicas tornaram-se rapidamente motivo de orgulho nacional e rivalidade internacional, principalmente para a República Francesa e a França de Napoleão.

A melhor ferramenta científica – o cérebro

Sem recursos para equipamentos e sem realizar experimentos, Aristóteles chegou a modelos para a natureza da matéria e o comportamento de corpos em diferentes condições que funcionavam de acordo com o que já se conhecia. No início do século XX, o físico Albert Einstein (1879-1955) revolucionou a Física e a visão científica do universo usando apenas caneta e papel. Assim como Aristóteles, ele trabalhou a partir de observações do universo para desenvolver teorias, lidando com fenômenos que não podiam na época ser realmente investigados por experimentação ou mesmo por medição.

Ao contrário de Aristóteles, no entanto, e seguindo uma prática iniciada por Newton em 1687, Einstein fez uso rigoroso da matemática para apoiar seus argumentos e mostrar que seu sistema funcionava com o que já era conhecido. Ele fez previsões que desde então foram corroboradas por observação e experimentação. Cálculos matemáticos consideráveis geralmente são aplicáveis para testar um novo modelo em física nos dias atuais, e nesse sentido os físicos modernos têm vantagem sobre as gerações anteriores. Agora eles possuem computadores que lhes permitem executar rapidamente cálculos que levariam vidas inteiras em um passado não tão distante.

Mas por trás de todos os avanços na ciência, são a inventividade e a curiosidade dos seres humanos que impulsionam o progresso, tanto nas universidades e laboratórios de pesquisa de hoje quanto nas academias ao ar livre da Grécia Antiga.

O pêndulo de Foucault no Panteão, Paris, forneceu uma demonstração contundente de que a Terra gira em torno de seu eixo.

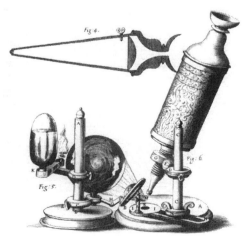

Microscópio de Robert Hooke.

CAPÍTULO 1

A mente se sobrepõe
À MATÉRIA

É difícil imaginar, quando se olha para um objeto sólido, que ele é composto de muitas partículas minúsculas e de muito espaço vazio. É ainda mais estranho quando paramos para pensar que as próprias partículas são mais espaço que matéria. A ideia de que a matéria não é contínua, e mesmo que ela contém muito espaço vazio – que é uma descrição adequada da teoria atômica moderna –, foi sugerida pela primeira vez por volta de 2.500 anos atrás. Mesmo assim, a teoria atômica só foi aceita pela maioria dos cientistas há pouco mais de um século. Durante grande parte desse intervalo de tempo, o conceito foi desacreditado e até mesmo ridicularizado.

Céres e os Quatro Elementos, por Jan Brueghel o Velho, 1568-1625.

A MENTE SE SOBREPÕE À MATÉRIA

O primeiro físico?

As origens da "filosofia natural" – ou da ciência, como a chamamos hoje – provavelmente residem, como é comum na cultura ocidental, na Atenas antiga. A primeira pessoa a quem podemos chamar de físico é Anaxágoras, que viveu no século 5 a.C. Na época, quando a lógica estava iniciando, ele tentou encaixar uma miríade de observações e os resultados de experimentos em uma estrutura lógica que lhe permitisse entender e explicar a natureza do mundo. Anaxágoras buscou uma visão do universo material em que a superstição ou a intervenção divina não tivessem nenhum papel, um esquema em que tudo pudesse ser explicado com racionalidade – um verdadeiro modelo científico. Ao se limitar a tipos de matéria que pudessem ser percebidos, Anaxágoras estabeleceu um padrão para os físicos lidarem com o mundo físico visível que duraria quase 2.500 anos.

As sementes da matéria

Para Anaxágoras, o aspecto essencial do mundo natural era a mudança. Ele via tudo em constante movimento, uma coisa se transformando em outra em um ciclo infindável. A matéria, dizia ele, não podia existir do nada e nem parar de existir, uma crença que ele compartilhava com os primeiros pensadores, Tales de Mileto e Parmênides (c. 515-c.445 a.C.). Essa mesma crença foi apresentada bem mais tarde pelo químico francês Antoine Lavoisier (1743-94) na lei da conservação da massa (veja a página 40). Além disso, ele afirmava que toda matéria era composta dos mesmos ingredientes fundamentais – propriedades essenciais e talvez "sementes" de substâncias básicas. As propriedades sempre existiriam em pares opostos, como quente-frio, claro-escuro e doce-azedo. Haveria sempre a mesma quantidade de cada propriedade no total. As sementes seriam principalmente de matéria orgânica (sangue, carne, casca, pele).

Anaxágoras acreditava que qualquer porção de matéria, independentemente do quanto fosse pequena, continha todas as propriedades (ou materiais) possíveis. Isso significa que ela deve se dividir infinitamente. As propriedades que predominam são evidentes e dão à substância suas características observáveis, enquanto outras são latentes. Logo, uma árvore tem mais casca que pele, mas ainda tem um pouco de cada – só não tem o suficiente para que sua pele seja notada. Isso explica como qualquer substância pode ser feita de qualquer outra, uma vez que requer simplesmente proporções diferentes de todas as propriedades (ou materiais) para formar a nova substância.

A mente animando a matéria

Anaxágoras tinha um ingrediente adicional para juntar ao cadinho, e este era a inteligência, ou *nous*. Ele não acreditava que a inteligência estivesse presente em toda matéria, mas apenas em coisas animadas (vivas ou conscientes). Porém a inteligência tinha um papel adicional: no início de todas as coisas, não se distinguia substâncias diferentes na matéria; era apenas uma pilha homogênea de partículas ou lama que se *organizavam* em matéria "própria" pelo princípio mental.

Isso soa terrivelmente como criação por uma entidade divina, e Anaxágoras foi irredutível em não querer superstição nem religião em seu relato do mundo. A "men-

> *"Nada virá do nada."*
> Rei Lear, Ato I, Cena 1

O PRIMEIRO FÍSICO?

ANAXÁGORAS (C. 500-C.430 A.c.)

Nascido na Jônia, na costa oeste da atual Turquia, Anaxágoras mudou-se para Atenas aos 20 anos, onde entrou imediatamente nos círculos intelectuais mais altos. Ele se tornou companheiro e instrutor de Péricles, governante político de Atenas no auge do poder da cidade (454-413 a.C.). Anaxágoras ensinou e escreveu um tratado sobre filosofia natural que mais tarde foi usado pelo filósofo grego Sócrates (469-399 a.C.). Sua fama espalhou-se por toda parte, seu apreço pela vida intelectual e desinteresse pelos prazeres carnais e sociais tornaram-se tão famosos quanto seus ensinamentos. Anaxágoras era tão dedicado à vida mental que negligenciou tudo o mais e deixou que sua considerável herança se perdesse.

Apesar de ser a maior figura intelectual de Atenas, ele se mudou da cidade depois de 30 anos, e pouco se sabe de sua vida a partir de então. Morreu em Lâmpsaco, na costa de Dardanelo, por volta dos 70 anos, mas sua influência continuou durante um século após a morte.

No esquema de Anaxágoras, um objeto natural como um texugo mistura sementes que incluem pele, sangue e osso com nous ou "inteligência". Um objeto inanimado compartilha as mesmas sementes em diferentes proporções, mas não possui "mente".

te" dele não era um criador inteligente, mas um tipo de elemento inspirador que desencadeava as forças físicas que faziam girar a matéria elementar, fazendo-a se separar, se diferenciar e formar corpos como a Terra e o Sol. É difícil ser exato quanto ao papel da mente, uma vez que não se tem mais o texto completo de Anaxágoras. No entanto, Platão relata que Sócrates comprou uma cópia do trabalho de Anaxágoras por pensar que esta contivesse uma explicação que envolve uma concepção da inteligência, e se desapontou.

Quando uma árvore queima, seus constituintes se reorganizam radicalmente.

TUDO SE TRANSFORMA

Anaxágoras concebeu um modelo em que a matéria não podia ser criada nem destruída, mas no qual a mutabilidade do mundo à nossa volta é explicada transformando-se a matéria ao longo do tempo. Se uma árvore é cortada e a madeira é transformada em barco, a matéria mudou e se reorganizou, mas conserva o mesmo tipo e quantidade (contando o barco, sobras e o pó de serragem). Outras transformações exigem reorganizações mais profundas: atear fogo em uma árvore, por exemplo, produz cinza, vapor d'água e fumaça que não são semelhantes à madeira. Como todo objeto contém, em proporções diferentes, todos os tipos possíveis de matéria e qualidades, existe sempre o potencial para cada tipo de matéria ser derivada de qualquer objeto – portanto, uma planta poderia crescer do solo, por exemplo, reorganizando-se ou extraindo tipos de matéria.

Anaxágoras percebeu que para que isso ocorresse, as partes constituintes da matéria (sementes) deveriam ser extremamente pequenas; caso contrário as transformações que vemos diariamente não seriam possíveis. Os componentes da matéria teriam de atender ao requisito de serem infinitesimalmente pequenos, e isso impôs problemas insuperáveis ao modelo.

PARTES INDIVISÍVEIS

A palavra "átomo" vem do termo do grego clássico "atomos", que significa inseparável ou indivisível. A sugestão de que tudo é feito de partículas minúsculas indivisíveis tem suas origens no século 5 a.C. com o trabalho de Leucipo, e depois com seu aluno Demócrito. Sabe-se muito mais sobre Demócrito (c. 460-c.370 a.C.) do que sobre Leucipo, a ponto de o filósofo grego Epicuro (341-270 a.C.) duvidar da existência de Leucipo. É impossível dizer que parte do modelo atômico veio de Leucipo. O atomismo sustenta que o universo abrange matéria formada de partículas minúsculas, indivisíveis, existentes num vazio. Os átomos de qualquer substância são do mesmo tamanho e formato, e feitos do mesmo material.

Se os átomos são partículas homogêneas (*homeomerias*) minúsculas, existe uma questão óbvia: por que eles não podem ser ainda mais divididos? Se Demócrito tinha uma resposta, esta não sobreviveu. Pode ser que os átomos, sendo homogêneos, não tenham vazio interno (enquanto pedaços maiores de matéria têm espaço entre os átomos), e isso, em si, significa que eles não podem ser divididos.

Existe um paradoxo inato, também, em um modelo de matéria composto de partículas infinitesimais. O que Anaxágoras quis dizer com infinitesimal era que as partículas eram menores do que qualquer medida arbitrariamente pequena, mas maiores do que zero. Mesmo assim, ele acreditava que todo objeto guardasse um número infinito de partículas, pois por menor que fosse a porção que ele tomasse, sempre haveria um pouco de cada tipo de matéria. Se os átomos ou sementes não têm extensão no espaço (tamanho zero), então mesmo um número infinito deles não poderia compor matéria de tamanho finito. Esse dilema apresentou

problemas insuperáveis para os pensadores gregos que viveram posteriormente e levou o modelo atômico ao marasmo do qual ele não saiu durante 2.000 anos.

COISAS E NÃO COISAS

Até aqui o atomismo soa muito parecido ao modelo de Anaxágoras; no entanto, para ele, toda matéria flutuava no ar ou *aether* (veja a página 32), que é uma substância física, enquanto para os atomistas a matéria existia em um vácuo. Demócrito (ou Leucipo) foi o primeiro a postular o vácuo, embora a necessidade de um vácuo fosse evidente para a matéria se mover: em um universo cheio de matéria, cada parte de espaço já estaria ocupada de modo que não pudesse ser ocupada por algo mais que se movesse dentro dele. Quando algo se move, não só muda para um espaço vazio, mas também deixa espaço vazio para trás. Enquanto os primeiros pensadores negavam a existência de um vácuo ("o que não é"), Demócrito contou com a evidência de nossos sentidos – sabemos que as coisas se movem – para estabelecer o vácuo como um conceito válido. Além disso, podemos ver que o universo é composto de muitas coisas (ele tem pluralidade), enquanto se não houvesse espaço vazio, toda matéria seria contínua. A pluralidade e a mudança exigem um vácuo.

HOMEOMERIAS

Anaxágoras, e mais tarde os pensadores gregos, distinguiam substâncias que eram homeômeras (homogêneas) e aquelas que não eram. Uma substância homeômera é aquela em que todas as partes são como um todo. Logo, uma pepita de ouro é homeomeria porque não importa o quanto seja pequena, ela ainda tem as propriedades de uma grande pepita de ouro. Uma árvore ou um navio não são homeômeros, pois podem ser divididos em partes que possuem características diferentes. Para o olhar moderno, as homeomerias são os elementos e os compostos químicos puros.

A MENTE SE SOBREPÕE À MATÉRIA

ARISTÓTELES (384-322 a.c.)

Aristóteles nasceu em Stageira, Macedônia, mas ficou órfão muito cedo. Mudou-se para Atenas por volta dos 18 anos de idade para estudar com Platão, na academia dele, seguindo conselhos a ele dados pelo Oráculo de Delfos. Ele se tornou o melhor e o mais famoso discípulo de Platão. Em 342 a.C., Aristóteles voltou para a Macedônia e tornou-se tutor de Alexandre, o filho de Filipe II da Macedônia, que mais tarde se tornou Alexandre, o Grande. Aristóteles retomou o trabalho de todos os primeiros pensadores gregos e então construiu suas próprias visões com base nos aspectos que ele considerava corretos, expandindo-os. Ele escreveu sobre quase todos os assuntos, inclusive Física. Seus ensinamentos foram preservados por acadêmicos árabes e foram retomados na Europa traduzidos para o latim nos séculos XII e XIII. As ideias científicas de Aristóteles dominaram a ciência ocidental até o século XVIII.

Matéria atômica e elementar

Para a mentalidade moderna, os átomos e elementos são parte do mesmo modelo do universo. Os elementos são substâncias químicas puras, cada uma composta de átomos idênticos; logo, todo o ouro são átomos de ouro, e todo o hidrogênio são átomos de hidrogênio. Os compostos, no entanto, contêm átomos de dois ou mais elementos; logo o dióxido de carbono abrange átomos de carbono e oxigênio, por exemplo. Nas teorias antigas da matéria, contudo, os átomos e os elementos pertencem a modelos diferentes.

QUATRO – OU CINCO – ELEMENTOS

Empédocles (c. 490-c.430 a.C.) ensinava que tudo é formado por quatro "princípios": terra, água, fogo e ar. Esse modelo foi retrabalhado e defendido por Aristóteles, talvez o maior e mais influente pensador da história do ocidente.

Platão renomeou os quatro "elementos principais" e Aristóteles usou esse termo. Cada elemento é caracterizado por duas propriedades dos contrários naturais – quente-frio e úmido-seco. Logo, a terra é fria e seca, a água é fria e úmida, o ar é quente e úmido, e o fogo é quente e seco. Essas propriedades também formaram a base do modelo de saúde e doença com base nos quatro humores propostos por Hipócrates (c. 460-c.377 a.C.) ou sua escola, que perdurou até o século XIX.

De acordo com a teoria elementar, toda matéria ocupa naturalmente um campo que

MATÉRIA ATÔMICA E ELEMENTAR

é associado a seus elementos e a matéria é atraída para seu campo natural. A terra ocupa a posição mais baixa e o fogo a mais alta, com a água e o ar entre os dois. Isso explica alguns tipos de movimento no mundo físico: objetos pesados caem no chão porque a terra é seu elemento principal; a fumaça contém fogo e ar, que ocupa os campos superiores, por isso ela sobe. Uma vez que um elemento está em seu lugar natural, ele não se moverá a não ser que algo cause esse movimento.

Além dos quatro elementos, existe um quinto elemento muito diferente (ou "quintessência"), chamado "éter". O conceito de um "éter" nunca desapareceu, embora fosse considerado ou desconsiderado ao longo de milhares de anos (veja a página 32).

O cobre, um metal que brilha, é composto apenas de átomos de cobre. Cristais azuis do sulfato de cobre, um composto, são formados de átomos de cobre, enxofre e oxigênio.

Embora o modelo atomista de Demócrito fosse, de fato, muito próximo da realidade entendida hoje, foi a ideia preferida por Empédocles, Platão e Aristóteles, de um mundo formado de quatro elementos, que acabou sendo mais aceita. Quando os pensadores árabes do início da Idade Média retomaram e desenvolveram o pensamento da Grécia Clássica, esse modelo elementar foi levado adiante. De lá ele foi traduzido para o latim e então para outras línguas europeias; ele foi o marco do pensamento sobre a natureza da matéria durante mais de 2.000 anos.

M-M-Mudanças

Enquanto Parmênides não conseguiu explicar as mudanças e os atomistas afirmavam que o vazio permitia que a matéria mudasse, Aristóteles afirmou que todas as mudanças ocorrem como transformação entre os estados. Isso envolvia "transformar-se e voltar ao estado natural" – novamente uma versão da conservação de massa. Logo, para se

Desenho alegórico dos quatro elementos em um manuscrito do século XII.

tornar uma estátua, um bloco de pedra ou bronze deixava de ser um bloco e se tornava uma estátua. Para se tornar um homem, um menino deixava de ser criança. Cada coisa mutável tem o potencial para algo mais, e esse potencial é percebido ao mudar. Então ele perde seu potencial para se tornar e adquire "realidade".

> **O ÉTER: 2.500 ANOS DE UM MEIO NÃO DETECTÁVEL**
>
> O éter, ou quintessência, aparece primeiro como o quinto elemento no pensamento grego antigo. Este é o elemento dos céus e não faz parte da matéria terrestre. Foi considerado o âmbito natural dos deuses, sendo imutável e eterno. Pensava-se que se movia apenas em círculos, uma vez que um círculo é a forma perfeita. Diferenças em densidades no éter eram consideradas como responsáveis pela existência dos corpos celestes. O grande filósofo e matemático francês René Descartes (1596-1650) pensava que a visão era possível porque a pressão exercida no éter era transferida para o olho. O conceito de éter foi retomado no século XIX pelo cientista escocês James Clerk Mxwell (1831-1879) para explicar o transporte de luz e outras formas de radiação eletromagnética.
>
> O físico holandês Hendrik Lorentz (1853-1928) desenvolveu uma teoria de um meio eletromagnético abstrato entre os anos de 1892 a 1906, mas quando Albert Einstein publicou sua teoria especial da relatividade em 1905, ele descartou o éter de uma vez.
>
> Mais recentemente, vários cosmologistas propuseram um tipo de éter que inunda o cosmos, talvez ligado à matéria escura.

Atomismo indiano

Os gregos não foram os únicos pensadores a chegar a um tipo de teoria atômica. Os filósofos indianos também sugeriram que a matéria pode ser composta de partículas minúsculas. Não está claro se os gregos ou os indianos derivaram essa teoria primeiro, e se eles o desenvolveram independentemente ou uma tradição influenciou a outra. O filósofo indiano Kanada (Kashyapa) pode ter vivido no século VI ou no século II a.C. (não há concordância entre os historiadores). Se a data mais antiga for correta, o atomismo de Kanada é anterior à tradição grega, e pode tê-la influenciado.

A teoria dos átomos de Kanada complementou a teoria elementar uma vez que ele propôs cinco tipos diferentes de átomo, um para cada um dos cinco elementos que compunha o modelo indiano da matéria – fogo, água, terra, ar e éter, o mesmo que no modelo de Aristóteles. Os átomos – ou paramanu – são atraídos uns para os outros e todos se agrupam. Uma partícula diatômica, *dwinuka*, possui propriedades pertencentes a cada componente; estas então se agrupam em aglomerados triatômicos que se pensava serem os menores componentes visíveis da matéria. A variedade e as propriedades diferentes da matéria respondem pelas combinações e proporções diversas dos cinco tipos de paramanu. Na versão do atomismo de Kanada desenvolvida pela escola de Vaisesika, os átomos podiam ter uma combinação de 24 propriedades possíveis. Mudanças químicas e físicas na matéria acontecem quando o paramanu se recombina.

Ao contrário dos filósofos gregos, Kanada acreditava que os átomos podiam surgir ou deixar de existir instantaneamente, mas não podiam ser destruídos por meios físicos ou químicos.

MATÉRIA ATÔMICA E ELEMENTAR

> **KANADA (KASHYAPA)**
>
> O filósofo hindu Kanada nasceu em Gujarat, Índia. De acordo com a tradição, seu nome original era Kashyapa, mas quando criança ele recebeu o nome Kanada (de Kana, que significa grão) pelo sábio Muni Somasharma, por conta de seu fascínio pelas coisas minúsculas. Sua principal área de estudo foi um tipo de alquimia (veja a página 36). Ele propôs uma teoria atômica da matéria, que concebeu quando estava andando enquanto comia e atirava pequenas partículas de comida. Diz-se que ele percebeu que não podia continuar a dividir a comida em pedaços sempre menores, mas que isso deve ocorrer com os átomos indivisíveis.

A teoria do atomismo de Jain data do século I a.C. ou antes. Ela vê o mundo todo, com exceção das almas, como composto de átomos, cada qual tendo um tipo de gosto ou cheiro, uma cor e dois tipos de característica ao toque. Os átomos de Jain ficavam em movimento constante, geralmente em linhas retas, embora pudessem seguir uma trajetória curva se atraídos a outros átomos. Havia ainda um conceito de carga polar, com partículas tendo uma característica suave ou forte que lhes permite se ligarem. Os átomos podiam se combinar para produzir qualquer um de seis "agregados": terra, água, sombra, objetos dos sentidos, matéria kármica e matéria imprópria. Havia teorias complexas sobre como os átomos se comportavam, reagiam e se combinavam.

ATOMISMO ISLÂMICO

Se as teorias indiana e grega foram as primeiras, ambas foram trazidas pelos primeiros estudiosos islâmicos. Os ensinamentos dos gregos antigos sobreviveram no Império Romano Oriental (Bizantino) e foram retomados pelos primeiros estudiosos árabes que os traduziram e comentaram. Havia duas formas principais de atomismo islâmico, uma mais próxima do pensamento indiano e a outra, do aristotélico. A que teve mais sucesso foi o trabalho Asharite de al-Ghazali (1058-1111). Para al-Ghazali, os átomos são as únicas coisas materiais eternas; tudo o mais dura apenas um instante e é considerado "acidental". As coisas acidentais não podem ser a causa de qualquer coisa, exceto a percepção.

Al-Ghazali era Asharite – uma seita que acreditava que a razão humana não podia estabelecer verdades sobre o mundo físico sem a revelação divina.

Alguns anos mais tarde, o filósofo islâmico de origem espanhola Averroes (Ibn Rushd, 1126-1198) rejeitou o modelo de al-Ghazali e comentou longamente sobre Aristóteles. Averroes foi muito influente no pensamento medieval posterior e foi fundamental para que a academia cristã e judia absorvesse o pensamento aristotélico.

Muito do trabalho árabe foi traduzido para o latim no início da Idade Média, introduzindo o pensamento clássico grego na Europa. Os ensinamentos de Aristóteles eram adotados pela Igreja Católica sempre que não contradissessem diretamente a Bíblia ou os pensadores cristãos influentes. Por essa via, eles formaram os fundamentos dos modelos científicos e filosóficos aceitos que foram correntes no Ocidente até a Renascença, quando pensadores europeus finalmente começaram a questionar e a checar os ensinamentos dos antigos.

DOS ÁTOMOS AOS CORPÚSCULOS

No século XIII, um alquimista anônimo chamado Pseudo-Geber deu início a uma teoria da matéria baseada em partículas minúsculas, às quais chamou de "corpúsculos". (O nome estranho "Pseudo-Geber" vem por ele assinar seus trabalhos como Geber, que era a forma latinizada do nome Jabir ibn Hayyan, um alquimista islâmico do século VIII, embora os textos não fossem realmente traduções dos trabalhos de Geber.) Pseudo-Geber propôs que todos os materiais físicos têm uma camada interna e outra externa de corpúsculos. Ele acreditava que todos os metais fossem feitos de corpúsculos de mercúrio e enxofre em proporções diferentes. Ele apoiava essa crença na alquimia (veja o box, página 36), pois esta significava que todos os metais tinham os ingredientes necessários para se tornar ouro – eles só precisavam se refinar adequadamente ou serem reorganizados.

Algo parecido à visão de Pseudo-Geber era descrito por Nicholas de Autrecourt (c. 1298-c.1369). Autrecourt fez o debate ferver em Paris, na época o centro intelectual da Europa, acerca de divisibilidade ou indivisibilidade de um *continuum*. Essa questão surgiu da declaração de Aristóteles de que um *continuum* não pode ser formado de partículas indivisíveis. Ele acreditava que toda matéria, espaço e tempo fossem compostos de átomos, pontos e instantes, e que toda mudança é o resultado da reorganização de átomos. Várias visões de Autrecourt eram

Debate imaginário entre o Averroes aristotélico (à esquerda) e o filósofo neoplatônico Porfírio, que morreu 800 anos antes do nascimento de Averroes.

ofensivas à igreja e ele teve de se retratar depois de ser julgado em 1340-1346. Para ele, todo movimento era inerente no objeto movente (à medida que o movimento é reduzido a moção de partículas). A visão de que a matéria é granular, e formada de instantes distintos, não foi aceita por pensadores posteriores.

Uma variante do atomismo inicial tornou-se popular no século XVII e teve o apoio do químico irlandês Robert Boyle, do filósofo francês Pierre Gassendi (1592-1655) e de Isaac Newton, entre outros. Conhecido como "corpuscularianismo", diferia do atomismo no sentido de que os corpúsculos não precisam ser indivisíveis. De fato, os proponentes da alquimia (inclusive Newton) usaram a indivisibilidade dos corpúsculos para explicar como o mercúrio podia se insinuar entre as partículas de outros metais, preparando terreno para suas transmutações em ouro. Os corpuscularianos sustentavam que nossas percepções e experiências do mundo à nossa volta resultam das ações de partículas minúsculas de matéria sobre nossos órgãos do sentido.

DOS COSPÚSCULOS DE VOLTA PARA OS ÁTOMOS

O anatomismo só reviveu plenamente quando Pierre Gassendi propôs uma visão cética do mundo em que tudo o que acontecia se dava por causa do movimento e da interação de partículas minutas que seguiam as leis naturais. Gassendi excluiu os seres pensantes de seu esquema, mas, em

Pierre Gassendi era proponente do corpuscularianismo.

outros sentidos, a teoria que ele publicou em 1649 era surpreendentemente exata. Ele pensava que as propriedades da matéria fossem produzidas pelas formas dos átomos, que os átomos podiam se juntar em moléculas e que eles existiam em um vazio enorme – de modo que a maior parte da matéria fosse, na verdade, não matéria. A visão de Gassendi não era tão influente quanto deveria ter sido porque Descartes, muito mais influente, se opunha diretamente a ela, negando taxativamente que pudesse haver um vazio. No entanto, Gassendi e Descartes concordavam sobre um ponto: ambos acreditavam que o mundo fosse essencialmente mecanicista e seguisse as leis da natureza.

Robert Boyle trouxe o atomismo novamente à voga alguns anos após a morte de Gassendi. Em 1661, ele publicou *The Sceptical Chymist*, descrevendo um universo formado totalmente por átomos e aglomerados de átomos, todos em movimento contínuo. Boyle propôs que todos os fenômenos são resultado de colisões entre átomos em movimento, e fez um apelo aos químicos para que investigassem elementos, pois ele suspeitava da existência de mais elementos do que os quatro identificados por Aristóteles.

A IDADE DA RAZÃO

Idade da Razão é o nome dado em geral ao período que começa por volta de 1600 quando o clima filosófico da Europa e das novas colônias na América era de confiança no esforço humano. Ela deu continuidade ao florescimento do otimismo e realização iniciados na Renascença, e concluiu a mudança da visão depreciativa ou humilde da humanidade como pecadores imperfeitos que predominou na Idade Média para uma visão que celebrava os feitos e o potencial humanos. A Idade da Razão impulsionou e foi impulsionada pelos desenvolvimentos na ciência, tecnologia, filosofia, pensamento político e as artes.

A filosofia do período às vezes é dividida em dois campos, racionalista e empiricista. Os racionalistas mantinham que a razão era a via para o conhecimento, enquanto os empiricistas defendiam a observação do mundo à nossa volta. Isso seguia, grosso modo, a divisão entre Platão (racionalista) e Aristóteles (empiricista) no pensamento antigo. A visão empiricista levou diretamente ao experimentalismo científico e à observação, enquanto o racionalismo favoreceu as abordagens matemática e filosófica. Porém não existe uma divisão clara entre as duas, uma vez que as conclusões a que se chegou por dedução racional costumam ser passíveis de testes por métodos empíricos. Juntas, essas abordagens formaram as bases da revolução científica. O desenvolvimento do método científico, um dos triunfos da Idade da Razão, mudou o curso da descoberta científica para sempre.

O nascimento da física do estado sólido

Aceitar que a matéria é composta de partículas minúsculas, quer as chamemos de átomos ou de corpúsculos, levou a questões óbvias como: qual é o formato delas, como elas se unem em matéria contígua, como diferentes tipos de matéria reagem e inte-

ALQUIMIA

Os objetivos mais conhecidos do esforço filosófico e científico da alquimia são transformar os metais de base em ouro, por meio da transmutação, e produzir um elixir da vida. A famosa pedra filosofal era considerada com frequência um componente essencial do elixir da vida, do processo de transmutação, ou ambos. A alquimia foi praticada em várias formas no Egito Antigo, Mesopotâmia, Grécia Antiga, China e no Oriente Médio islâmico, bem como na Europa durante a Idade Média e a Renascença. A alquimia é a base da moderna química e farmacologia, e na alquimia chinesa a produção de remédios foi uma atividade importante. Tentativas de transmutação com frequência começaram com chumbo, mas outros metais de base podiam ser usados. É desnecessário dizer que nenhum dos métodos dos alquimistas funcionou.

Um alquimista trabalhando na destilação em um laboratório.

O NASCIMENTO DA FÍSICA DO ESTADO SÓLIDO

> **O PODER DO NADA**
>
> O cientista alemão Otto Von Guericke (1602-1686) inventou – ou descobriu – o nada. Literalmente. Ele provou que um vácuo podia existir, o que os cientistas anteriores tinham negado. Depois de fazer experiências com foles e desenvolver uma bomba de ar, ele fez uma demonstração espetacular na frente do imperador Ferdinando III, em 1654. Ele construiu esferas de metal a partir de dois hemisférios e bombeou ar. Então ele mostrou o poder do vácuo – ou o poder da pressão atmosférica – demonstrando que nem mesmo dois cavalos conseguiriam separar os hemisférios.

Robert Boyle em 1689, dois anos antes de sua morte, quando já estava com a saúde debilitada.

ragem, como as mudanças físicas (fusão, congelamento, sublimação) se relacionam ao modelo das partículas? Físicos do século XVII deduziram modelos da estrutura da matéria a partir da observação das propriedades e do comportamento de substâncias – o que às vezes os levaram a deduções bastante bizarras.

Depois de observar a produção de ferro forjado, Descartes concluiu que as partículas de ferro de algum modo se juntavam formando grãos, e que a coesão dentro dos grãos era maior do que a coesão entre os grãos. Ele não notou, contudo, que os "grãos" em ferro forjado formam uma estrutura cristalina. Embora na teoria os microscópios pudessem revelar tais estruturas, eles só passaram a ser usados comumente na segunda metade do século XVII; mesmo assim, eram mais usados em estudos biológicos. Evidentemente, não existe microscópio que mostre a forma dos átomos ou moléculas.

> "[Robert Boyle] é muito alto (cerca de 1,80m) e sério, muito comedido, virtuoso e frugal: um solteiro; mantém uma carruagem; reside temporariamente com a irmã, Lady Ranelagh. Seu maior prazer é a química. Ele tem na casa de sua irmã um laboratório nobre e vários serviçais (aprendizes) para cuidar do laboratório. Ele é caridoso com homens inventivos que estão necessitados e os químicos estrangeiros têm tido uma prova de sua generosidade, pois ele não poupa custos para guardar qualquer segredo raro. Ele arcou com os custos de tradução e impressão do Novo Testamento em árabe, para enviá-lo aos países maometanos. Teve um renome respeitado na Inglaterra e também no exterior; e quando os estrangeiros vêm aqui, uma das curiosidades deles é lhe fazer uma visita."
>
> John Aubrey, Brief Lives

> "Existem, portanto, Agentes na Natureza capazes de fazer as Partículas dos Corpos se unirem por Atrações muito fortes. E é Tarefa da Filosofia experimental descobri-los. Agora as menores Partículas de Matéria podem aderir com Atrações mais fortes, e compor Partículas maiores de Virtude mais fraca, e muitas delas podem aderir e compor Partículas maiores cuja Virtude ainda é mais fraca, e assim por diante para diversas Sucessões, até a Progressão final nas maiores Partículas em que as Operações de que a Química e as Cores de Corpos naturais dependem, as quais aderem a Corpos compostos de uma Magnitude sensível. Se o Corpo é compacto, e se dobra ou cede para dentro à Pressão sem qualquer deslize de suas Partes, é difícil e elástico, voltando para sua Figura com Força surgindo da Atração mútua de suas Partes. Se as Partes deslizam umas sobre as outras, o Corpo é maleável ou macio. Se elas deslizam facilmente, são de um Tamanho adequado para serem agitadas por Calor, e o Calor for grande o suficiente para mantê-las Agitadas, o Corpo é fluido..."
>
> Isaac Newton, notas à segunda edição de Opticks, Londres 1718.

O físico cartesiano Jacques Rohault (1618-1672) sugeriu em 1671 que materiais plásticos (ou maleáveis) tinham partículas com texturas complicadas que são emaranhadas, enquanto materiais frágeis têm partículas com uma textura simples que tocam uma à outra apenas em alguns pontos. Em 1722, o pensador francês René Antoine Ferchault de Réaumur (1683-1757) determinou que, ao contrário da crença anterior, o aço não é ferro purificado, mas ferro ao qual "enxofre e sais" foram adicionados e que as partículas dessas substâncias residem entre as partículas de ferro.

Sem nenhum outro método além da imaginação para confiar, os físicos chegaram a algumas sugestões bizarras para os formatos das partículas. Nicolaas Hartsoeker (1656-1725) afirmou em 1696 que o ar é formado de bolas ocas construídas de anéis como arames, que o cloreto de mercúrio é uma bola de mercúrio presa com pontas de sal e vitriol parecidas a agulhas ou lâminas, e que o ferro tem partículas com dentes que se travam para torná-lo duro quando frio. O ferro é maleável quando aquecido, ele alegava, pois as partículas se separam o suficiente para permitir que deslizem umas sobre as outras. Pensar nas estruturas da matéria era um jogo, e Hartsoeker acabou encorajando seus leitores a participarem: "Não desejo privar o leitor do prazer de fazer, ele mesmo, a busca seguindo os princípios que foram estabelecidos acima".

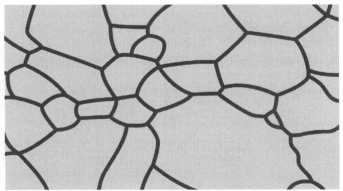

A microestrutura do aço: cientistas do século XVII não olharam o metal com microscópios.

ÁTOMOS E ELEMENTOS

Imagem contemporânea de ferro sendo fundido, na visão de Descartes.

Átomos e elementos

Robert Boyle estava certo em encorajar os químicos a procurar mais elementos do que terra, água, ar e fogo, mas isso foi tempos antes de se formular uma tabela de elementos químicos. Antoine Lavoisier produziu o primeiro trabalho moderno sobre química em 1789, e incluiu nele uma lista de 33 elementos — substâncias que não podiam ser divididas. Infelizmente, a lista de Lavoisier incluía luz e "calórico", que ele pensava ser um fluido que produzia perda ou ganho de calor por meio de movimento (veja a página 99). Lavoisier não considerou a sua lista de elementos exaustiva, deixando porta aberta para mais investigação e descobertas posteriores, nem organizou sua lista de elementos na tabela periódica – esse trabalho foi deixado para o químico russo Dmitri Mendeleev (1834-1907), que o completaria em 1869. A tabela periódica é relevante para a história da física, pois a organização dos elementos de acordo com suas propriedades revelou o significado do número atômico e sua relação com a valência – a maneira como os elementos se ligam.

Como cientista empírico, Lavoisier afirmava que em seu trabalho ele "tentou... chegar à verdade, ligando os fatos; suprimir o máximo possível o uso do ra-

> "Alma do Mundo! Inspiradas por ti,
> As dissonantes Sementes da Matéria concordaram,
> Tu fizeste a ligação dos Átomos dispersos,
> Que, pelas tuas Leis da verdadeira proporção uniram-se,
> Compuseram de várias Partes uma perfeita Harmonia."
> Nicholas Brady, "Ode para Santa Cecilia, c. 1691.

A MENTE SE SOBREPÕE À MATÉRIA

Antoine Lavoisier, o primeiro químico de verdade.

ANTOINE-LAURENT DE LAVOISIER (1743-1794)

Antoine Lavoisier (como passou a ser chamado após a Revolução Francesa, quando um nome nobre refinado passou a ser um ponto negativo) era filho de um rico advogado e estudou direito. Ele se voltou para a ciência, primeiro estudando geologia, mas se tornando cada vez mais interessado em química. Ele tinha seu próprio laboratório, e este, assim como sua casa, logo atraiu cientistas e pensadores independentes.

Lavoisier foi chamado o pai da química moderna. Suas realizações foram consideráveis e variadas. Além de listar os elementos, ele reconheceu o papel do oxigênio na combustão e na respiração, e as reações semelhantes que estavam envolvidas em cada uma. Isso anulou a antiga teoria popular do flogisto (uma substância que supostamente seria liberada quando a matéria é queimada – veja a página 96).

Politicamente, Lavoisier era liberal e apoiava os ideais que levaram à Revolução Francesa. Ele participou de uma comissão que propôs a reforma econômica, e sugeriu aprimoramentos às condições terríveis em presídios e hospitais parisienses, mas isso não o salvou. Ele foi executado em guilhotina durante o Terror em 1794. Diz-se que ele pediu para adiar a execução para poder terminar seus experimentos, mas lhe disseram: "A República não precisa de cientistas". A história de que ele pediu a um assistente para contar quantas vezes ele continuaria a piscar depois de ser decapitado é amplamente divulgada, mas é provavelmente apócrifa.

ciocínio que com frequência é um instrumento não confiável que nos engana, a fim de seguir o máximo possível a tocha da observação e do experimento". Outra contribuição que mais tarde provaria ser importante no entendimento das reações químicas no nível atômico foi a lei de conservação da massa de Lavoisier – o reconhecimento de que nunca se perde nem se ganha massa em um processo de reação química. Mas apesar de chegar a uma lista de elementos, ele não acreditava nos átomos, que ele considerava conceitualmente impossíveis.

TUDO EM PROPORÇÃO

Decidir que os átomos existem é um bom começo, mas a fim de construir uma matéria contínua a partir deles, e em mais variedades do que apenas os elementos identifica-

ÁTOMOS E ELEMENTOS

dos por Lavoisier, era preciso haver meios de juntar átomos. Exatamente como os átomos aderem em grupos era um enigma para os primeiros atomistas. Newton escreveu sobre "Agentes da Natureza" que podiam juntar átomos.

> *"Foi preciso apenas um momento para cortar aquela cabeça, e talvez um século não será suficiente para produzir outra como ela."*
> Matemático e astrônomo Joseph-Louis Lagrange sobre a execução de Lavoisier, 1794.

O primeiro passo na investigação de como átomos se combinam foi determinar os índices em que eles se unem em compostos. O químico francês Joseph Proust (1754-1826) deduziu a lei das proporções definidas a partir de experimentos por ele realizados entre 1798 e 1804, enquanto era o diretor do Laboratório Real em Madri. A lei estabelece que, em qualquer composto químico, os elementos sempre se combinam na mesma relação de números inteiros pela massa.

Alguns anos após Lavoisier ser decapitado em Paris, o químico inglês John Dalton (1766-1844) desenvolveu essa ideia e estabeleceu as bases da moderna teoria atômica moderna. Em um trabalho por ele iniciado em 1803 e publicado em 1808, foram estabelecidas cinco observações sobre átomos:

- Todos os elementos são formados de átomos.
- Todos os átomos de um dado elemento são idênticos.
- Os átomos de um elemento diferem dos átomos de todos os demais elementos e podem ser distintos por seus pesos atômicos.
- Os átomos não podem ser criados, destruídos nem divididos por processos químicos.
- Átomos de um elemento podem se combinar com átomos de outro para formar um composto químico; um dado composto sempre contém a mesma proporção de cada elemento.

Dalton desenvolveu a lei das proporções múltiplas. Em vez de apenas examinar um único composto formado por dois elementos, ele olhava para elementos que podem se combinar de mais de um modo. Ele descobriu que as proporções relativas são sempre pequenos índices de número inteiro. Logo, por exemplo, o carbono e o oxigênio podem formar monóxido de carbono (CO) ou dióxido de carbono (CO_2). Usando os pesos de

Otto Von Guericke conduzindo um experimento para demonstrar um vácuo.

41

A MENTE SE SOBREPÕE À MATÉRIA

combinar oxigênio e carbono, no CO a proporção é 12:16 e no CO_2 é 12:32. Logo, a relação de oxigênio no CO para aquela no CO_2 é 1:2.

Das relações em que as massas de elementos se combinam, foi possível trabalhar massas atômicas relativas. Dalton calculou a massa atômica de acordo com a massa de cada elemento em um composto, usando hidrogênio como sua unidade básica (1). No entanto, ele supôs incorretamente que compostos simples são sempre formados na razão 1:1 – logo ele pensou que a água fosse HO e não H_2O – e como resultado cometeu erros sérios em sua tabela de números atômicos. Dalton também não sabia que alguns elementos existem como moléculas diatômicas (ou seja, em pares, como O_2). Esses erros básicos foram corrigidos em 1811, quando o químico italiano Amedeo Avogadro (1776-1856) percebeu que um volume fixo de qualquer gás à mesma temperatura e pressão contém o mesmo número de moléculas (relacionadas à Constante de Avogadro, 6,0221415 X 1023 mol-1). Disso, Avogadro calculou que como dois litros de hidrogênio reagem com um litro de oxigênio, os gases se combinam na razão 2:1. Avogadro – nome completo Lorenzo Romano Amedeo Carlo Bernadette Avogadro di Quaregna e Cerreto – agora é considerado o criador da teoria atômico-molecular.

ÁTOMOS – VERDADEIRO OU FALSO?

Embora o trabalho de Dalton pareça ser convincente visto retrospectivamente, os cientistas da época não acataram sua explicação e os físicos permaneceram divididos entre aqueles que aceitavam a provável existência de átomos e aqueles que não aceitavam. Felizmente, havia boas razões práticas para se continuar examinando os gases. O desenvolvimento do motor a vapor levou a um interesse crescente pela termodinâmica e, por conseguinte, a certa atenção às propriedades e comportamento dos átomos. O comportamento dos átomos podia ser relacionado com a ação de gases quentes em uma escala muito maior, e em decorrência às leis da termodinâmica que surgiram em meados do século XIX.

A primeira evidência visual de que a matéria é composta de partículas minúsculas foi descoberta – embora não imediatamente explicada – em 1827, pelo botânico escocês Robert Brown (1773-1858). Enquanto examinava minúsculos grãos de pólen na água com o microscópio, Brown notou que eles se moviam constantemente como se alguma coisa invisível estivesse batendo neles. Ele descobriu que o mesmo movimento ocorria quando usava grãos de pólen que haviam sido guardados durante 100 anos, demonstrando que o movimento não era iniciado pelos grãos vivos. Brown não conseguiu explicar o que viu, por isso o que agora é chamado movimento browniano atraiu pouca atenção durante muito tempo. Em 1877, J. Desaulx retomou o tema sugerindo: "Em minha forma de pensar, o fenômeno é um resultado de movimento molecular térmico no ambiente líquido (das partículas)". O físico francês Louis Georges Gouy (1854-1926) descobriu em 1889 que quanto menor a partícula, mais pronunciado o movimento, o que estava claramente de acordo com a hipótese de Desaulx. O geofísico austríaco Felix Maria Exner (1876-1930) mediu o movimento em 1900, relacionando-o ao tamanho e à temperatura da partícula. Isso preparou terreno para Albert Einstein criar um modelo matemático para explicar o movimento browniano em 1905. Einstein estava certo de que as

42

moléculas eram responsáveis pelo movimento, e chegou às primeiras estimativas do tamanho das moléculas. A teoria foi validada pelo físico francês Jean Perrin (1870-1942) em 1908, quando este mediu o tamanho de uma molécula de água usando o modelo de Einstein. Esta foi a primeira evidência experimental para a existência de moléculas, pela qual Perrin recebeu o Prêmio Nobel da Física em 1926. Finalmente, só um cientista extremamente truculento poderia negar a existência de átomos e moléculas.

Os átomos são divisíveis?

Se tomarmos a visão de Demócrito de que os átomos são os menores componentes indivisíveis da matéria, então os átomos não são – falando estritamente – átomos. Mesmo quando Einstein e Perrin estavam provando a existência dos átomos, evidências por partículas menores – subatômicas – estavam começando a aparecer. Com a descoberta do elétron pelo físico inglês Joseph John Thompson (J.J.) em 1897, a indivisibilidade do átomo estava para ser questionada. O átomo gozaria de seu título de "a última partícula" apenas por alguns anos mais. Mas antes de penetrarmos no átomo, examinaremos alguns fenômenos que não costumam ser considerados como sendo formados por qualquer coisa matérica: luz, forças, campos e energia.

ÁTOMOS: UMA QUESTÃO DE VIDA E MORTE

Discussões sobre a existência dos átomos duraram por todo o século XIX, com alguns físicos alegando que os átomos eram apenas um construto matemático útil e não parte da realidade. A disputa levou Ludwig Boltzmann (1844-1906), um físico austríaco frágil mental e emocionalmente, a buscar uma filosofia que pudesse acomodar ambas as visões e pôr fim às discussões. Ele usou uma noção do físico alemão Heinrich Hertz (1857-1894), que sugeria que os átomos eram "Bilder", ou imagens. Isto significava que os atomistas podiam pensar neles como reais e os antiatomistas podiam pensar neles como uma analogia ou imagem. Nenhum dos lados ficou satisfeito. Boltzmann decidiu tornar-se um filósofo para descobrir uma maneira de refutar os argumentos contra o atomismo. Em uma conferência de Física em St. Louis, EUA, em 1904, Boltzmann descobriu que a maioria dos físicos era contrária à teoria dos átomos, e ele não foi nem mesmo convidado para participar da seção de Física. Em 1905, ele começou a se corresponder com o filósofo alemão Franz Brentano (1838-1917), esperando demonstrar que a filosofia deveria ser separada da ciência (uma visão ecoada pelo cosmologista inglês Stephen Hawking em 2010), mas ficou desencorajado. A desilusão com a maioria dos físicos que rejeitaram o atomismo acabou contribuindo para o suicídio de Boltzmann, que se enforcou em 1906.

Ludwig Boltzmann

CAPÍTULO 2

Fazendo a luz trabalhar – ÓPTICA

Há milênios os seres humanos têm explorado a luz do Sol, da Lua e das estrelas, primeiro com fogueiras e, posteriormente, com lâmpadas. A luz é tão essencial para nossa existência que com frequência é associada a crenças religiosas e superstições como uma dádiva da vida ou força criadora. Logo, durante a maior parte da História, a luz ocupou um lugar especial. Ao longo dos séculos, foi considerada uma divindade, um elemento, uma partícula, uma onda e finalmente uma onda-partícula. Uma vez que a luz está ligada intrinsecamente à visão, o estudo da óptica incluiu a luz e a visão juntas. Somente 100 anos atrás os cientistas começaram a reconhecer que a luz visível era apenas uma parte de todo um espectro de radiação eletromagnética.

A descoberta de que a luz branca abrange a luz de diferentes cores foi um avanço no estudo da óptica.

FAZENDO A LUZ TRABALHAR – ÓPTICA

Uma olhada na luz

Ideias sobre a natureza da luz foram registradas pela primeira vez na Índia, nos séculos V e VI. A escola de Samkhya considerou a luz como um dos cinco elementos "sutis" fundamentais dos quais os elementos "brutos" são formados. A escola de Vaisheshika, que adotou uma visão atomista do mundo, sustentava que a luz era formada por um feixe de átomos de fogo em movimento – um conceito não muito diferente do atual conceito de fóton. No primeiro texto indiano do século I a.C., *Vishnu Purana* referia-se à luz do sol como os "sete raios do sol".

Os antigos não conseguiam separar a luz da visão. No século VI a.C., o filósofo grego Pitágoras sugeriu que os feixes viajavam a partir do olho como sensores, e que vemos um objeto quando os feixes o tocam, um modelo chamado teoria da emissão (ou extramissão). Platão também acreditava que os raios emitidos pelos olhos tornassem a visão possível, e Empédocles, escrevendo no século V a.C., falava de um fogo que brilhava fora do olho. Essa visão do olho como um tipo de tocha não conseguia explicar por que não enxergamos tão bem no escuro quanto à luz do dia; por isso Empédocles sugeriu que esses feixes do olho deveriam interagir com uma luz de outra fonte, como o Sol ou uma lâmpada.

O primeiro trabalho preservado sobre óptica é do pensador grego Euclides (330-270 a.C.), que também aceitava o modelo da emissão. Mais conhecido como matemá-

Página de título de De rerum natura *(Sobre a natureza das coisas) de Lucrécio.*

tico, Euclides começou o estudo de óptica geométrica escrevendo sobre cálculos matemáticos da perspectiva. Ele relacionava o tamanho de um objeto à distância do olho, e enunciou a lei da reflexão: que o ângulo de incidência é igual ao ângulo de reflexão de tal modo que a imagem refletida parece estar atrás do espelho quando o objeto está na frente dele.

Cerca de 300 anos mais tarde, outro matemático grego inovador, Heron de Alexandria (c.10-70 d.C.), mostrou que a luz sempre segue a trajetória mais curta possível contanto que esteja viajando pelo mesmo meio. Se a luz é tan-

> "A luz e o calor do sol; estes são compostos de pequenos átomos os quais, ao serem empurrados, não perdem tempo para disparar direto pelo interespaço de ar na direção imprimida pelo empurrão."
> Lucrécio, *Sobre a natureza do Universo*, AD 55.

UMA OLHADA NA LUZ

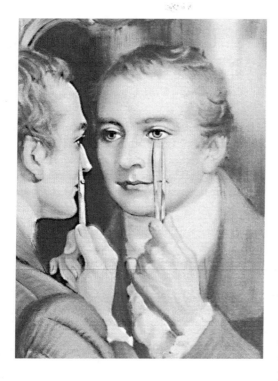

O ângulo de incidência é igual ao ângulo de reflexão; logo, o reflexo de Thomas Young parece estar logo atrás do espelho, quando ele está na frente dele.

to propagada quanto observada no ar, por exemplo, não há deflexão. Ele percebeu que refletir a luz a partir de espelhos planos não afeta esse princípio, e novamente demonstrou que os ângulos de incidência e reflexão são iguais.

BRINCANDO COM A LUZ

Quando a Grécia Clássica perdeu força como centro cultural da Europa, muito do esforço intelectual, inclusive as ciências físicas incipientes, também declinaram. Os poucos pensadores gregos remanescentes mudaram-se para o leste. O trabalho experimental mais antigo sobre a luz foi realizado pelo astrônomo grego Claudio Ptolomeu (c.90-c.168 d.C.) enquanto trabalhava na Biblioteca de Alexandria no Egito Romano. Ele descobriu que, ao entrar em um meio mais denso (como ao ir do ar para a água), a luz inclina-se em uma direção perpendicular à superfície da água. Ele explicou isso sugerindo que a luz desacelera ao entrar no meio mais denso.

Embora Ptolomeu aceitasse o modelo de emissão da visão, ele concluiu que os raios dos olhos se portavam da mesma forma que os raios da luz que viajavam para os olhos, logo ele uniu as teorias da visão e da luz. Mas levaria séculos até que se aceitasse que a visão era totalmente o resultado da incidência de luz no olho e que o olho não "alcança e capta" imagens do mundo circundante. Esse passo importantíssimo foi dado por volta de 1025 pelo acadêmico árabe Ibn al-Hassan ibn al-Haytham, que era conhecido como Alhazen na Europa. O trabalho dele foi traduzido para o latim como *De aspectibus* (*Sobre a perspectiva*) e teve grande influência na Europa Medieval. Al-Haytham

Euclides, o matemático grego.

47

FAZENDO A LUZ TRABALHAR – ÓPTICA

A refração faz um objeto que está parcialmente na água e parcialmente no ar parecer desconectado ou inclinado no limite entre os dois meios.

tomou o trabalho do primeiro cientista árabe sobre óptica, al-Kindi (c. 800-870), que propôs "que tudo no mundo... emite raios em todas as direções, que preenchem o mundo todo". Al-Haytam afirmou que os raios que transmitem luz e cor vinham do mundo externo para o olho. Ele descreveu a estrutura do olho e como as lentes funcionam, fez espelhos parabólicos e atribuiu valores para a refração da luz. Al-Haytham também afirmou que a velocidade da luz deve ser finita, mas foi outro cientista árabe, Abu Rayjhan al-Biruni (973-1048), que descobriu que a velocidade da luz é consideravelmente maior do que a do som.

O trabalho de al-Haytham foi ampliado por Qutb al-Din al-Shirazi (1236-1311) e seu aluno Kamal al-Din al-Farisi (1267-1319), que explicaram como um arco-íris é criado dividindo a luz branca do Sol nas cores constituintes do espectro. Aproximadamente ao mesmo tempo, o professor alemão Theodoric de Freiburg (1250-1310) usou um frasco de água esférico para mostrar que um arco-íris é criado quando a luz do Sol é refratada, ao passar do ar para dentro da gota da água, sendo então refletida dentro da gota de água e novamente refratada – passando de volta da água para o ar. Ele determinou o ângulo correto do arco-íris (entre o centro e o halo) como 42 graus. Mesmo assim, não conseguiu detectar o que causava um arco-íris secundário. Foi René Descartes que descobriu, 300 anos depois, que é o segundo reflexo de luz dentro das gotas de água que origina um arco-íris secundário e também causa a reversão das cores.

A LUZ DE DEUS

os escritos dos cientistas árabes foram transcritos para o latim, com frequência, por acadêmicos que trabalhavam na Espanha Moura (dominada pelos árabes), e logo se espalharam pela Europa.
O trabalho sobre óptica foi tomado como base pelos primeiros cientistas europeus, entre eles os ingleses Richard Grosseteste (c. 1175-1253) e mais tarde pelo

Ibn al-Haytham

48

UMA OLHADA NA LUZ

Um arco-íris é produzido pela refração e reflexão quando a luz brilha em gotas d'água.

acadêmico inglês Roger Bacon (c. 1214-1294). Grosseteste trabalhou em uma época em que a forte confiança em Platão estava cedendo diante do ressurgimento dos trabalhos de Aristóteles a partir da tradição árabe. Ele se baseou em Averroes e Avicenna para construir seu próprio trabalho sobre luz. Como bispo, Grosseteste tomou como ponto de partida a luz criada por Deus em Gênesis 1:3: "Deixai haver a luz".

IBN AL-HAYTHAM (965-1040; TAMBÉM ALHAZEN)

Nascido em Basra, então parte do Império Persa, al-Haytham (ou Alhazen) estudou teologia e tentou resolver diferenças entre as seitas Sunnah e shi'ah do Islã. Ao fracassar em seu intento, ele se dedicou à matemática e à óptica. A maior parte de seu trabalho sobre óptica foi realizada no período de dez anos em que esteve preso no Cairo, sendo rotulado como louco. Aparentemente ele fingiu insanidade depois de ter alegado ser capaz de impedir a inundação do Nilo, um projeto de engenharia ambicioso demais que lhe trouxe problemas. A fim de testar sua hipótese de que a luz não muda de direção no ar, al-Haytham fez a primeira câmera escura conhecida – uma caixa com um orifício em uma extremidade deixava a luz entrar e formava uma imagem na superfície oposta, podendo ser traçada no papel. Ele acreditava firmemente na realização de experimentos para testar suas teorias. Por ser um físico experimental rigoroso, às vezes é creditada a ele a invenção do método científico.

Uma câmera pinhole, ou câmera escura.

FAZENDO A LUZ TRABALHAR – ÓPTICA

> *"Aquele que busca a verdade não é aquele que estuda os escritos dos antigos e, seguindo sua disposição natural, coloca sua verdade neles, mas aquele que suspeita de sua fé neles e questiona o que ele reúne a partir deles, aquele que submete a argumento e demonstração."*
>
> Ibn al-Haytham

Ele viu o processo de criação como um processo físico impulsionado pela expansão e contração de esferas concêntricas de luz. A luz seria, como ele afirmava, autogerada infinitamente, assim como uma esfera de luz surge instantaneamente de uma única fonte de luz. O trabalho dele é mais metafísico que físico, e é altamente original ao postular um método de criação baseado na ação da luz como "primeira forma". Uma observação interessante e um testemunho adicional à originalidade de Grosseteste é que ele parece ser o primeiro pensador ocidental a sugerir infinitos múltiplos: "... a soma de todos os números, ímpares e pares, é infinita, e, portanto, é maior do que a soma de todos os números pares, embora esta também seja infinita; pois ela a excede pela soma de todos os números ímpares".

Roger Bacon, que mudou da Universidade de Oxford para a de Paris, dominava a maior parte dos textos gregos e islâmicos sobre óptica entre 1247 e 1267, e produziu seu próprio texto, *Óptica*. Mais tarde ele estabeleceu um programa de estudo que incluía ciências até então não ensinadas na univer-

---

ARISTÓTELES, ACEITO E REJEITADO

A redescoberta do trabalho de Aristóteles na Europa, por meio de traduções para o latim dos textos preservados por estudiosos árabes, não foi imediatamente aceita pela Igreja Católica Romana. *Libri naturales* de Aristóteles (Livros de Ciência Natural) foram condenados pela Universidade de Paris em 1210 e novamente em 1215 e 1231, o que significou que não podiam ser ensinados. Mas por volta de 1230 todos os trabalhos de Aristóteles estavam disponíveis em latim, logo a Faculdade de Paris cedeu e em 1255 Aristóteles voltou a fazer parte da leitura obrigatória e do programa de estudos. Roger Bacon, que na época trabalhava em Paris, foi um dos primeiros a perceber os resultados do livre acesso às ideias de Aristóteles pelos estudiosos parisienses.

Cópia de manuscrito medieval de Física de Aristóteles traduzido para o latim.

sidade, e um modelo de ciência experimental baseado em seu trabalho de óptica. Mais tarde ele montou um programa de estudo que incluía ciências até então não lecionadas na universidade; e um modelo de ciência experimental baseado em seu trabalho em óptica. Ele sugeriu que o conhecimento de linguística e ciência poderiam ir além e dar sustentação ao estudo de teologia, talvez em uma tentativa de acalmar a Igreja Católica Romana. No entanto, o estrangulamento da Igreja continuou a engessar os desenvolvimentos científicos durante muitos séculos, com as autoridades católicas silenciando e até mesmo executando cientistas que se pronunciassem contra a versão bíblica recebida de eventos e fenômenos físicos.

Saindo do escuro

Nenhum trabalho original de importância sobre óptica e luz apareceu na Europa até a Renascença. Nos séculos XVI e XVII, cientistas destacados como Nicolau Copérnico (1473-1543), Galileu Galilei (1564-1642), Johannes Kepler (1571-1630) e Isaac Newton (1642-1727) finalmente desmantelaram o modelo aristotélico do universo que dominou o pensamento científico durante quase 2.000 anos e estabeleceu as leis da mecânica e da óptica que permaneceriam inalteradas por mais quatro ou cinco séculos. Destes, Kepler e Newton foram os mais importantes para a Óptica.

Kepler, um matemático e astrônomo alemão, acreditava que Deus construiu o

O TELESCÓPIO DE GALILEU

Galileu estava em Veneza quando soube que um telescópio tinha sido construído; um holandês tinha ido para a Itália vender o instrumento ao senado veneziano. Desesperado para superá-lo, Galileu construiu em apenas 24 horas um telescópio que era melhor do que qualquer um existente. Em vez de usar duas lentes côncavas, que produziam uma imagem invertida, o telescópio de

Galileu apresenta seu telescópio para Leonardo Donato, doge de Veneza em 1609.

Galileu tinha uma lente côncava e uma convexa, e produzia uma imagem virada para cima. O senado foi convencido a deferir a decisão sobre a compra do telescópio holandês. Galileu então produziu um ainda melhor que apresentou ao doge de Veneza, assegurando a vitória e a gestão em seu posto como docente na Universidade de Pádua.

Selos húngaros comemorativos de Kepler e suas contribuições para a ciência do espaço.

FAZENDO A LUZ TRABALHAR – ÓPTICA

universo de acordo com um plano inteligível e que seus trabalhos podiam, portanto, ser descobertos por meio da aplicação da observação e do raciocínio científicos. Embora mais famoso por seu extenso trabalho em astronomia, Kepler introduziu a técnica de traçar raios de luz ponto a ponto a fim de determinar e explicar sua trajetória. Disso, ele deduziu que o olho humano funciona refratando raios de luz que entram pela pupila e os focaliza na retina. Ele explicou como as lentes dos óculos funcionam – elas já eram usadas há cerca de 300 anos, mas ninguém entendia realmente os princípios de seu funcionamento –, e quando os telescópios começaram a ser mais usados, por volta de 1608, ele também explicou como funcionavam. Kepler publicou seu trabalho

RENÉ DESCARTES, 1596-1650

Descartes nasceu em La Haye em Touraine, França, filho de um político local. Sua mãe morreu quando ele tinha apenas um ano. Embora inicialmente ele seguisse os desejos de seu pai estudando Direito e Ciência, Descartes abandonou o plano de se tornar advogado e dedicou-se ao estudo de matemática, filosofia e ciência, desenvolvendo um pensamento independente e fazendo incursões no exército. Felizmente, ele tinha posses suficientes para sustentar esse estilo de vida. Ele foi chamado "pai da filosofia moderna", e seu desenvolvimento das coordenadas cartesianas foi nomeado pelo filósofo inglês John Stuart Mill (1806-1873) como "o maior passo já dado no progresso das ciências exatas". Para a história da Física, o desenvolvimento filosófico mais importante de Descartes foi o modelo mecânico – ele se esforçou para ver todo o universo como sistemas mecânicos que seguiam um sistema de leis físicas.

Modelo de visão de Descartes, mostrando como os raios de luz chegam aos olhos e a informação é transmitida para a glândula pineal.

Descartes era sensível e sereno desde criança. Ele se levantava tarde e dizia que seu melhor trabalho tinha sido feito em uma cama confortável (como ocorreu com o desenvolvimento do sistema de coordenadas cartesianas, veja o box, página 55). Quando a jovem rainha Christina da Suécia o empregou como tutor e insistiu que ele ensinasse às 5 horas da manhã em uma biblioteca muito fria, bastaram cinco meses para Descartes adoecer, contraindo problemas pulmonares graves que o levaram à morte com apenas 46 anos.

sobre óptica em 1603, quase 40 anos antes de Isaac Newton nascer. Embora o primeiro telescópio astronômico fosse feito por Leonard Digges na Inglaterra no início dos anos 1550 (veja a página 169), eles são mais associados ao trabalho de outro homem, o astrônomo Galileu Galilei (veja o box da página 83).

POR MEIO DE UM VIDRO TRANSLÚCIDO

As lentes mudam a trajetória da luz; elas são as ferramentas ópticas básicas. Foram desenvolvidas muito antes de qualquer um ser capaz de explicá-las. O exemplo mais antigo que foi preservado é o das lentes Numrud, feitas na Assíria Antiga há 3.000 anos usando-se cristal de rocha. Lentes parecidas foram usadas na Babilônia, no Egito Antigo e na Grécia Antiga, talvez para aumentar objetos ou como lentes para fazer fogo, focando raios da luz do sol. Embora os gregos e romanos enchessem vasos de vidro esféricos de água para fazer lentes, lentes de vidro feitas com formato exigido só passaram a ser feitas na Idade Média.

O primeiro uso de uma lente para corrigir a visão pode ter sido registrado pelo autor romano Plínio, o Velho (23-27d.C.), que relatou que Nero via os jogos de gladiadores no Coliseu por meio de uma esmeralda. Pedras para ler – pedaços convexos de vidro ou de cristal de rocha – eram usadas

As lentes Nimrud, descobertas no Curdistão (norte do Iraque.

para ampliar textos desde o século XI. Lentes de vidro polido eram usadas em óculos desde 1280, embora no início ninguém soubesse como ou por que funcionavam. O desenvolvimento do microscópio e do telescópio durante os séculos XVI e XVII gerou a necessidade de lentes com maior precisão. À medida que as técnicas de polimento foram aperfeiçoadas ao longo dos séculos, e lentes melhores levaram a mais descobertas que então provocaram a demanda por lentes ainda melhores. Alguns dos maiores cientistas do Renascimento e do Iluminismo, entre eles Galileu, o pioneiro belga do microscópio Antonie van Leeuwenhoek (1632-1723), e o físico e astrônomo holandês Christiaan Huygens (1629-1695) fizeram suas próprias lentes.

PRESSÃO NO ÉTER

O trabalho de René Descartes sobre óptica descrevia o funcionamento do olho e sugeria aprimoramentos ao telescópio. Ele usou analogias mecânicas para derivar muitas propriedades da luz matematicamente, inclusive as leis da reflexão e refração. No entanto, ele foi bastante criticado por sua recusa em aceitar a existência de um vácuo. Para teóricos como Gassendi, que vislumbrou um vácuo com átomos em movimento, a luz podia ser explicada como um feixe de partículas em rápido movimento que se chocavam no espaço. Sem o vácuo, Descartes precisava de um mecanismo diferente. Ele acreditava que algum tipo de "fluido intersticial" fino – outra versão do éter – preenchesse todos os espaços, e que era a pressão exercida por esse fluido que produzia a visão. Logo, se a luz do sol penetrava no fluxo intersticial, essa pressão seria transmitida instantaneamente para o olho, podendo este perceber essa luz. Havia pouco fundamento

FAZENDO A LUZ TRABALHAR – ÓPTICA

> *"[Descartes] era um homem sábio demais para se incomodar com uma esposa; mas como era homem, tinha os desejos e apetites de um homem; portanto, ele mantinha uma boa e bela mulher, obediente, de quem gostava, e com a qual teve alguns filhos (acho que dois ou três). É pena, mas vindos do cérebro de um pai como ele, eles deveriam ser bem estimulados. Ele era tão culto que todos os homens cultos o visitavam, e muitos deles desejavam que ele lhes mostrasse sua loja de instrumentos (naquela época o aprendizado da matemática dependia do conhecimento de instrumentos, e como Sir Henry Savile disse, de se fazer truques). Ele puxava uma pequena gaveta sob a mesa e mostrava-lhes compassos com uma das pernas quebradas, e então uma folha de papel dobrado duas vezes, que ele usava como régua."*
>
> John Aubrey, *Vidas Breves*

para essa teoria, uma vez que consideramos que o Sol é separado da Terra por 150 milhões de quilômetros, mas isso estabeleceu a base para um trabalho muito mais importante de Christiaan Huygens (veja a página 58), filho de um grande amigo de René Descartes, e isso levou Newton a perseguir suas próprias ideias sobre o assunto, mas em uma direção diferente.

O SENHOR DA LUZ: ISAAC NEWTON

Newton possivelmente foi o maior cientista de todos os tempos; ele se tornaria o gigante em cujos ombros os outros se apoiaram durante mais de 400 anos. Seu trabalho sobre forças e gravidade (veja a página 84) talvez seja mais famoso do que o trabalho sobre óptica, mas não mais importante.

Newton dividiu com sucesso a luz branca em seu espectro constituinte e então recombinou os raios coloridos na luz branca, demonstrando conclusivamente que a luz branca é um misto de cores. Essa possibilidade foi notada muito antes. Aristóteles afirmava que um arco-íris é causado por nuvens que agem como uma lente sobre a luz do Sol, uma explicação que também era aceita por al-Haytham. O filósofo romano Lucius Annaeus Seneca (c. 55 a.C. – c. 40 d.C.) seguiu *Naturales quaestiones* como referência para produzir uma série de cores parecidas àquelas de um arco-íris, passando a luz do Sol por prismas de vidro. No tempo de Newton, no entanto, a maioria das pessoas acreditava

> *"A Natureza e as Leis da Natureza estão escondidas na noite; Deus disse: 'Que Newton nasça', e tudo era luz."*
>
> Papa Alexandre, 1727.

Pelo prisma do gênio: o trabalho de Isaac Newton sobre gravidade e óptica revolucionou a filosofia natural.

UMA MOSCA QUE FEZ HISTÓRIA

Descartes deu seu nome ao sistema de coordenadas cartesianas ainda usado para especificar um ponto no espaço tridimensional ao relacionar sua localização aos três eixos – x, y e z. Ele afirmou ter desenvolvido o sistema em 1619 enquanto estava deitado na cama observando uma mosca que voava no canto do quarto. Ele percebeu que a posição do inseto podia ser identificada exatamente a qualquer momento, plotando sua distância das duas paredes mais próximas e o chão ou o teto – em outras palavras, suas coordenadas em três dimensões. Dessa observação simples seguiu-se que uma forma geométrica podia ser representada por números (as coordenadas de seus cantos) e que uma curva podia ser descrita por uma série de números relacionados uns aos outros em uma equação (daí uma trajetória parabólica pode ser plotada como um gráfico, por exemplo). Todo o sistema de geometria pôde ser investigado pela álgebra uma vez que Descartes viu e refletiu sobre uma mosca no canto do quarto.

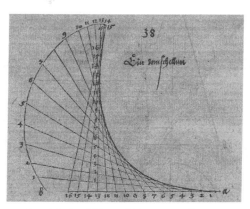

Ao traçar uma série de pontos em termos de suas distâncias dos dois eixos, a geometria cartesiana mostra uma equação como um gráfico

---

Quando a roda de cores de Newton gira muito rapidamente, as cores são indistinguíveis e a roda parece ser branca.

que a luz colorida fosse uma forma de sombra, formada misturando-se luz branca com escuridão. Descartes pensava que a cor fosse causada pelo movimento giratório das partículas que compunham a luz. O grande rival intelectual de Newton, Rovert Hooke, pensava que a cor fosse impressa na luz, como quando brilha por meio de um vitral. Ele tentou usar um prisma para dividir a luz, mas produziu apenas luz branca com bordas coloridas. Newton teve sucesso onde Hooke falhou porque usou um equipamento superior. Ele fez um pinhole em uma tela preta para deixar um fino feixe de luz entrar em sua sala em Trinity College, na Universidade de Cambridge, e usou um prisma de vidro lapidado com precisão para dividir o feixe, captando uma imagem sobre outra tela há vários metros de distância. Ao permitir espaço suficiente para os feixes coloridos se espalharem adequadamente, ele produziu um espectro claro.

FAZENDO A LUZ TRABALHAR – ÓPTICA

> *"Se eu vi além, foi por me apoiar nos ombros de gigantes."*
> Isaac Newton, em uma carta pública a Robert Hooke, escrita por insistência da *Royal Society* para sanar – ou encobrir – a rixa entre a dupla.

Newton levou sua dedicação à óptica experimental para além dos limites da sensatez. Em um famoso relato de autoagressão, ele introduziu uma agulha longa e afiada (agulha-passadora) no globo ocular, pressionando-a o máximo para trás que podia, sem perfurar o globo ocular, na tentativa de distorcer a forma do globo e ver como isso afetava sua percepção da cor. Newton percebeu que objetos coloridos parecem ter a cor que têm por causa da luz que eles refletem. Por exemplo, uma capa vermelha parece ser vermelha porque reflete luz vermelha, enquanto uma camisa branca reflete toda luz. Ele também associou graus diferentes de refração com cores diferentes.

Apesar dessa dedicação admirável à ciência, Newton era um homem difícil, arrogante e questionador. Seu antagonismo com Hooke era obsessivo, mas não o único; várias outras pessoas despertavam sua ira e acidez. A fama de Hooke teria sido maior se ele não tivesse tido a má sorte de morrer antes de Newton, que se apropriou de uma descoberta dele, os chamados anéis de cores de Newton vistos em filmes finos de óleo na água. De fato, Newton guardou seu próprio trabalho sobre luz e cor, *Óptica*, deliberadamente durante 30 anos, só o publicando depois de Hooke estar morto e incapaz de disputar a autoria.

MICROGRAFIA DE HOOKE

O trabalho mais famoso de Hooke é *Micrographia*, publicado em 1665. Era um bom exemplo de como desenvolvimentos em óptica levaram rapidamente a desenvolvimentos em outras áreas da ciência, principalmente biologia e astronomia. Embora Hooke não fosse o primeiro microscopista, ele trouxe a microscopia para a ciência convencional e fez aprimoramentos tanto no design do microscópio quanto do telescópio. *Micrographia* contém desenhos de objetos, materiais orgânicos e organismos minúsculos vistos pelo microscópio de

> *"Peguei uma agulha-passadora e coloquei-a entre meu olho e [o] osso o mais perto [do fundo] do olho que pude: e pressionando meu olho [com a] ponta (de modo a fazer a curvatura abcdef em meu olho) apareceram vários círculos escuros e coloridos r, s, t, e c. Os círculos ficavam mais achatados quando eu continuava a esfregar com a agulha pontiaguda, mas se eu mantinha meu olho parado com a agulha, embora continuasse a pressionar meu olho [com] ela, no entanto [os] círculos apagavam e muitas vezes desapareciam até que eu [os] removesse movendo o olho ou [a] agulha.*
> *Se [o] experimento fosse feito em um quarto iluminado para [que] meus olhos fechassem, uma luz entrava pelas pálpebras. Aparecia um grande círculo escuro azulado maior (como ts), e [dentro] daquele outro ponto de luz srs, cuja cor era muito parecida [àquela] no resto do olho como em k. Dentro do ponto aparecia ainda outro ponto azul r especialmente se eu pressionasse meu olho fortemente e [com] uma pequena agulha pontuda e no extremo em VT aparecia à margem da luz."*
> Caderno de Newton, CUL MS Add. 3995.

SAINDO DO ESCURO

Hooke. As ilustrações detalhadas – algumas desenhadas pelo arquiteto Christopher Wren – eram revolucionárias, tornando a *Micrographia* um dos livros científicos mais importantes publicados até hoje. Samuel Pepys lembra em seu diário que ele ficava até duas da madrugada lendo, e que "foi o livro mais inventivo que eu já li em minha vida".

ONDA OU PARTÍCULA?

uma coisa é reconhecer que a luz branca é um composto de luz colorida, mas isso então levanta a questão do que é a luz colorida. Opiniões divergentes sobre se a luz seria formada de partículas ou se seria algum tipo de onda são encontradas nos primeiros escritos indianos sobre ciência. Na Europa, Empédocles sugeriu raios e Lucrécio falou de partículas, e o debate continuou através de séculos; Hooke, seguindo Descartes, adotou a visão de que a luz é uma forma de onda. Este foi ainda outro ponto de discórdia com Newton, que escreveu sobre os "corpúsculos" (i.e. partículas) de luz, uma ideia proposta pela primeira vez por Gassendi e lida por Newton nos anos 1660. Newton não teve grande respaldo na Inglaterra durante

Página de rosto do tratado de óptica de Newton, publicada em 1704.

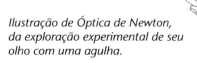

Ilustração de Óptica de Newton, da exploração experimental de seu olho com uma agulha.

muito tempo. Em outros lugares da Europa, contudo, a arrogância de Newton e sua natureza questionadora o tornaram impopular, e isso, no mínimo, afetou a aceitação de seu modelo corpuscular. Newton rejeitava a teoria da onda por acreditar que uma onda longitudinal (vibrando na direção da propagação) não podia responder pela polarização. Ninguém considerou a possibilidade de ondas transversais (que vibravam na direção da propagação). Newton aceitou a ideia de um éter atravessado pela luz, um meio através do qual a luz passa, embora isso não fosse estritamente necessário para sua teoria corpuscular, pois as partículas podiam passar igualmente bem por um vácuo. Ele também acreditava que os corpúsculos de luz oscilavam entre duas fases conhecidas como "reflexo fácil" e "transmissão fácil". A periodicidade é um aspecto básico da teoria das ondas, e nisso ele antecipou a mecânica quântica (veja a página 126). Embora o nome de Newton seja associado à teoria corpuscular, seus próprios escritos incorporam aspectos de ambas as ideias.

FAZENDO A LUZ TRABALHAR – ÓPTICA

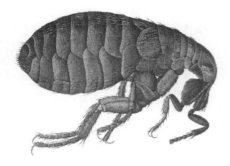

Representação de uma pulga ampliada da Micrographia *de Hooke.*

> *"[Hooke] é de estatura média, um pouco curvado, face pálida, e seu rosto um pouco voltado para baixo, mas a cabeça é grande; olhos grandes e vivos, e não são rápidos; olhos cinza. Ele tem cabelos castanhos finos, lindamente encaracolados. É e sempre foi muito comedido, moderado na dieta etc.*
>
> *Por ser uma cabeça prodigiosa, inventiva, é uma pessoa de grande virtude e bondade. Agora quando eu disse que sua faculdade inventiva é tão grande, você não pode imaginar que sua memória seja excelente, pois são como dois baldes, quando um sobe, o outro desce. Ele certamente é o maior especialista em mecânica do mundo nos dias de hoje. Sua cabeça pende muito mais para a geometria que para a aritmética. Ele é solteiro e, acredito, nunca se casará. Seu irmão mais velho deixou uma filha legítima, que é sua herdeira. In fine (o que coroa tudo), ele é uma pessoa de grande suavidade e bondade.*
>
> *Foi o Sr. Robert Hooke que inventou os relógios de pêndulo, muito mais úteis do que os outros relógios.*
>
> *Ele inventou um mecanismo para o trabalho veloz da divisão etc., ou a descoberta acelerada e imediata do divisor."*
>
> John Aubrey, *Vidas Breves.*

Por exemplo, ele explicou a difração sugerindo que os corpúsculos de luz criavam ondas localizadas no éter. É interessante que isso o coloca mais perto da visão moderna da "dualidade da luz" – que ela tem qualidades tanto de uma onda quanto de uma partícula.

Frentes de onda e quanta

Na Europa, Christian Huygens desenvolveu a teoria da frente de onda. Sua teoria da luz foi completada em 1678, mas ele não a publicou até 1690 e se baseou em suas próprias descobertas experimentais. Como Descartes, que visitava regularmente a casa de Huygens quando menino, ele considerava a luz como uma onda propagada pelo éter. Ele previu que a luz atravessava um meio denso mais lentamente que um meio menos denso. Isso foi significativo, pois – ao contrário de Descartes – ele estava dizendo que a velocidade da luz é finita.

A teoria das frentes de onda de Huygens explica como as ondas evoluem e se comportam quando encontram obstáculos – sendo refletida, refratada ou difratada. Ele sugeriu que cada posição em uma onda se torna o centro de uma ondícula viajando em todas as direções. No caso da luz, que é considerada um fenômeno pulse, ondas repetidas eram emitidas e seguiam para fora, com a velocidade da luz. A onda de luz é propagada pelo espaço tridimensional na forma de uma onda esférica.

Na borda de uma região atingida pelos raios de luz, as ondículas interferem umas nas outras e podem se cancelar mutuamente. Se colidem em um objeto opaco, partes da ondícula são cortadas e algumas persistem, produzindo a complexa estrutura fina de linhas nas bordas das sombras e imagens que formam padrões de difração. A opinião

ROBERT HOOKE (1635-1703)

Hooke nasceu na ilha de Wight, onde seu pai era pároco auxiliar da Igreja de Todos os Santos, em Freswater. Hooke foi para a Escola de Westminster em Londres aos 13, quando seu pai faleceu, e então para a Christ Church College, Oxford, como corista. Se fosse mais saudável, Hooke estaria destinado a seguir carreira na Igreja, mas ele optou pela ciência, tornando-se assistente do químico Robert Boyle em Oxford. Hooke voltou para Londres em 1660 e se tornou membro-fundador da *Royal Society* em 1662. Como primeiro curador da *Society*, Hooke foi encarregado de demonstrar "três ou quatro experimentos consideráveis" por semana. Ele fez estudos extensos com o microscópio, publicando desenhos do que via em *Micrographia* (1665) e cunhando o termo "célula" para os componentes do tecido vivo (assim chamado porque os "poros" que ele via na fibra de milho o lembraram dos espaços ou "células" que os monges ocupavam). Hooke foi um dos dois pesquisadores de Londres empregados depois que a cidade foi destruída no Grande Incêndio de 1666, um posto que o tornou rico. Ele também construiu o Bethlehem Royal Hospital – o famoso asilo para loucos mais conhecido hoje como "Bedlam".

Ele foi um pensador inventivo, um cientista e um mecânico dedicado a experimentações, criando inovações e a aprimoramentos de muitos aparelhos existentes, entre eles a bomba de ar, o microscópio, o telescópio e o barômetro, e foi pioneiro do uso de molas para relógios de pêndulo. A maior parte de suas ideias foi desenvolvida posteriormente por outras pessoas, tendo Hooke fornecido a mola propulsora essencial, mas recebido poucos créditos por isso. Ele chegou às teorias sobre combustão e gravidade, sugerindo a lei do quadrado inverso em relação à gravidade em 1679, a qual foi fundamental para o trabalho do próprio Newton sobre o assunto. Newton nunca permitiu qualquer sugestão sobre a precedência ou o brilhantismo de Hooke, e a sombra da animosidade de Newton negou a Hooke seu lugar merecido na história. Não se sabe da existência de nenhum retrato de Hooke.

Parte da paisagem devastada de Londres após o Grande Incêndio de 1666.

FAZENDO A LUZ TRABALHAR – ÓPTICA

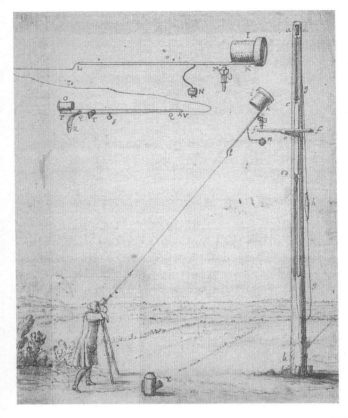

O telescópio aéreo de Huygens tem uma lente focal longa, o que é obtido distanciando a objetiva do olho e usando um cordão para alinhá-los.

1827) apresentou sua própria teoria da luz para a *Académie des Sciences*, e por volta de 1821 ele mostrou que a polarização podia ser explicada somente se a luz abrangesse as ondas transversas, sem vibração longitudinal. Isso respondeu à objeção ao princípio de Newton a respeito da luz como onda. Fresnel é mais conhecido como o inventor das lentes que levam seu nome, destinadas originalmente a aumentar o feixe que brilha dos faróis.

científica é dividida quanto à descoberta de Huygens do princípio, se esta seria um lampejo de genialidade ou se teria sido sorte e ele teria chegado à resposta certa por razões erradas.

Durante o século XIX, vários cientistas trabalhando em diferentes países europeus estabeleceram a teoria de que a luz é uma onda transversal (vibrando em um ângulo reto ou perpendicular à direção de propagação e viajando, como uma cobra que rasteja pelo chão). Em 1817, o físico francês Aufustin-Jean Fresnel (1788-

Christian Huygens, 1671.

60

UMA NOVA AURORA – A RADIAÇÃO ELETROMAGNÉTICA

Thomas Young

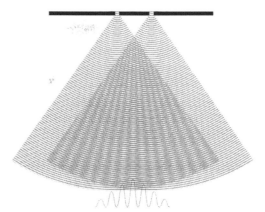

Padrão de interferência produzido quando a luz brilha através de duas divisões, apoiando a teoria ondulatória da luz.

O experimento de dois orifícios de Young

Em 1801, Thomas Young conduziu um experimento que parecia provar definitivamente que a luz é uma onda. Ele iluminou dois orifícios que tinha feito. Em vez de ver a soma dos resultados dos experimentos feitos com orifícios isolados, como esperado, ele notou um padrão complexo de difração, causado pela interferência entre a luz dos dois orifícios. Quanto mais orifícios ele acrescentava, mais complexo era o padrão de interferência. Isso demonstrava que a luz é, de fato, uma onda, com baixas e picos de ondas se anulando ou se reforçando para produzir padrões de interferência. Young também propôs que cores diferentes de luz são o resultado de comprimentos de ondas diferentes, um pequeno passo para percepção que viria a acontecer mais tarde, no século XIX, de que a luz que vemos é apenas parte de um espectro de radiação eletromagnética (EMR), e atualmente se sabe que este abrange raios gama, raios-X, luz ultravioleta, luz visível, infravermelha, micro-ondas, ondas de rádio e ondas longas.

Uma nova aurora – a radiação eletromagnética

Foi James Clerk Maxwell (1831-1879) quem mostrou pela primeira vez que a radiação eletromagnética consiste de ondas transversais de energia que se movem com a velocidade da luz. Os diferentes tipos de radiação eletromagnética – que incluem a luz e ondas de rádio – são caracterizados por diferentes comprimentos de onda. De fato, o físico inglês Michael Faraday (1791-1867) já tinha demonstrado a ligação entre eletromagnetismo e luz em 1845, quando mostrou que o plano de polarização de um feixe de luz sofre rotação por um campo magnético (veja o box, página 115).

Maxwell ainda supunha a existência de um éter luminoso pelo qual todas as formas de radiação eletromagnética devem se mover. O éter era diferente de qualquer

61

coisa, no sentido de ser um contínuo verdadeiro – era infinitamente divisível e não era formado de partículas distintas como a matéria normal. Não só o éter era infinitamente divisível, mas também o eram as ondas de energia que viajavam por ele. A teoria de Maxwell apresentava problemas que só foram resolvidos quando Max Planck mostrou que a energia deve ser emitida em quantidades minúsculas, mas finitas, agora chamadas quanta. (Caso contrário, por razões complexas, toda a energia no universo seria transformada em ondas de alta frequência.)

Albert Einstein demonstrou em 1905, em seu trabalho sobre efeito fotoelétrico (veja o box na página 63), que a própria luz se comporta como se fosse formada por quanta, ou minúsculos "pacotes" de energia, agora chamados fótons. Ele usou o que atualmente nos referimos como constante de Planck para relacionar a energia de um fóton à sua frequência.

A luz é agora considerada como tendo a dualidade da partícula de onda: às vezes se comporta como uma onda e às vezes como uma partícula. É útil ter certa previsibilidade quando acontecerá um ou outro caso, e a mecânica quântica pode prever exatamente isso (veja a página 127).

James Clerk Maxwell

O FIM DE UM ÉTER: O EXPERIMENTO DE MICHELSON-MORLEY

Nosso entendimento normal de uma onda é que ela precisa atravessar um meio, como ar ou água. Da mesma forma, supôs-se que as ondas de luz devem atravessar o éter luminoso de modo similar.

A primeira fotografia em cores já produzida foi tirada por James Clerk Maxwell em 1861 e mostra uma fita com padrão xadrez.

UMA NOVA AURORA – A RADIAÇÃO ELETROMAGNÉTICA

O EFEITO FOTOELÉTRICO

Quando Albert Einstein recebeu o Prêmio Nobel em 1921, não foi por suas ideias mais famosas – as teorias da relatividade –, mas por seu trabalho sobre o efeito fotoelétrico. Ele explicou como um fóton (embora não chamado dessa forma na época) às vezes era capaz de empurrar um elétron para fora de sua órbita em volta de um átomo, gerando uma explosão de energia minúscula. É assim que os painéis de energia solar fotoelétrica geram eletricidade a partir da luz do Sol. Os elétrons que a luz do Sol expulsa de um material semicondutor como o silício podem ser impulsionados ao longo de um arame e então serem deslocados para realizar um trabalho útil ou ser armazenados para uso posterior. O efeito fotoelétrico foi registrado pela primeira vez pelo físico francês Alexandre Becquerel (1820-1891) em 1839. Ele observou que quando a luz azul ou ultravioleta incide sobre certos metais gera uma corrente elétrica, mas ele não sabia como ela funcionava. Einstein tomou a ideia de Max Planck de quanta, originalmente aplicada à energia de átomos, e usou-a para descrever pequenos pacotes de energia de luz – os fótons. A quantidade de energia que um fóton representa depende do comprimento de onda da luz. Enquanto os fótons de luz azul têm

Uma primitiva célula fotoelétrica, produzida no desenvolvimento da televisão.

energia suficiente para empurrar um elétron para fora de sua órbita e liberá-lo, gerando uma corrente elétrica no processo, os fótons de luz vermelha não fazem isso. Alimentar a intensidade da luz vermelha não ajuda, pois os fótons individuais de luz vermelha não estão preparados para o trabalho.

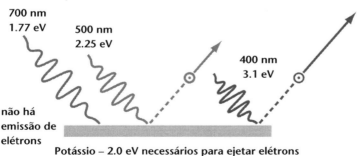

Fótons caindo sobre a superfície só empurrarão um elétron se tiverem energia suficiente: a luz vermelha não produzirá uma corrente, mas a luz azul ou verde produzirá.

FAZENDO A LUZ TRABALHAR – ÓPTICA

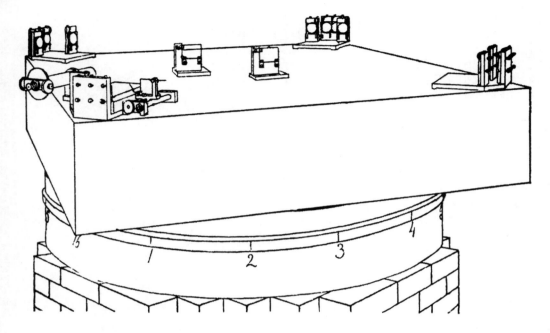

O equipamento de Michelson-Morleu para medir a velocidade da luz foi projetado com a intenção de provar a existência do éter.

O fim do éter acabou vindo como resultado de um experimento realizado em 1887 por dois físicos americanos, Albert Michelson (1852-1931) e Edward Morley (1838-1923). Se o éter existia, os cientistas supunham, ele deveria preencher o espaço ao transportar a luz do Sol e das estrelas para a Terra. Em 1845, o físico inglês George Gabriel Stokes (1819-1903) sugeriu que, como a Terra está se movendo com grande velocidade no espaço, deve haver um efeito devido ao arrastar de nosso planeta à medida que passa pelo éter. Em qualquer ponto da superfície da Terra, a velocidade e a direção do "vento" do éter deveria variar dependendo da hora do dia ou ano; portanto, deveria ser possível detectar o movimento da Terra relativo ao éter examinando-se a velocidade da luz em diferentes momentos e direções.

Michelson e Morley construíram um equipamento para medir a velocidade da luz com tanta precisão que seria capaz de detectar o efeito do éter, se presente. O aparato deles dividia um feixe de luz em dois feixes que se moviam em ângulos retos, um em direção ao outro, voltados para dois espelhos. Os feixes eram refletidos para trás e para a frente a uma distância de 11 m (36 pés), antes de serem recombinados no olho humano. Se a Terra estivesse se deslocando pelo éter, um feixe

> "[O éter] é a única substância de cuja dinâmica temos certeza. De uma coisa estamos certos, e é sobre a realidade e substancialidade do éter luminoso."
> William Thomson, Lord Kelvin, 1884.

UMA NOVA AURORA – A RADIAÇÃO ELETROMAGNÉTICA

Se a Terra fica suspensa no espaço vazio ou se move pelo éter era um ponto de discordância entre os primeiros cientistas.

movendo-se em paralelo ao fluxo do éter levaria mais tempo para voltar ao detector do que um feixe movendo-se perpendicular ao éter. Se um feixe se deslocasse mais lentamente que o outro, isso deveria aparecer nas interferências produzidas quando os feixes se recombinassem. Todo o aparato foi construído sobre um bloco de mármore, flutuando em uma banheira de mercúrio instalada no porão de um edifício para eliminar o máximo possível qualquer vibração que pudesse interferir nos resultados. O equipamento era mais do que sensível para detectar o efeito que seria esperado se a Terra estivesse realmente sujeita ao vento oriundo do éter. Sem obter resultados positivos es-

O interferômetro de Michelson (veja a página 66) pode ser usado para produzir a interferência colorida da luz branca.

FAZENDO A LUZ TRABALHAR – ÓPTICA

Um interferômetro de Michelson funciona dividindo um feixe de luz em dois, então refletindo e recombinando os feixes resultantes.

tatisticamente relevantes, Michelson e Morley tiveram de relatar o fracasso de seu experimento. Outros se puseram a refinar o aparato, mas mesmo assim não encontraram evidência de éter. Claramente, o experimento de Michelson e Morley não tinha fracassado. Tinha mostrado que não existe éter luminoso. Infelizmente, a conclusão de Michelson não foi que o éter não existia, mas que o modelo de um éter estacionário que confere o arrasto da luz (a hipótese do arrasto do éter) proposto por Augustin-Jean Fresnel era o que estava correto.

Júpiter e sua lua Io. Eclipses de Júpiter por suas luas convenceram Huygens de que a luz viaja a uma velocidade finita.

66

COM A VELOCIDADE DA LUZ

c
A velocidade da luz é representada pela letra "c" (como em $E=mc^2$), que significa o termo *celeritas* em latim, ou seja, rapidez ou velocidade.

Com a velocidade da luz

Já em c.429 a.C., Empédocles acreditava que a luz viaja a uma velocidade finita, embora pareça chegar instantaneamente. No entanto, ele foi uma exceção notável entre pensadores antigos, pois a maioria concordava com Aristóteles que a velocidade da luz era infinita. Os cientistas árabes Avicenna e al-Haytham concordaram com Empédocles, bem como Roger e Francis Bacon. Mas a visão prevalecente mesmo no século XVII, na Europa, e mantida por Descartes, era que a velocidade da luz era infinita.

A primeira tentativa de questionar esse pressuposto e medir a velocidade da luz foi feita por Galileu em 1667, usando um método bem primitivo. Galileu e um assistente a 1,6 quilômetro de distância se revezaram cobrindo e descobrindo lanternas e medindo quanto tempo levava para eles notarem a luz. Provavelmente foi uma medida melhor da velocidade de suas reações do que outra coisa. Galileu concluiu que se a velocidade da luz não era infinita, certamente era muito alta – provavelmente pelo menos dez vezes a velocidade do som, que foi medida pela primeira vez pelo filósofo e matemático francês Marin Mersenne (1588-1648) em 1636.

A convicção de Huygens de que a velocidade da luz era finita seguiu observações feitas pelo cientista holandês Ole Romer (1644-1710), trabalhando em Paris com o astrônomo Giovanni Cassini (1625-1712), nascido na Itália, depois de ver eclipses das luas de Júpiter. Cassini e Romer notaram que, embora os eclipses devessem ocorrer em intervalos regulares, nem sempre eles eram pontuais – e a variação dependia da posição da Terra relativa a Júpiter. Eles concluíram que quando a Terra está mais distante de Júpiter, vemos o eclipse mais tarde, porque leva mais tempo para a luz alcançar a Terra. Cassini afirmou em 1676 que as discrepâncias nos tempos aparentes desses eclipses podiam ser explicadas se a luz viajasse a uma velocidade finita. Ele prosseguiu para calcular que levaria cerca de 10 ou 11 minutos para a luz viajar do Sol até a Terra, porém não prosseguiu na investigação e coube a Romer calcular a velocidade da luz com exatidão. Ele previu corretamente o tempo exato de um eclipse da lua Io em 1679, dizendo que aconteceria 10 minutos depois do que o esperado. Trabalhando a partir da melhor estimativa do diâmetro da órbita da Terra, ele calculou que a velocidade da luz seria de 200.000 km por segundo. Usando-se o dado atual para a órbita da Terra na fórmula de Romer, tem-se 298.000 km por segundo, que é notavelmente próximo do valor obtido na atualidade, de 299.792.458 km por segundo. (Esta velocidade não será mudada por trabalhos futuros, pois o comprimento de um metro é determinado como a distância viajada pela luz em 1/299.792.458 de um segundo.)

Em 1678, Huygens usou o método de Romer para mostrar que a luz leva segundos para viajar da Lua até a Terra. Newton afirmou em *Principia* que a luz leva sete ou oito minutos para chegar à Terra partindo do Sol, o que é bem próximo do dado real de 8 minutos e 20 segundos, em média.

Newton e outros supuseram que a velocidade da luz variasse dependendo do meio

RAIO DE CALOR DE ARQUIMEDES

De acordo com a tradição, o cientista, matemático e engenheiro grego Arquimedes (c.287-c.212 a.C.) teria montado um arranjo parabólico de espelhos na costa para usar a luz do Sol para incendiar navios inimigos durante o Cerco de Siracusa (c.214-212 a.C.). Um experimento em 1973 em uma base naval perto de Atenas usou 70 espelhos revestidos de cobre de 1,5 m por 1 m para direcionar a luz do Sol a uma maquete em compensado de um navio de guerra romano pintado com verniz a cerca de 50 m de distância. O navio ardeu em chamas em questão de segundos. Um experimento parecido realizado em 2005 por um grupo de estudantes do *Massachusetts Institute of Technology* (MIT) também ateou fogo em uma maquete de navio sob condições climáticas perfeitas.

Embora essa técnica, usar lentes convexas para fazer fogo, aparentemente use a luz, claro que não é a luz branca visível que incendeia ou queima os navios, mas a radiação infravermelha invisível (calor) que a acompanha na luz solar.

Arquimedes queimando um navio inimigo com o uso de um espelho; de fato era necessário mais do que um espelho!

COM A VELOCIDADE DA LUZ

pelo qual ela viajava. Se a luz fosse composta por partículas, isso faria sentido. Se a luz é uma onda, não é necessariamente este o caso. Nem todos ficaram convencidos com os cálculos de Huygens, e a opinião a respeito da velocidade finita ou infinita da luz permaneceu dividida até que o astrônomo inglês James Bradley (1693-1762) decidiu a questão de uma vez por todas em 1729. Ele descobriu a aberração da luz (também chamada aberração estelar). Este é o fenômeno de uma estrela parecendo descrever um pequeno círculo em torno de sua verdadeira posição como resultado da velocidade da Terra (velocidade e direção) em relação à estrela. O estudo levou mais de 18 anos para ser completado.

Dois franceses posteriores recriaram o experimento de Galileu com lâmpadas e ajudantes, mas de uma forma bem sofisticada. Em 1849, o físico Hippolyte Fizeau (1819-1896) usou duas lanternas, uma roda em rápida rotação com dentes que alternadamente vedavam e revelavam a luz, e um espelho que a refletia. A luz podia ser calculada a partir da velocidade da rotação da roda. Ao girar uma roda com cem dentes várias centenas de vezes por segundo, ele foi capaz de medir a velocidade da luz a cerca de 1,6 km por segundo. Léon Foulcault (1819-1868), cuja fama oscilou muito, usou um princípio parecido. Ele projetou um feixe de luz em um espelho girando e inclinando, então rebatendo para um segundo espelho colocado a 35 km de distância. Quando o ângulo do espelho que estava girando mudava, ele era capaz de calcular o ângulo em que a luz que retornava era refletida novamente e, portanto, determinar a distância que o espelho tinha se movido e quanto tempo tinha se passado. Em 1864, Fizeau sugeriu que o "comprimento de uma onda de luz fosse

MANTO DE INVISIBILIDADE

Durante a década de 1990, os cientistas desenvolveram metamateriais com um índice de refração negativo. Este índice de um material determina o quanto de luz incidente será refratado. Um vácuo tem um índice de refração de 1 m, e materiais mais densos têm índices de refração mais altos. Em 2006, metamateriais foram usados no primeiro mecanismo de camuflagem, fazendo um objeto parecer indetectável por micro-ondas. As partículas de metamaterial devem ser menores do que o comprimento de luz de tal modo que a luz flua em torno delas, como a água flui em volta de uma rocha em um riacho. Até agora, um dispositivo de disfarce que funciona com ondas de luz e tem mais do que alguns mícrons ainda não foi aperfeiçoado.

FAZENDO A LUZ TRABALHAR – ÓPTICA

O manuscrito original com a explicação de Ibn Sahl da lei da refração, c. 984.

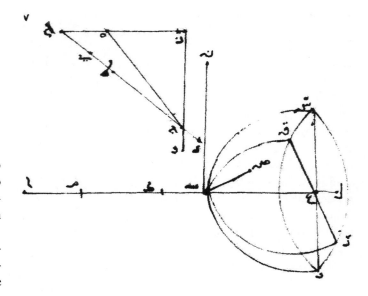

usado como comprimento padrão", e para redefinir o metro em termos da velocidade da luz que foi atingida efetivamente.

Einstein baseou suas teorias da relatividade na observação de que a velocidade da luz é constante em todo o universo.

OBJETIVO E VERDADEIRO

Anaxágoras já estava certo, no século V a.C., de que a luz viaja apenas em linhas retas, e essa crença se manteve até o século XX, quando Einstein disse que a luz podia ser inclinada em uma trajetória curva pela gravidade. Contudo, estava claro para os antigos que a luz pode mudar de direção – quando ela é refletida, por exemplo, ou quando é refratada, à medida que se move de um meio para outro. Ptolomeu fez um relato aproximado da refração, e esta foi descrita em 984 pelo físico persa Ibn Sahl (c.940-1000).

Entretanto, a lei matemática que explica e prediz o ângulo de refração é conhecida como Lei de Snell, em homenagem ao astrônomo holandês Willebrord Snellius (1580-1626). Embora Snellius redescobrisse essa relação em 1621, ele não a publicou. Descartes publicou uma prova da lei em 1637. A Lei de Snell funciona porque, como o matemático francês Pierre de Fermat (1601-65) mostrou, a luz toma a trajetória mais rápida por meio de qualquer substância.

Pela primeira vez no início do século XX confirmou-se que a luz segue uma trajetória curva; essa confirmação fez parte de uma demonstração da teoria da relatividade de Einstein.

O astrônomo Arthur Eddington conduziu uma expedição inglesa para a Ilha de Príncipe, na costa africana, para aproveitar um eclipse solar total visível naquele local em 1919. A expedição fotografou estrelas situadas perto da posição do Sol que, não fosse isso, seriam obscurecidas pela luz solar. Uma estrela que fica realmente atrás do Sol, e por isso não deveria ser vista, estava claramente visível em uma das fotos tiradas por Eddington. Isso demonstrou que a luz da estrela tinha se inclinado pelo campo gravitacional do Sol e isso tinha alterado a aparente posição da estrela a um ponto onde então ela era visível.

O artista David Hockney pintou uma série de telas de piscinas em que brincou com a refração e a reflexão da luz tingindo o ar e a água.

O LUGAR DA LUZ NO ESPECTRO EMR

A luz ocupou um lugar especial na história da física porque ela é visível e faz uma diferença enorme para a humanidade. Mas como o trabalho de Maxwell demonstrou, a luz visível é apenas uma forma de radiação eletromagnética. Todas as formas se movem à velocidade da luz, todas são formas quantificadas de energia (ou seja, elas podem existir como partículas ou ondas), mas a luz visível é a única que vemos. Não houve tentativa de distinguir o calor do Sol (sua radiação de infravermelho) de sua luz visível. Outras formas de radiação eletromagnética como raios-X, ondas de rádio e micro-ondas só foram descobertas no século XIX.

CAPÍTULO 3

Massa em movimento – **MECÂNICA**

Mecânica é o termo usado para descrever a maneira como os corpos agem quando sujeitos a forças. A mecânica clássica começou efetivamente quando Newton descreveu suas três leis do movimento. Trata de ações de corpos e matéria de todos os tipos e tamanhos acima do atômico, desde rolamentos de esferas a galáxias, incluindo líquidos, gases e sólidos, objetos inanimados e partes de organismos vivos. As pessoas usavam as forças físicas na prática muito antes de terem qualquer entendimento sobre elas, ou mesmo de começarem a pensar nas leis que as governam. Os primeiros construtores usavam alavancas e roldanas para mover grandes blocos de pedras; eles empregavam a gravidade para colocar as coisas no lugar e para verificar a perpendicular usando fios de prumo.

Céres e os Quatro Elementos, por Jan Brueghel o Velho, 1568-1625.

MASSA EM MOVIMENTO – MECÂNICA

Os egípcios podem ter usado na Antiguidade dispositivos mecânicos como alavancas e roldanas para ajudar a mover os blocos de pedra necessários para construir as pirâmides.

Mecânica em ação

Sempre que usamos as forças que agem sobre a matéria, estamos fazendo as leis mecânicas trabalharem por nós. Os construtores de pirâmides egípcias não tinham, pelo que sabemos, qualquer entendimento das forças envolvidas para mover blocos de pedra e construir as pirâmides, nem os arquitetos dos complexos sistemas de irrigação usados no Sri Lanka tinham conhecimento formal da dinâmica dos fluidos. No entanto, ambas as culturas foram capazes, por meio da experimentação, tentativa e erro, de empregar as leis da física.

O crescente fértil é uma área que se estende do Mediterrâneo até o Golfo Pérsico. No total, abrange as terras entre os rios Tigre e Eufrates – conhecida pelos gregos como Mesopotâmia (entre dois rios) –, incluindo áreas que atualmente são a Síria e o Iraque. O cultivo da terra realizado nessa área por volta de 10.000 anos atrás, e pelos sumérios 5000 a.C, levou ao aparecimento das primeiras cidades, empregando-se métodos de cortar, mover e empilhar grandes blocos de pedra. Os sumérios também inventaram a roda, aproveitando as forças físicas de uma nova maneira. Com o cres-

PRIMÓRDIOS DA ENGENHARIA E HIDRÁULICA EM AÇÃO

Os engenheiros hidráulicos no Sri Lanka construíram complexos sistemas de irrigação no século III a.C. O sistema fundava-se na invenção do *biso-kotuwa*, instrumento semelhante a uma válvula moderna, que regula o fluxo de saída de água. Vastos reservatórios de água da chuva represada, canais e eclusas forneciam água suficiente para sustentar o povo cingalês do Sri Lanka, cuja dieta básica era o arroz. O primeiro tanque de água da chuva foi construído no reinado do Rei Abhaya (474-453 a.C.).

Sistemas muito mais sofisticados e extensos foram construídos séculos depois, a começar durante o reino do Rei Vasaba (65-108 d.C.). Seus engenheiros construíram 12 canais de irrigação e 11 tanques, tendo o maior deles 3 km. Suas maiores realizações foram feitas sob o comando do rei Parakrambahu, o Grande (1164-1196 d.C.), quando engenheiros cingaleses conseguiram um gradiente contínuo de 20 cm por km ao longo de canais de irrigação que se estendiam por volta de 80 km.

cimento da população na Mesopotâmia, as pessoas empregaram pela primeira vez a dinâmica dos fluidos, desenvolvendo, no 6° milênio a.C., sistemas de irrigação para aguar suas terras cultivadas

Além de ser usada nas plantações, a água corrente pode ter outros usos. Pode ter sua própria força e a pressão por ela exercida pode ser usada para a execução de trabalhos produtivos. O primeiro uso conhecido da água para fornecer força motiva foi na China Antiga quando Zhang Heng (78-139 d.C.) usou a energia da água para mover uma esfera armilar (um globo usado em astronomia para determinar as posições das estrelas). Du Shi, em 31 d.C., usou uma roda d'água para transmitir energia aos foles de um forno de alta temperatura que produzia ferro fundido.

A MECÂNICA DOS GREGOS ANTIGOS

Embora as primeiras civilizações fizessem uso prático da mecânica, não temos registros de um pensamento sistemático ou analítico sobre forças. A primeira evidência de pensamento abstrato sobre como e por que as forças agem sobre objetos vem da Grécia Antiga. Em *Mecânica*, Aristóteles investigou como as alavancas possibilitam mover grandes pesos usando-se pouca força. A resposta dele foi: "Impulsionada pela mesma força, a parte do raio de um círculo que está mais distante do centro move-se mais rapidamente que o raio menor que está próximo do centro".

Aristóteles reconheceu isso logo após a invenção de uma forma de balança que tinha braços de comprimentos desiguais. Em uma balança com braços iguais, os pesos em um lado devem ser equilibrados por pesos iguais do outro. Mas em uma balança com braços desiguais, os pesos também podem ser equilibrados movendo-se o fulcro (o ponto onde a barra transversal se apoia) e movendo-se um peso ao longo de seu braço. Portanto, o pensamento teórico sobre as forças mecânicas só começou a ocorrer depois que um aparelho foi concebido para colocar essas forças em uso. A existência da balança de braços desiguais deu a Aristóteles a oportunidade de observação e investigação.

O Grande Zigurate de Ur (atualmente no Iraque) foi construído por volta de 4.000 anos atrás e representa uma obra respeitável de engenharia.

MASSA EM MOVIMENTO – MECÂNICA

INVENÇÕES DE ARQUIMEDES

Arquimedes soube aplicar seu conhecimento de mecânica na prática. O rei Hieron II o encarregou de projetar uma embarcação imensa, o primeiro navio de luxo da História, capaz de transportar 600 pessoas e com instalações que incluíam jardins decorativos, um ginásio para esportes e um templo dedicado a Afrodite. Para bombear a água que se acumulasse no casco, dizem que ele desenvolveu o parafuso de Arquimedes, uma lâmina giratória em formato de parafuso que se encaixa perfeitamente dentro de um cilindro e é girada manualmente. O mesmo projeto foi adaptado para transferir água de uma fonte de baixa altitude para canais de irrigação, e ainda é usado hoje. Outras invenções atribuídas a Arquimedes incluem um arranjo parabólico de espelhos para refletir os raios do sol em navios inimigos e incendiá-los (veja a página 68), e uma garra gigante para erguer navios inimigos para fora d'água. Como é tão frequente, a guerra parece ter fornecido o ímpeto para desenvolvimentos científicos.

> *"Dê-me um lugar para apoiar e eu moverei a Terra."*
>
> Arquimedes

A descoberta de Aristóteles é a precursora da lei da alavanca para a qual Arquimedes (c.287-212 a.C.) forneceu uma prova cerca de um século depois (embora a lei provavelmente fosse bem conhecida antes de Arquimedes confirmá-la).

Em sua forma moderna, a prova diz que o peso vezes a distância em um lado do fulcro é o mesmo que o peso vezes a distância do outro:

$$WD = wd$$

Arquimedes expressou isso em termos de razões, pois ele não aceitaria a multiplicação de medidas de naturezas diferentes (peso e distância). Como razões, a lei da alavanca assume a forma:

$$W:d=w:D$$

Arquimedes teria se gabado de que se tivesse uma boa alavanca e um lugar para apoiá-la, ele conseguiria mover a Terra. Em princípio, isto é verdadeiro.

O parafuso de Arquimedes ainda é usado para mover a água em alguns sistemas de irrigação atuais.

O problema da dinâmica

Aristóteles começou com a proposição de que um corpo se move porque uma força é aplicada a ele, e se mantém em movimento pelo tempo que a força continuar. A tendência de um corpo continuar em movimento atualmente é chamada *momentum*. Essa proposição de Aristóteles explica o que acontece se empurramos ou puxamos algo, mas falha claramente quando aplicada a projéteis. Se atiramos algo, disparamos uma flecha de um arco ou uma bala de uma arma, o objeto continua se movendo depois que a coisa ou pessoa que deu o impulso deixou de ter contato com o projétil. Aristóteles resolveu o problema transferindo o status do "impulsor" para o meio por meio do qual o projétil viaja, de modo que o ar continua a exercer força sobre a flecha, impulsionando-a para seu alvo. Essa força seria exercida sobre o ar quando a flecha é liberada do arco.

O matemático grego Hiparco (c. 190-c. 120 a.C.) rejeitou isso, alegando que a força tinha sido transferida para o próprio projétil. Logo, uma flecha disparada direto para cima tem mais potência – ou ímpeto – para transportá-la para longe da terra que a gravidade tem para puxá-la de volta para a terra. Porém essa energia decai naturalmente com o tempo. Tal diminuição é atribuída à própria flecha, e não se deve à resistência do ar, à gravidade ou a qualquer outra influência. No momento em que o ímpeto é igual à atração da gravidade, a flecha fica momentaneamente parada.

Então ela começa a cair e a velocidade de sua queda aumenta à medida que seu ímpeto original tende a zero. Quando o ímpeto diminui, sua resistência à gravidade que incide sobre o objeto é menor. Quando não há ímpeto residual, a flecha cai na mesma velocidade que um objeto que foi derrubado em

Uma flecha disparada para cima segue uma trajetória parabólica previsível.

vez de atirado. O modelo de Hiparco também explicou o comportamento de um corpo derrubado ou em queda. O objeto começa em um estado de equilíbrio entre a atração da gravidade para baixo e o ímpeto que a mão faz para cima. O empuxo para cima é renovado no momento em que o objeto é liberado, mas depois decai continuamente, de modo que o objeto acelera em direção ao solo. O modelo também responde pela velocidade final, uma vez que a taxa da queda se torna contínua quando todo o ímpeto do corpo se esgotou.

O filósofo João Filopono (490-570 d.C.), às vezes conhecido como João, o Gramático, ou João da Alexandria, tinha uma teoria parecida para explicar o impulso. Ele sugeriu que um projétil tem uma força conferida a ele pelo "impulsor", mas esta é autolimitada e, depois de se esgotar, o projétil volta ao padrão do movimento normal. No século XI, Avicenna (c.980-1037) descobriu uma falha no modelo de Filopono, dizendo que um projétil recebe uma inclinação, e não uma força, e que esta não decai naturalmente. No vácuo, por exemplo, o projétil se moveria para sempre, seguindo a inclinação conferida a ele. No ar, a sua resistência acaba superando a inclinação. Ele acreditava, também, que um projétil fosse empurrado pelo movimento do ar que ele desloca.

MASSA EM MOVIMENTO – MECÂNICA

MECÂNICA ESTÁTICA

Enquanto os gregos antigos se preocupavam com a dinâmica (a mecânica do movimento), os romanos dominavam a mecânica estática. A mecânica estática explica como as forças em equilíbrio mantêm uma massa em repouso. Este é um princípio fundamental na arquitetura, onde forças em desequilíbrio podem fazer um edifício ou uma ponte cair. Uma ponte em arco, por exemplo, é sustentada simplesmente porque a pressão exercida pelas pedras que compõem o arco está em perfeito equilíbrio. Os desafios da arquitetura medieval e renascentista para construir grandes tetos, arcos e domo abobadado, foram problemas na mecânica estática que chegaram a soluções refinadas.

O Domo da Catedral de Florença, construído por Filippo Brunelleschi, representa um triunfo de engenharia – é sustentado somente pelo peso de suas próprias pedras.

O filósofo hispano-árabe Averroes (1126-1198 d.C.) foi a primeira pessoa a definir força como "a proporção em que o trabalho é feito para mudar a condição cinética de um corpo material", e afirmar "que o efeito e a medida da força são a mudança na condição cinética de uma massa resistente materialmente". Ele introduziu a ideia de que corpos não moventes têm resistência para começar a se mover – conhecida hoje como inércia –, mas aplicou-a apenas aos corpos celestes. Foi Tomás Aquino que estendeu o conceito a corpos terrestres. Kepler seguiu o modelo de Averroes-Aquino – foi ele que introduziu o termo "inércia" – que se tornou o conceito central da dinâmica de Newton. Isso significa que Averroes é responsável por uma das duas inovações fundamentais no desenvolvimento da dinâmica newtoniana a partir da dinâmica aristotélica.

O filósofo francês do século XIV Jean Buridan (c.1300-1358) relatou o ímpeto dado pelo impulsor na velocidade do corpo em movimento. Ele pensava que o ímpeto pudesse ser em linha reta ou em círculo, este último explicando os movimentos dos planetas. Seu relato é parecido ao moderno conceito de momentum.

Discípulo de Buridan, Albert da Saxônia (c.1316-1390), ampliou a teoria dividindo a trajetória de um projétil em três etapas. Na primeira (A-B), a gravidade não tem efeito e o corpo se move na direção do ímpeto dado pelo impulsor. Na

O PROBLEMA DA DINÂMICA

segunda etapa (B-C), a gravidade recupera sua potência e o ímpeto declina, logo o corpo começa a tender para baixo. Na terceira etapa (C-D), a gravidade domina e puxa o corpo para baixo à medida que o ímpeto se esgota.

O EXPERIMENTO DO TÚNEL

Um dos experimentos mais importantes pensados na História da ciência envolve a queda imaginada de uma bala de canhão por um túnel que passa pelo centro da Terra e chega ao outro lado. O experimento foi discutido por vários pensadores medievais, desenvolvendo as ideias de Avicenna e Buridan sobre o ímpeto. Pensava-se que, ao atingir o outro lado do mundo, a bala de canhão deveria subir à mesma altura da qual caiu. A explicação era que a bala de canhão recebia ímpeto pela força da gravidade que agia sobre ela para empurrá-la para a Terra, e que este seria suficiente para contrapor-se à gravidade em sua trajetória de saída. Quando ela alcançasse a altura da qual caiu originalmente, o ímpeto se esgotaria e a bala de canhão cairia novamente, seguindo o mesmo padrão e estabelecendo um movimento oscilatório.

RUMORES MALDOSOS

Nem todas as histórias sobre a vida de Buridan que nos chegam hoje podem ser verdadeiras, mas sugerem que o seu caráter vibrante e animado. Diz-se que ele atirou um sapato na cabeça do futuro Papa Clemente VI ao disputar uma mulher, e que morreu depois que o rei da França o atirou no rio Sena dentro de um saco, como punição por ter tido um caso com a rainha.

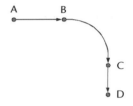

Uma bala de canhão disparada horizontalmente segue uma trajetória reta, e então cai para a Terra.

Este foi o primeiro ponto em que o movimento oscilatório, tão importante na física do século XVII, foi incluído no estudo da dinâmica.

"Quando um impulsor põe um corpo em movimento, ele imprime neste certo ímpeto, ou seja, certa força que permite que o corpo se mova na direção determinada pelo impulsor, seja para cima, para baixo, para os lados ou em círculo. O ímpeto implantado aumenta na mesma razão que a velocidade. É por causa desse ímpeto que uma pedra se move após o sujeito que a atirou parar de movê-la. Mas por causa da resistência do ar (e também à gravidade da pedra) que luta para movê-la na direção oposta ao movimento causado pelo ímpeto, este último se enfraquecerá o tempo todo. Portanto, o movimento da pedra será gradualmente mais lento, e finalmente o ímpeto estará tão diminuído ou destruído que a gravidade da pedra prevalece e move a pedra para seu lugar natural."

Jean Buridan, *Questions on Aristotle's Physics* (Questões sobre a Física de Aristóteles).

MASSA EM MOVIMENTO – MECÂNICA

> ### OS CALCULADORES DE OXFORD – DA GLÓRIA
>
> Os Calculadores de Oxford eram um grupo de matemáticos cientistas que trabalhava na faculdade de Merton em Oxford, no século XIV, que incluía Thomas Bradwardine, William Heytesbury, Richard Swineshead e John Dumbleton. Eles investigaram a velocidade instantânea e chegaram ao fundamento da lei da queda dos corpos muito antes de Galileu, a quem em geral esta é atribuída. Eles também enunciaram e demonstraram o teorema da velocidade média: que se um objeto em movimento acelera a uma taxa uniforme durante certo tempo, ele cobre a mesma distância que um objeto que se move com velocidade média pelo mesmo período de tempo. Eles foram os primeiros a tratar de propriedades como o calor e força como teoricamente quantificáveis, embora não tivessem como medi-las, e sugeriram o uso da matemática em problemas de filosofia natural. Infelizmente, os acadêmicos de Oxford na época medieval costumavam ser ridicularizados por causa da natureza de seus estudos e o grupo praticamente desapareceu, relegado à obscuridade.

O experimento do túnel foi adaptado para explicar a oscilação de um pêndulo, que era vista como o experimento do túnel em um microcosmo. O pêndulo é puxado para baixo ao seu ponto mais baixo (o ponto médio horizontal), e o impulso que ele ganhou o impele para sua trajetória lateral continuada (talvez para cima), até que a força tenha se esgotado e ele seja puxado de volta, renovando o impulso, porém na outra direção. Para a dinâmica aristotélica, e nos modelos de Hiparco e Filopono, o pêndulo era uma anomalia inexplicável. Não havia razão óbvia para que ele subisse novamente após cair. Aqui, finalmente, surgiu uma maneira de explicá-lo.

O verdadeiro nascimento da mecânica clássica

Os cientistas dos séculos XVI e XVII buscaram explicações para o movimento dos corpos físicos, que incluíam desde projéteis a estrelas. O primeiro trabalho sobre dinâmica foi examinado rigorosamente e substituído, principalmente por meio dos esforços de Galileu na Itália e de Isaac Newton na Inglaterra, embora com contribuições importantes de astrônomos como Johannes Kepler.

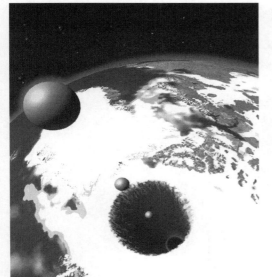

Um famoso experimento mental envolve deixar cair uma bala de canhão em linha reta através da Terra.

O VERDADEIRO NASCIMENTO DA MECÂNICA CLÁSSICA

O EXPERIMENTO DA BOLA DE GALILEU

A desconfiança que Galileu tinha da física aristotélica começou cedo. Ainda adolescente, quando era estudante em Pisa, ele refutou a alegação de Aristóteles de que corpos pesados caem mais rapidamente que os mais leves, citando como evidência que granizos de diferentes tamanhos atingem o chão ao mesmo tempo e presumivelmente caem da mesma altura. (Esta é uma prova espúria, evidentemente, pois ele não tinha como saber se granizos iniciavam sua queda ao mesmo tempo.) Ele mostrou também que uma bala de canhão que atinge um alvo na mesma altura da qual saiu do canhão faz isso com a mesma velocidade com a qual saiu do canhão.

Galileu tinha um extremo interesse por projéteis e corpos em queda. É improvável que ele tenha realizado o experimento famoso atribuído a ele de soltar balas de canhão de pesos diferentes da Torre Inclinada de Pisa para mostrar que eles caem com a mesma velocidade – é mais provável que tenha se tratado simplesmente de um exercício hipotético. Mas quer ele o tenha realizado ou não, o conceito de conduzir um experimento para testar uma ideia e de usar os resultados como evidência para apoiar um enunciado científico foi central para as práticas de Galileu e se tornaria a base do método científico.

DESCARTES E A VISÃO MECANICISTA

René Descartes foi, essencialmente, a primeira pessoa a propor a existência de leis da natureza imutáveis. Ele desenvolveu uma visão mecanicista inspirada por um cientista amador e defensor da filosofia mecânica, o holandês Isaac Beeckman (1588-1637), a quem ele conhecera em 1618. Descartes tentou explicar todo o mundo material, inclusive a vida orgânica, em termos do tamanho, forma e ação de partículas de matéria em movimento de acordo com as leis da física. Ele até via o corpo humano como um tipo de máquina, embora a alma fosse excluída de seu esquema mecanicista. Em sua visão, Deus foi o primeiro sujeito que deu ao universo o empurrão de que precisava para funcionar, mas depois o universo passou a funcionar por conta própria, seguindo as leis da física como uma peça de relógio. Ele acreditava que se as condições iniciais fossem conhecidas, o resultado de qualquer sistema poderia ser previsto.

Descartes acreditava que seres animados tinham o mesmo funcionamento do relógio, seguindo as leis da física.

Em vez de soltar balas de canhão de uma altura perigosa, Galileu executou seus experimentos sobre forças rolando bolas de pesos diferentes por planos inclinados. Em uma época em que os relógios não tinham um segundo ponteiro, determinar com exatidão a duração de ocorrências em experimentos não era fácil. Galileu usava um relógio d'água e seu próprio pulso para medir o tempo que as balas levavam para atingir o fim de um plano inclinado, mostrando que os efeitos da gravidade eram os mesmos tanto sobre objetos leves quanto pesados. Isso ia contra os ensinamentos de Aristóteles e – evidentemente – do senso comum. Mas Galileu ressaltou que quando vemos uma pena ou uma folha de papel cair mais lentamente que uma bala de canhão, é porque a resistência do ar torna mais lenta a sua queda, e não porque a gravidade tenha menos influência sobre o objeto mais leve.

O experimento de rolar bolas mostrou algo mais. À medida que ele diminuía a inclinação dos planos, Galileu percebeu que se não houvesse uma força que parasse, uma bola continuaria rolando ao longo de um plano horizontal. Novamente, isso contrariava os ensinamentos de Aristóteles. Também pareceria ser contraintuitivo – um tijolo empurrado ao longo de uma mesa parará assim que deixarmos de empurrá-lo, e mesmo um carrinho com rodas parará depois de um tempo. Galileu identificou corretamente uma força que age para parar o movimento – a fricção. No entanto, ele cometeu um erro ao interpretar seus achados de que o movimento continuará a não ser que seja impedido; ele supôs que, uma vez que a Terra está girando, o movimento inercial deve produzir sempre uma trajetória circular. Coube a Descartes demonstrar que objetos em movimento continuam em linha reta a não ser que a mesma força aja sobre eles para mudar a direção de sua trajetória.

É improvável que Galileu tenha deixado cair balas de canhão da Torre de Pisa, mas esta foi uma ideia atraente durante muito tempo.

EXPERIMENTO DE GALILEU SOBRE A LUA

Em 1971, os astronautas da Apollo 15 demonstraram que o que Galileu tinha dito sobre corpos em queda estava correto. Quando não existe atmosfera (e, portanto, não há resistência do ar ou suspensão), os objetos em queda que caíam ao mesmo tempo da mesma altura atingiam o solo ao mesmo tempo, independentemente de seu peso ou forma. Os astronautas usaram uma pena e um martelo geológico para demonstrar isso.

O VERDADEIRO NASCIMENTO DA MECÂNICA CLÁSSICA

GALILEU GALILEI (1564-1642)

Galileu foi educado em casa até os 11 anos, quando foi mandado para um monastério para seguir sua educação formal. Para o horror de seu pai, Galileu ingressou na vida monástica e aos 15 decidiu se tornar monge noviço. Felizmente para a história da ciência, ele contraiu uma infecção no olho e seu pai o levou para casa em Florença para tratamento. Galileu nunca voltou ao monastério. Por insistência de seu pai, Galileu foi para a universidade em Pisa para estudar medicina, mas logo passou a estudar matemática e se dedicou muito pouco aos cursos médicos. Ele abandonou os estudos de medicina em 1585, mas voltou quatro anos depois como professor de matemática.

Galileu ganhava pouco como professor e sua pobreza aumentou quando seu pai morreu tendo prometido (mas não entregue) um grande dote para a irmã de Galileu. Ele conseguiu adquirir o posto de professor de matemática em Pádua em 1592, uma universidade mais prestigiosa e um emprego com melhor remuneração. Porém o dinheiro ainda era uma preocupação sua, por isso ele buscou a invenção como maneira de aliviá-la, desenvolvendo primeiro um termômetro que não teve sucesso comercial e depois uma máquina de calcular mecânica que lhe trouxe renda durante um tempo. Em 1604, Galileu trabalhou com Kepler examinando uma nova estrela (a supernova) e por volta de 1608 ele demonstrou que a trajetória de um projétil é parabólica. Em 1609, Galileu começou a fazer seus próprios telescópios e, no decorrer daquele ano, aprimorou a capacidade de aumento de três para vinte vezes, comparada ao projeto existente. Ele enviou um instrumento para Kepler, que foi usado para confirmar as descobertas de Galileu na astronomia. Essas descobertas, como as luas de Júpiter e as fases de Vênus (veja a página 171), apoiaram a visão de Copérnico de que a Terra viaja em torno do Sol (heliocentrismo), em vez de o Sol viajar em volta da Terra (geocentrismo).

Durante muitos anos, Galileu foi impedido de expressar ou publicar essa visão, pois ia contra a doutrina da Igreja Católica, e em 1616 ele foi proibido de defender ou ensinar o modelo heliocêntrico. Em 1632, recebeu permissão para publicar uma discussão equilibrada do assunto chamada *Diálogo a respeito de dois sistemas mundiais principais*, mas este ensaio tinha um viés tão claro contra o geocentrismo que Galileu foi condenado de heresia em 1634, passando o resto da vida em prisão domiciliar. Durante sua reclusão, ele acabou seu *Discursos e Demonstrações Matemáticas a respeito de duas novas ciências*, em que explicitou o método científico e afirmou que o universo podia ser entendido pelo intelecto humano e é governado por leis que podem ser reduzidas à matemática.

> *Princípios* de Newton talvez tenha sido o livro de ciências mais influente publicado até hoje.

PARAR E COMEÇAR

A inércia é a relutância de um corpo em começar a se mover. Ela deve ser superada para que o movimento se inicie. O *momentum* é a tendência que um corpo em movimento tem de continuar a se mover, uma vez recebido um ímpeto inicial. O *momentum* se perde quando o corpo desacelera, e para em resposta a uma força que age sobre ele contra a direção do movimento. O trabalho em dinâmica de Aristóteles, Hiparco, Filopono e Avicenna lidava basicamente com algo parecido ao *momentum* e sua perda – com como e por que um corpo continua a se mover, e então para depois daquele ímpeto inicial. No entanto, eles não responderam corretamente por que um corpo para de se mover. Os físicos persas explicaram que a eventual perda de movimento começava por um impulso por referência a uma tendência inata ao repouso, *inclinatio ad quietem*. Uma tendência ao repouso é uma boa definição de inércia, que primeiro foi descrita por Averroes, mas não é a razão pela qual um corpo para de se mover.

O experimento definitivo que pôs a inércia em descrédito como uma força que desacelera o movimento foi realizado em 1640 por Pierre Gassendi, a bordo de uma galera que ele emprestara da marinha francesa. Remaram a galera à velocidade máxima pelo Mar Mediterrâneo enquanto balas de canhão caíam do topo do mastro. Em cada caso, elas atingiam o deck no mesmo lugar, exatamente ao pé do mastro. Elas não ficavam para trás por causa do movimento da embarcação. Isso mostrou que um corpo continuava a se mover na direção tomada inicialmente, a não ser que fosse detido por alguma força. A bala de canhão acompanhava a galera porque nada parava seus movimentos para a frente, e isso

---

Leis do Movimento de Newton

Primeira lei: Os corpos se movem em linha reta com velocidade uniforme, ou permanecem parados, a não ser que uma força aja para mudar sua velocidade ou direção.

Segunda lei: As forças produzem aceleração proporcional à massa do corpo ($F = ma$, ou $F/m = a$).

Terceira lei: Toda ação de uma força produz uma reação igual e oposta. (Por exemplo, um foguete é impulsionado para frente com a mesma força que os gases de escape são expelidos para trás dele.)

Essas leis abrangem as leis de conservação de energia, momentum e momentum angular.

continuava juntamente com seu movimento para baixo. Gassendi foi imensamente influenciado por Galileu e pelo método experimental defendido por ele.

O MESTRE FALA

A forma da mecânica clássica que dominou a física durante mais de 200 anos às vezes é chamada de mecânica newtoniana, em homenagem às três leis de movimento formuladas por Isaac Newton nos anos 1660. Estas foram a lei da inércia, a lei da aceleração e a lei de ação e reação. Ele tratou a segunda e a terceira leis em *Philosopieas Naturalis Principia Mathematica (Princípios Matemáticos de Filosofia Natural)*, publicado em 1687, em geral chamado apenas de *Principia (Princípios)*. O grande avanço de Newton foi em fornecer um relato detalhado da mecânica usando o sistema matemático agora chamado de cálculo diferencial, que ele havia desenvolvido.

MOVIMENTO E GRAVIDADE

Newton estabeleceu os princípios de conservação de *momentum* e *momentum* angular, além da formulação da gravidade em sua lei de gravitação universal. Esta estabelece que toda partícula no universo que tem massa atrai toda outra partícula que tem massa. Essa atração é a gravidade. Quando uma maçã cai de uma árvore, ela é atraída para baixo em direção à Terra pela gravidade, mas ao mesmo tempo a maçã exerce sua própria atração gravitacional, muito pequena, sobre a Terra. A força gravitacional entre dois corpos é inversamente proporcional ao quadrado da distância entre eles. A lei da gravidade, publicada em 1687, foi a primeira força a ser descrita matematicamente. Ao formular a lei, Newton demonstrou pela primeira vez que todo o universo é governado pelas mesmas leis, e estas são leis que podem ser modeladas.

As leis de movimento e gravitação de Newton se aplicam igualmente a todos os objetos na Terra e aos corpos celestes. Elas explicam a maior parte dos movimentos discerníveis no mundo que nos rodeia, falhando apenas quando objetos estão se movendo próximo da velocidade da luz ou são extremamente pequenos; nenhuma dessas possibilidades importava a Newton. As leis de Newton explicaram os achados de Galileu, inclusive seu exercício hipotético com balas de canhão de pesos diferentes, e também o relato feito por Kepler dos planetas seguindo órbitas elípticas. No universo de Newton, o movimento de todos os corpos era previsível, dadas informações sobre a massa do corpo e as forças que agem sobre ele.

O UNIVERSO COMO CAMPO DE TESTES

Newton verificou suas novas leis mostrando como elas explicaram o movimento dos planetas no sistema solar. Ele mostrou como a curvatura da órbita da Terra é o resultado da aceleração na direção do Sol, e a gravidade do Sol determina as órbitas dos planetas. Suas explicações dão sustentação aos relatos feitos anteriormente por Kepler (veja a página 168).

Diagrama Feito por Newton em Um Tratado do Sistema do Mundo, *sobre como enviar uma bala de canhão para a órbita.*

MASSA EM MOVIMENTO – MECÂNICA

É fácil replicar os experimentos de Galileu rolando caminhões de madeira ao longo de planos inclinados, como muitas crianças em idade escolar sabem.

A mecânica celeste – o estudo do movimento e das forças que agem nos corpos celestes – foi estabelecida como campo de testes para teorias na física. Nos séculos seguintes, nosso entendimento do movimento dos planetas foi refinado incluindo-se os campos gravitacionais exercidos pelos planetas, em cálculos baseados nas leis de Newton. Newton estava ciente de que as órbitas planetárias não eram como ele tinha calculado que fossem, e acreditava profundamente que a intervenção divina fosse necessária a cada século para pôr tudo de volta em curso, colocando os encrenqueiros – Júpiter e Saturno – de volta em seus devidos lugares.

Foi o matemático e astrônomo francês Pierre Simon Laplace (1749-1827) que resolveu o que estava acontecendo realmente, dentro da estrutura das leis de Newton.

Ar e água

Embora algumas forças sejam óbvias – damos um empurrão em um caminhão de brinquedo e ele se move, por exemplo –, outras não são vistas com tanta facilidade. A pressão do ar ou da água agindo sobre um

---

ISAAC NEWTON (1642-1727)

Newton nasceu prematuramente no dia de Natal de 1642 (calendário pré-gregoriano), e não se esperava que vivesse. Quando criança, era rotulado de preguiçoso e desatento na escola, e foi um aluno medíocre em Cambridge. Quando a universidade foi fechada em razão da Grande Peste de 1665, Newton foi forçado a passar esse período em sua casa em Lincolnshire. Foi lá que ele fez os primeiros esboços de suas leis do movimento e seus insights iniciais sobre a gravidade. Depois de voltar a Cambridge, ele assumiu a cadeira Lucasiana de matemática em 1669 com apenas 27 anos. Ele demonstrou que a luz branca é formada por todo o espectro e desenvolveu o cálculo diferencial – embora tenha discutido essa prioridade com Gottfried Leibnitz (1646-1716), que o desenvolveu independentemente. Newton escreveu dois textos importantes, *Principia* e *Opticks*. Notoriamente questionador e arrogante, Newton tinha frequentes discussões com outros cientistas, e teve uma longa rixa com Robert Hooke.

AR E ÁGUA

corpo pode movê-lo, deformá-lo ou mesmo destruí-lo. Os fluidos não agem como corpos da mesma forma que um planeta ou uma maçã. Um fluido pode fluir, ele não tem forma fixa, e isso significa que a força exercida por ele difere da força exercida por um corpo sólido.

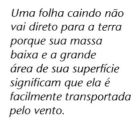

Uma folha caindo não vai direto para a terra porque sua massa baixa e a grande área de sua superfície significam que ela é facilmente transportada pelo vento.

Mesmo assim, é possível ver um líquido fluindo ou caindo e entender parte de sua força. O comportamento dos gases foi ligeiramente mais difícil de ver e investigar, visto que a maioria dos gases não é visível. Está claro, dada a força do vento de derrubar árvores e destruir edifícios, que um gás em movimento pode ter muita força, mas é mais difícil fazer experimentos com eles.

Anaxágoras executou experimentos em público para demonstrar a existência da pressão do ar usando o ar contido em um vaso fechado esférico que ele empurrava para dentro d'água. Embora ele tivesse colocado pequenos orifícios no fundo do vaso, este não se encheu de água, pois já estava cheio de ar. Anaxágoras não estendeu seu trabalho para a pressão atmosférica, mas mostrou como a resistência do ar explica por que as folhas podem flutuar no ar. Arquimedes teorizou que um corpo imerso na água está sujeito a uma força para cima que é igual ao peso da água que ele desloca.

Heron de Alexandria (c.10-70 d.C.) emprega a pressão do ar, água e vapor na prática, ao inventar uma roda de vento para acionar um órgão musical, a primeira máquina a vapor. Ele também criou uma porta automática: o ar aquecido por uma pira deslocava a água, que era coletada e seu peso puxava uma corda que abria as portas. Heron foi responsável pelo primeiro caça-níquel, e até mesmo por uma apresentação de marionetes. O caça-níquel dispensava uma determinada quantidade de água benta. A moeda inserida caía em um prato que inclinava, abrindo uma válvula para que água jorrasse.

Quando a moeda caía fora do prato, um contrapeso cortava o suprimento de água. O show de bonecos era acionado por um sistema de cordas, nós e máquinas simples, todos operados simultaneamente por uma roda dentada, cilíndrica, giratória.

Desde a Antiguidade, sabe-se que a água pode ser bombeada a uma altura aproximada de 10 metros, mas não mais que isso, o que foi descoberto por tentativa e erro. Nos anos 1640, os cientistas começaram a ligar isso com a pressão atmosférica. O matemático italiano Gasparo Berti (1600-1643) fez, não intencionalmente, um barômetro de água por volta de 1640, e descobriu que a altura da água em um tubo longo e fechado inver-

Uma Eolípila, ou o primeiro motor a vapor, de um tipo projetado por Heron da Alexandria; o vapor que escapava fazia o topo da esfera girar.

tido sobre um prato atingiria 10,4m, deixando o espaço – um vácuo – no alto do tubo. Um colega italiano, o físico Giovanni Batista Baliani (1582-1666), descobriu em 1630 que não podia bombear água acima dessa altura, e pediu a Galileu para explicar por quê. A explicação de Galileu foi que a água era sustentada para cima pelo vácuo, e o vácuo não podia sustentar alturas acima do que a água em 10 metros. A essa altura, a maioria das pessoas, inclusive Galileu, acreditava que o ar não tinha peso próprio.

DA ÁGUA PARA O MERCÚRIO

Evangelista Torricelli (1608-1647), amigo e aluno de Galileu, sugeriu em 1644 que, de fato, o ar tinha peso e era o peso do ar pressionando a água para baixo no recipien-

Página de título de **Hidrodinâmica** *de Bernouilli, o primeiro trabalho sobre mecânica dos fluidos.*

te que mantinha a coluna de água no tubo a uma altura de 10 metros. Rumores de que Torricelli estaria envolvido em feitiçaria significavam que ele precisava manter seus experimentos em segredo, por isso ele procurou um líquido mais denso que alcançasse um nível mais baixo. Ele acertou ao usar o mercúrio que, com uma densidade 16 vezes maior que a da água, forma uma coluna muito menos conspícua, de apenas 65 cm.

O matemático francês e físico Blaise Pascal (1623-1662) repetiu o experimento de Torricelli com um barômetro de mercúrio e foi além, fazendo seu cunhado carregar e testar o equipamento no alto de uma montanha. Ao descobrir que o mercúrio afundava mais em altitude, Pascal concluiu corretamente que o peso do ar era menor lá em cima e, portanto, exercia uma pressão menor. A partir de suas conclusões, ele extrapolou, sugerindo que a pressão do ar continua a cair à medida que a altitude aumenta. Em algum ponto o ar sai e há apenas vácuo acima da camada atmosférica da Terra. Atualmente, a medida da pressão é chamada "pascal" (Pa) em sua homenagem, sendo um pascal equivalente a um newton por metro quadrado.

DINÂMICA DOS FLUIDOS

Embora as pessoas tenham aproveitado o movimento dos fluidos há milênios, somente em meados do século XVIII este começou a ser entendido. O matemático suíço-holandês Daniel Bernoulli (1700-1782) estudou o movimento de líquidos e gases, publicando

---

O BARÔMETRO DE VINHO

Tendo descoberto como seu barômetro funcionava, Pascal começou a testar a crença mantida por físicos aristotélicos de que a parte "vazia" do tubo era preenchida por vapores do líquido que pressionavam a coluna para baixo. (Eles rejeitavam a ideia de que poderia haver um vácuo no alto do tubo). Ele escolheu o vinho para uma demonstração pública, por ser considerado mais vaporoso que a água. Pediu aos aristotélicos para fazerem uma previsão do que aconteceria. Eles propuseram que a coluna de vinho seria mais baixa que a de água, pois haveria mais vapor para pressioná-la para baixo. Foi provado que estavam equivocados, e a explanação de Pascal prevaleceu.

em 1738 seu *Hidrodinâmica*, um livro fundamental. Ele descobriu que a água que flui rápido exerce menos pressão que aquela que flui lentamente, e que esse princípio pode ser estendido a qualquer fluido, seja líquido ou gás. Se Bernoulli inserisse um tubo vertical estreito pela parede de um tubo horizontal mais largo com água fluindo, esta subiria pelo tubo estreito. Quanto maior a pressão da água no tubo mais largo, mais alto ela subiria pelo tubo estreito. Se o tubo for mais estreito, a pressão do líquido que flui aumenta. Se o tubo for reduzido à metade de sua largura anterior, a pressão quadriplica, pois a lei dos quadrados se aplica a ela.

Bernoulli enunciou suas conclusões no que agora é conhecido como teorema de Bernoulli: a qualquer ponto em um duto pelo qual o líquido esteja fluindo a soma da energia cinética, energia potencial e energia da pressão de uma dada massa do fluido é constante. Esta é equivalente à lei da conservação de energia. Os fenômenos por trás do teorema de Bernoulli mantêm uma aeronave voando, permitem-nos prever o clima e ajudam-nos a determinar a circulação de gases nas estrelas e galáxias.

Bernoulli estudou medicina por insistência de seu pai, e tinha interesse pelo fluxo sanguíneo no corpo humano. Ele concebeu um método para medir a pressão arterial que envolvia inserir um tubo capilar em um vaso sanguíneo e medir a altura à qual o sangue subiu no tubo. Esse método invasivo e desconfortável de medir a pressão sanguínea foi usado por mais de 150 anos, até 1896.

JUNTANDO FLUIDOS E MASSA

Até ser aceito que a matéria é composta de átomos, era impossível igualar o comportamento de corpos sólidos ao comportamento de fluidos de maneira significativa. Mas assim que ficou evidente que líquidos e gases são compostos de moléculas, foi possível entender que a pressão da água e a pressão do ar são produzidas por partículas em movimento que exercem força em outros corpos com os quais entram em contato. De fato, ver isso acontecer no movimento browniano eventualmente provou a existência dos átomos (veja a página 42). O modelo atômico da matéria finalmente ganhou aceitação universal nos primeiros anos do século XX. Ao mesmo tempo, começaram a aparecer falhas na mecânica newtoniana.

Colocando a mecânica para funcionar

Durante a Revolução Industrial nos séculos XVIII e XIX, a mecanização na indústria, agricultura e transporte transformou totalmente a vida na Europa e na América do Norte. As populações se moveram em massa do campo para a cidade, máquinas possibilitaram a manufatura de bens em massa, assumiram tarefas agrícolas que antes demandavam um grande número de trabalhadores rurais, e passaram a transportar bens, alimentos e pessoas de um modo mais eficiente. A necessidade de aperfeiçoar o maquinário ajudou a levar o progresso à ciência. O tear mecânico, construído em 1764 por James Hargreaves, usava maquinário sim-

Uma maneira mecânica de medir a pressão sanguínea usada até o final do século XX.

MASSA EM MOVIMENTO – MECÂNICA

ples para acionar oito fusos girando-se uma única roda. A estrutura de água, desenvolvida por Thomas Arkwright na Inglaterra em 1771, e usada para fiar era acionada por meio de água corrente. Os primeiros aparelhos movidos a vapor eram bombas, mas com o motor a vapor bastante aprimorado de James Watt, a potência do vapor pode ser usada para fazer muitos tipos diferentes de trabalho. Essas invenções não foram feitas por físicos, mas por pessoas que precisavam realizar uma tarefa prática e procuravam uma solução. Essas soluções foram fruto de observação e inspiração, e não de teorização. A ciência logo entrou em cena para ajudar a explicar e aprimorar o maquinário da Revolução Industrial, e tem feito isso desde então.

COLOCANDO A MECÂNICA NEWTONIANA EM UMA NOVA POSIÇÃO

As leis de Newton estabeleceram as bases para a mecânica clássica, mas foram estendidas e desenvolvidas ao longo dos séculos subsequentes. O matemático e cientista suíço Leonard Euler (1707-1783) expandiu o escopo das leis de Newton de partículas para corpos rígidos (corpos sólidos idealizados de tamanho finito), e formulou duas outras leis para explicar que as forças internas dentro de um corpo não precisam ser distribuídas igualmente. O princípio da ação mínima de Euler (que a natureza é preguiçosa) tem muitas aplicações na Física – notavelmente que a luz segue a trajetória mais curta. O brilhante matemático ítalo-francês Joseph-Louis Lagrange (1736-1813) sucedeu Euler como diretor da Academia de Ciências de Berlim. Ele ajudou a reunir todos os desenvolvimentos na mecânica newtoniana no século após a morte de Newton e os reformulou na mecânica lagrangiana. Em *Méchanique Analytique* (*Mecânica Analí-*

tica), que ele iniciou aos 19 anos e concluiu aos 52, Lagrange apresentou uma síntese de tudo o que se passou nesse período com base em seu próprio sistema matemático, que descrevia os limites de um sistema mecânico em termos de todas as variações que podiam acontecer no curso de sua história expressa usando cálculo. As equações de Lagrange relacionam a energia cinética de um sistema às suas coordenadas generalizadas, forças generalizadas e tempo. Seu livro não contém diagramas – uma realização notável para um livro sobre mecânica –, seus métodos usam cálculo e excluem a geometria. Seu trabalho simplificou muitos cálculos em dinâmica, ao lidar com funções escalares de cinética e energia potencial em vez de um acúmulo de forças, acelerações e outras quantidades vetoriais.

Tanto Euler quanto Lagrange também abordaram a mecânica dos fluidos, mas seguiram abordagens diferentes. Euler descreveu o movimento de pontos particulares em um fluido, enquanto Lagrange dividiu o fluido em regiões e analisou suas trajetórias. Outro matemático que deu contribuições significativas para a moderna mecânica prática foi o nobre irlandês Sir William Rowan Hamilton (1805-65). Em seu tratado *On a General Method in Dynamics* (1835), ele expressou a energia de um sistema em termos de *momentum* e posição, reduzindo a dinâmica a um problema no cálculo de variações. A reformulação feita por ele da mecânica clássica nas equações hamiltonianas às vezes é chamada de mecânica hamiltoniana. No processo, ele descobriu que existe uma íntima relação entre a mecânica de Newton e a ótica geométrica. O significado de seu trabalho não foi evidenciado até o surgimento da mecânica quântica quase 100 anos depois.

COLOCANDO A MECÂNICA PARA FUNCIONAR

INÉRCIA E GRAVIDADE VÊM JUNTAS

Entre o enunciado feito por Newton das leis de inércia e gravidade e as teorias da relatividade de Einstein veio o físico austríaco Ernst Mach (1838-1916). Newton acreditava que o espaço fosse um pano de fundo absoluto contra o qual o movimento podia ser plotado. Mach discordava, dizendo que o movimento pode ser sempre relativo a outro objeto ou ponto. Como Einstein, ele acreditava que somente o movimento relativo faz sentido. Em consequência, a inércia só pode ser entendida se houver outros objetos para compararmos o movimento ou a imobilidade de um corpo. Se não existissem estrelas ou plantas, por exemplo, não seríamos capazes de dizer que a Terra gira. O princípio de Mach – que ele não apresentou como princípio, foi Einstein quem cunhou o termo – foi enunciado em termos bem gerais como "a massa lá influencia a inércia aqui". Sem massa "lá" não pode haver inércia "aqui".

GRANDE E PEQUENO

Embora a mecânica newtoniana parecesse funcionar bem para objetos maiores no universo, ela começou a falhar quando aplicada aos objetos minúsculos. Quando os físicos tomaram ciência de partículas atômicas e subatômicas, eles descobriram que as leis da física, que eles consideravam ser fixas e imutáveis para todas as coisas, não pareciam se aplicar mais. As menores partículas podiam fazer coisas estranhas. A confiança conquistada com dificuldade nas leis da física estava naufragando, e no século XX essas leis passariam por um exame rigoroso.

Em vez de trabalhar com o átomo demonstrando que as ideias de Newton realmente explicavam todo o universo, ele mostrou que com escalas muito pequenas a matéria se comporta de formas surpreen-

> **SIR WILLIAM ROWAN HAMILTON**
> **(1805-1865)**
>
> Brilhante desde a infância, Hamilton aprendeu a ler aos três anos. Ele podia traduzir latim, grego e hebraico aos cinco, compilou uma gramática da língua síria aos 11 e aos 14 compôs uma canção de boas-vindas em persa ao embaixador persa que estava visitando Dublin. O dom de Hamilton para matemática e astronomia era tamanho que ele foi eleito professor de astronomia e Astrônomo Real na Irlanda antes de se formar. Ele era muito dependente de álcool como fonte de alimento e, embora ele fizesse a maior parte de seu trabalho na sala de jantar de sua casa, comia pouco além de costeletas de carneiro.
> Dúzias de pratos com ossos de carneiro no local foram encontrados entre muitos de seus papéis após sua morte. Suas realizações abrangeram os campos da matemática, astronomia, humanidades, dinâmica, ótica e mecânica.

dentes. A mecânica clássica atinge seus limites na escala atômica, em velocidades próximas à velocidade da luz, e em campos gravitacionais intensos. Antes de examinar o átomo e como ele parece desafiar as leis da natureza, precisamos voltar um pouco e examinar a energia – a outra metade da equação massa-em-movimento.

91

CAPÍTULO 4

ENERGIA
campos e forças

Quando uma força age para mover uma massa, parece óbvio para nós que há energia envolvida. Logo, pode parecer surpreendente que desde a Antiguidade, quando se falava em força, a energia tenha sido amplamente negligenciada pelos primeiros filósofos naturais. O conceito de energia é relativamente novo, aparecendo apenas no século XVII. De fato, o termo "energia" (do grego *energia*, cunhado por Aristóteles) só foi introduzido com seu significado moderno em 1807 pelo gênio e erudito Thomas Young (da experiência da fenda dupla). As formas mais óbvias de energia são luz e calor, ambas as quais vêm livremente do Sol. A humanidade também aproveitou a energia química (liberada pela queima de combustíveis), a energia gravitacional de um corpo em queda, a energia cinética do vento e da água em movimento e, mais recentemente, a energia elétrica e nuclear.

O raio e o vento representam maciças explosões de energia na natureza, temidos por seu poder destrutivo.

ENERGIA CAMPOS E FORÇAS

A conservação de energia

Assim como a matéria é conservada, não sendo criada nem destruída, a energia também é conservada. Ela pode ser convertida de uma forma para outra – e é assim que aproveitamos energia para realizar um trabalho útil –, mas essa energia nunca é realmente gasta. Galileu notou que um pêndulo converte energia potencial gravitacional em energia cinética, ou energia do movimento. Quando o pêndulo atinge seu ponto mais alto da oscilação ele está momentaneamente parado e tem energia potencial máxima. Esta é convertida em energia cinética quando o pêndulo se move, e este recobra energia potencial quando sobe no outro lado de sua oscilação.

Inventando a "energia"

Não ficou imediatamente óbvio que tipos diferentes de energia são equivalentes. Ainda hoje não há um entendimento básico do que seja exatamente energia e como ela

Relógios com pêndulo foram desenvolvidos pela primeira vez em 1656 por Christiaan Huygens: o pêndulo sempre leva o mesmo tempo para oscilar.

> "Existe um fato, ou se você preferir, uma lei, que governa todos os fenômenos naturais conhecidos até a presente data. Não há exceção conhecida a essa lei – ela é exata, pelo que sabemos. A lei é chamada de conservação de energia. Ela estabelece que existe uma certa quantidade, à qual chamamos de energia, que não muda nas diversas transformações sofridas pela natureza. Esta é uma ideia muito abstrata, porque é um princípio matemático; diz que existe uma quantidade numérica que não muda quando algo acontece. Não é uma descrição de um mecanismo, nem algo concreto; é estranho que podemos calcular um número e quando terminamos de observar a natureza analisamos suas manobras e calculamos o número de novo, é igual."
>
> Físico americano Richard Feynmann, 1961.

Uma esportista que patina no gelo pode acelerar seus giros mantendo os braços próximos ao corpo, ou dar giros mais lentos ao esticar seus membros.

A CONSERVAÇÃO DE ENERGIA

funciona. O matemático alemão Gottfried Leibnitz (1646-1716) explicou matematicamente a conservação entre diferentes tipos de energia, aos quais chamou de vis viva. Seu trabalho, juntamente com observações do matemático e filósofo holandês Willem Gravesande (1688-1742), foi aprimorado pelo físico francês Marquise Émile Du Châtelet (1706-1749), que definiu a energia de um corpo em movimento como proporcional à sua massa multiplicada por sua velocidade ao quadrado. A atual definição de energia cinética é muito próxima disso:

$$E_k = \tfrac{1}{2} mv^2$$

Lutando com o fogo

As primeiras teorias sobre como e por que as coisas queimam se centravam em um componente que se supunha ser matéria inflamável, chamada flogisto. Quando o material era queimado, liberava o flogisto. Esta não era realmente uma teoria sobre a energia, mas sobre mudanças físicas e químicas provocadas pelo fogo. A teoria originou-se em 1667 com o trabalho do químico Johann Becher (1635-1682). Ele revisou o modelo antigo de matéria que abrangia quatro elementos – terra, ar, água e fogo – datando da época de Empédocles (veja a página 30) e substituiu-o por três tipos de terra: terra lapidea, terra fluida e terra pinguis. Em 1703, George Ernst Stahl (1660-1734), professor de medicina e química na universidade

Os humanos usaram o fogo durante milhares de anos sem entender como ele funcionava.

MÁQUINAS DE MOVIMENTO PERPÉTUO

O princípio da conservação de energia poderia sugerir que é possível fazer uma máquina de movimento perpétuo: que usa a energia produzida para manter-se em ação, reciclando constantemente sua energia de formas diferentes. A ideia foi sugerida pela primeira vez por volta de 1150 pelo matemático indiano Bhaskara (1114-1185), que descreveu uma roda que ao rolar derrubava pesos ao longo do comprimento de seus raios, o que propelia seu movimento. Mesmo Robert Boyle, respeitado por seus conhecimentos, propôs um sistema que enchia continuamente um copo de água, esvaziava-o e tornava a enchê-lo. Contudo, todas as ideias para máquinas de movimento perpétuo são falhas, pois se perde energia na fricção e com a ineficiência. No século XVIII, tanto a Academia Real Francesa quanto o Escritório de Patentes Americanas estavam tão sobrecarregados com solicitações e propostas de máquinas de movimento perpétuo que as proibiram.

ENERGIA CAMPOS E FORÇAS

Laboratório de Lavoisier em Paris.

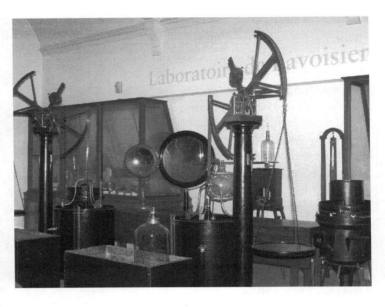

de Halle na Alemanha, mudou ligeiramente o modelo e o renomeou de "flogisto" terra pinguis.

O flogisto era considerado uma substância inodora, sem cor nem sabor, liberada por combustão de uma matéria. Depois da liberação do flogisto, em geral a natureza da matéria queimada é diferente, como quando a madeira se transforma em cinza. No entanto, se a matéria for queimada em espaço fechado, a queima pode não ir até o final, pois o ar se torna saturado de flogisto. Havia dificuldades para explicar como às vezes os metais ganham massa quando queimados ou aquecidos (agora se sabe que eles formam óxidos), mas os teóricos do flogisto davam uma solução ardilosa para isso. Eles alegavam que às vezes o flogisto não tem peso, às vezes ele tem peso positivo e às vezes seu peso é negativo; logo, a perda de flogisto pode aumentar a massa da matéria queimada. O flogisto também tem implicações para a ferrugem e os sistemas vivos – uma criatura não consegue viver no ar "impregnado de flogisto" onde algo foi queimado, nem o ferro se enferrujará nele.

A teoria não se tornou favorável a uma explanação química até que Antoine-Laurent Lavoisier (veja a página 40) demonstrou que, quando o material queima ou oxida, ele combina com o oxigênio. A percepção de que isso tinha ligação com processos vivos – que a respiração também exige oxigênio – foi a primeira pista de que os processos químicos são essência da vida.

Enquanto o flogisto e depois o oxigênio explicaram o processo químico de combustão, o próprio calor permaneceu um mistério até 1737, quando Du Châtelet propôs o que mais tarde foi reconhecido como radiação infravermelha.

Georg Ernst Stahl.

A CONSERVAÇÃO DE ENERGIA

GABRIELLE ÉMILIE LE TONNELIER DE BRETEUIL, MARQUESA DU CHÂTELET (1706-1749)

Filha de um aristocrata francês, Émilie Du Châtelet era considerada alta demais para uma mulher; por isso seu pai achava que ela não se casaria. Como consequência, ele empregou os melhores tutores para ela (ela falava seis línguas aos 12 anos), e cedeu ao interesse dela pela física e a matemática. Sua mãe desaprovava e queria mandá-la para um convento, mas felizmente a opinião de seu pai prevaleceu. Émilie desenvolveu um interesse pelo jogo, usando matemática para aprimorar suas chances de ganhar, depois usava o que ela ganhava para comprar livros e equipamentos de laboratório.

Émilie casou-se e teve três filhos. Como seu marido costumava ir para campanhas militares ou visitar suas inúmeras terras, ela tinha liberdade para prosseguir os estudos científicos e ter amantes – provavelmente entre eles incluiu-se o escritor e filósofo Voltaire, cujo verdadeiro nome era François-Marie Arouet. Ele certamente era seu companheiro íntimo e passava muito tempo nas terras de Du Châtelet em Cirey-sur-Blaise, onde o casal dividia um laboratório. Émilie traduziu *Principia*, de Newton, e escreveu *Institutions de Physiques* (1740), que tentou reconciliar as visões de Newton e Leibnitz. Em 1737, ela entrou em um concurso da *Académie de Science* com um trabalho que pesquisou secretamente sobre as propriedades do fogo. Neste, ela sugeriu que cores diferentes de luz tinham potências diferentes para o calor, encobrindo a identificação da radiação de infravermelho. Ela não ganhou a competição, mas seu trabalho foi publicado.

Um de seus experimentos envolvia derrubar balas de canhão em uma cama de barro úmido. Ela descobriu que ao dobrar a velocidade da bala, esta ia quatro vezes mais fundo no barro, mostrando que a força é proporcional à massa vezes a velocidade ao quadrado (m X v^2), e não, como disse Newton, massa vezes velocidade.

Émilie Du Châtelet foi uma notável física em um tempo em que a ciência era um privilégio dos homens.

97

ENERGIA CAMPOS E FORÇAS

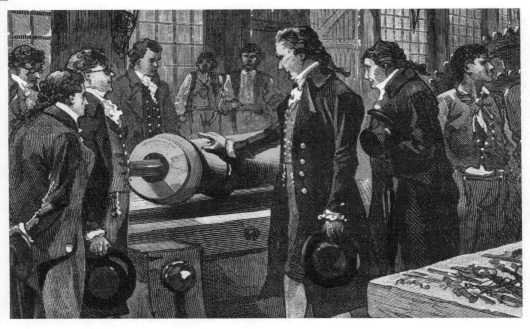

Um dos experimentos de Rumford com barris de canhão. Ele propôs que o calor move partículas, e pode ser causado por fricção.

Termodinâmica

O desenvolvimento do motor a vapor e de muitas outras máquinas com motor durante a Revolução Industrial significou que havia uma necessidade cada vez mais urgente de entender a termodinâmica – como o calor é produzido, transferido e como pode ser empregado para realizar trabalho físico. Duas teorias sobre a natureza do calor, não mutuamente exclusivas, mas incompatíveis, eram correntes no século XVIII: o modelo calórico e o modelo mecânico de calor.

O modelo mecânico se baseia no movimento de partículas mínimas. A teoria cinética de gases tem suas origens no livro *Hidrodinâmica*, de Daniel Bernoulli, publicado em 1738. Ele sugeriu que os gases são formados por moléculas em movimento. Quando elas bombardeiam a superfície, o efeito é de pressão; sua energia cinética é sentida como calor. Este modelo ainda é aceito atualmente.

O modelo calórico sugeria que o calor é uma forma de matéria, um tipo de gás com partículas indestrutíveis. Os átomos de calor – ou calóricos – podiam se combinar com átomos de outras substâncias ou usar espaços livres e esgueirar-se entre os átomos em outra matéria. Lavoisier propôs a existência de calóricos enquanto detectava o flogisto. Ele acreditava que os átomos calóricos fossem um constituinte do oxigênio e sua liberação produzisse o calor da com-

> "Agora estou tão convencido da não existência de calor quanto estou da existência da luz."
>
> Humphry Davy, 1799.

> **CONGELADO**
>
> Assim como se supunha que o calor fosse resultado do calórico, alguns cientistas dos anos 1780 acreditavam que o frio pudesse ser uma propriedade produzida pela presença de uma substância chamada "frigórica". Esta foi desacreditada pelo filósofo e físico suíço Pierre Prévost (1751-1839), que afirmou que o frio é simplesmente a ausência de calor e mostrou em 1791 que todos os corpos, não importa o quanto pareçam ser frios, radiam calor.

bustão. Quando o calor era produzido por fricção, isso ocorria porque os átomos de calóricos eram friccionados pelo corpo em movimento.

O físico Benjamin Thompson, Conde de Rumford (1753-1814), nascido nos Estados Unidos, conduziu um experimento no qual pesava gelo e o pesava de novo depois de derreter. Ele descobriu que não havia diferença discernível no peso, sugerindo que não havia ganho calórico no derretimento do gelo. Mas os defensores do modelo calórico argumentaram, sugerindo que a massa do calórico era desprezível. Observações adicionais de Conde Rumford de que o ato de fazer furos no metal, como os barris de canhão, produzia uma enorme quantidade de calor, juntamente com experimentos realizados pelo químico inglês Humphrey Davy (1778-1829), deveriam ter demonstrado a todos que a teoria calórica estava errada, uma vez que eles mostraram que o calor podia ser produzido por trabalho físico. Embora algumas pessoas duvidassem da teoria calórica, as conclusões do Conde Rumford e Davy não foram aceitas até que o físico inglês James Prescott Joule (1818-1889) repetisse parte de seus experimentos 50 anos mais tarde.

Joule realizou experiências para demonstrar que o trabalho poderia ser convertido em calor. Por exemplo, forçar água fazendo pressão através de um cilindro perfurado eleva a temperatura da água. Isso levou às bases para a teoria da conservação de energia por meio de sua transferência em formas diferentes, e mostrou que o modelo calórico de calor não estava correto. (Estranhamente, a conservação da energia do calor fazia parte do modelo calórico, pois transformava o calor em matéria, que já se sabia que era conservada.)

Joule calculou que a quantidade de trabalho necessária para elevar a temperatura de 450 g de água em um grau Fahrenheit era

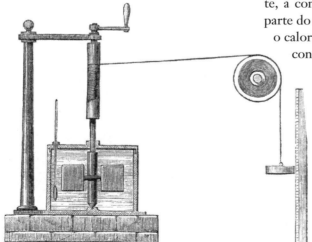

Equipamento de Joule para medir o equivalente mecânico do calor.

ENERGIA CAMPOS E FORÇAS

> **A FÍSICA SE TORNA ESTATÍSTICA**
>
> A formulação de James Clerk Maxwell das velocidades moleculares forneceu uma forma de calcular a proporção de moléculas com uma velocidade específica (ou a probabilidade de uma partícula ter uma velocidade específica) em um gás em que as moléculas têm movimento livre. Foi a primeira lei estatística em Física. Ela foi substituída pela distribuição Maxwell-Boltzmann, que refina a técnica e as suposições de Maxwell.

uma força de 838 pés-libras. (Um pé-libra é o torque – ou força de torção – criado pela força de uma libra agindo em uma distância perpendicular de um pé de um ponto pivô.) Ele tentou métodos diferentes e obteve resultados similares, levando-o a aceitar que sua teoria e seus dados estavam aproximadamente corretos.

O trabalho de Joule foi recebido sem entusiasmo, em parte por contar com medições muito precisas – diferenças na temperatura de 1/200 de um grau.

Quando Michael Faraday e William Thomson (mais tarde Lord Kelvin) ouviram Joule apresentar seu trabalho em 1847, ambos demonstraram interesse, mas levou muito tempo para compartilharem essa visão.

A primeira colaboração com Thomson aconteceu quando os dois se encontraram, enquanto Joule estava em lua-de-mel. Eles planejaram medir a diferença na temperatura da água no topo e na base de uma queda d'água na França, mas no final isso provou ser impraticável. Thomson e Joule se corresponderam de 1852 a 1856; Joule realizava experiências e Thomson comentava sobre os resultados. Joule concluiu que o calor é uma forma de movimento dos átomos. Embora o modelo atômico da matéria não fosse aceito universalmente naquela época, Joule teve pleno conhecimento dele pelo químico inglês John Dalton (veja a página 41) e o aceitava sinceramente.

As leis da termodinâmica

Três leis da termodinâmica estabeleceram os limites sobre o que pode e não pode ser feito em qualquer sistema que envolve calor e energia. As leis apareceram durante o século XIX, uma vez que o calor ganhou aceitação geral como o movimento das partículas.

A primeira lei da termodinâmica, formulada por Rudolf Clausius (1822-1888) em 1850, é essencialmente uma declaração da conservação de energia: a mudança na energia interna de um sistema é igual à quantia de calor fornecido a ele menos a quantidade de trabalho realizado pelo sistema. Em outras palavras, a energia nunca é criada nem destruída. A lei, conforme estabelecida por Clausius, foi baseada na demonstração de Joule de que o trabalho (ou energia) é equivalente ao calor. A segunda lei da

Um motor a vapor converte a energia do calor em energia cinética para impulsionar um veículo ou um maquinário.

TERMODINÂMICA

NICOLAS LÉONARD SADI CARNOT (1796-1832)

Nascido em Paris, França, Nicolas Carnot era o filho de um líder militar e primo de Marie François Sadi Carnot, que foi presidente da República Francesa de 1887 a 1894. Desde 1812, o jovem Carnot frequentava a Escola Politécnica em Paris, onde provavelmente tenha aprendido com físicos notáveis como Siméon-Denis Pisson (1781-1840), Joseph Louis Gay-Lussac (1778-1850) e André-Marie Ampére (1775-1836). O motor a vapor, em uso desde 1712, foi imensamente aprimorado por James Watt mais de 50 anos depois. No entanto, seu desenvolvimento foi em grande parte uma questão de tentativa e erro e intuição, e de pouco estudo científico. Naquela época, Carnot começou a investigar o motor a vapor, ele tinha uma eficiência média de apenas 3%. Ele se propôs a responder a duas perguntas: "O trabalho disponível de uma fonte de calor é potencialmente ilimitado?", e "Os motores a calor podem ser aprimorados substituindo-se o vapor por outro fluido ou gás?". Ao tratar dessas questões, ele chegou a um modelo matemático do motor a vapor que ajudou os cientistas a entender como ele funcionava.

Embora Carnot expusesse suas conclusões em termos do modelo calórico, seu trabalho estabeleceu as bases para a segunda lei da termodinâmica. Ele descobriu que um motor a vapor produz potência não por causa do "consumo de calórico, mas [por causa do] seu transporte de um corpo quente para um corpo frio" e que a força produzida aumenta com a diferença na temperatura "entre o corpo quente e o frio".

Ele publicou suas conclusões em 1824, mas seu trabalho ganhou pouco reconhecimento até ser retomado por Rudolf Clausius em 1850.

Carnot morreu de cólera com apenas 36 anos. Para prevenir qualquer contaminação, a maioria de seus trabalhos e outros pertences foram enterrados com ele, restando apenas seu livro como testamento de seu trabalho.

Nicolas Sadi Carnot

termodinâmica, na realidade, foi descoberta antes da primeira. O engenheiro militar francês

Nicholas Sadi Carnot (veja o box acima) descreveu uma máquina de calor ideal teórica em que nenhuma energia se perde ou é desperdiçada na fricção e demonstrou que a eficiência da máquina depende da diferença em temperatura entre os dois corpos. Portanto, um motor a vapor usando vapor superaquecido produzirá mais trabalho do que um usando vapor menos aquecido e, eventualmente, um motor (como a diesel) que usa combustível a uma temperatura mais

101

O DEMÔNIO DE MAXWELL

Em 1871, James Clerk Maxwell propôs um exercício hipotético para tentar contradizer a segunda lei da termodinâmica. Ele descreveu duas caixas adjacentes, uma contendo gás quente e uma contendo gás frio, com um pequeno orifício conectando-as. O calor desloca-se da área quente para a fria, partículas rápidas colidem com partículas lentas provocando a aceleração delas e vice-versa. Eventualmente, o gás em ambas as caixas conterá uma distribuição parecida de partículas e velocidades e terá a mesma temperatura. No experimento, no entanto, um demônio, um ente inteligente microscópico, posta-se em um orifício regulando partículas que possam passar por ele. O demônio abre o orifício para permitir que partículas passem rapidamente da caixa de gás frio para a caixa de gás quente. Dessa forma, eleva-se a temperatura do gás quente à custa do gás frio e diminui-se a entropia do sistema. Mesmo assim, o sistema não pode contradizer a lei, pois qualquer coisa que desempenhe a função do demônio precisa usar energia para trabalhar. Em 2007, o físico escocês David Leigh fez uma tentativa em nanoescala em uma máquina. Ela separa partículas que se movem rápida e lentamente, mas precisa de uma reserva própria de energia.

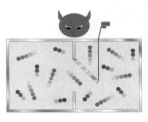

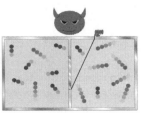

alta será mais eficiente ainda. Como muitos dos trabalhos sobre termodinâmica no século XIX, Carnot tomou o projeto do maquinário existente como ponto de partida para explorar e explicar o mecanismo físico que o fazia funcionar. A ciência prática impulsionava a ciência teórica.

Carnot enunciou suas descobertas em termos de calóricos, e foi Clausius quem enunciou novamente a lei em termos de entropia, dizendo que um sistema tende sempre a um estado maior de entropia. A entropia é considerada comumente como "desordem". Mais precisamente, é uma medida da indisponibilidade de energia em um sistema para realizar trabalho; em qualquer sistema real, certa energia se perde sempre em calor dissipado. Quando o combustível é queimado, a energia é convertida de um estado organizado (baixa entropia) para um estado desorganizado (alta entropia). A entropia total do universo aumenta toda vez que há queima de combustível. Clausius resumiu a primeira e a segunda lei dizendo que a quantidade de energia no universo permanece constante mas sua entropia tende ao máximo. O fim do universo, se isso for levado ao extremo, será uma vasta sopa de átomos dissociados. Essa situação, chamada morte do universo por calor, foi proposta pela primeira vez por Clausius.

A terceira lei da termodinâmica seguiu bem mais tarde, em 1912. Desenvolvida pelo físico e químico alemão Walther Nernst (1864-1941), enuncia que nenhum sistema pode atingir o zero absoluto, cuja temperatura o movimento atômico quase cessa e a entropia tende a um mínimo ou zero.

Zero Absoluto

A terceira lei da termodinâmica requer o conceito de uma temperatura mínima abaixo da qual nenhuma temperatura pode cair – conhecida como zero absoluto. Robert Boyle discutiu pela primeira vez o conceito de uma temperatura mínima possível em 1665, em *New Experiments and Observations Touching Cold*, no qual se referia à ideia como *primum frigidum*. Muitos cientistas da época acreditavam na existência de "algum corpo que é, por sua própria natureza, supremamente frio e pela participação do qual todos os outros corpos obtêm essa qualidade".

O físico francês Guillaume Amontons (1663-1705) foi o primeiro a atacar o problema na prática. Em 1702, ele construiu um termômetro de ar, e declarou que a temperatura em que o ar não tinha "fonte" para afetar a medida era o "zero absoluto". O zero na escala dele era em torno de -240 °C. O matemático e físico suíço Johann Heinrich Lambert (1728-1777), que propôs uma escala de temperatura absoluta em 1777, refinou esse dado para -270°C – muito próximo daquele aceito atualmente.

Contudo, essa medida quase correta não foi aceita universalmente. Pierre-Simon Laplace e Antoine Lavoisier sugeriram em 1780 que o zero absoluto pode ser 1.500 a 3.000 graus abaixo do ponto de congelamento da água, e que no mínimo deve ser 600 graus abaixo do congelamento. John Dalton atribuiu -3000°C. Joseph Gay-Lussac chegou mais perto, depois de investigar como o volume e a temperatura de um gás estão relacionados. Ele descobriu que

Um termômetro de Galileu depende da variação na pressão com a temperatura; ao zero absoluto, não há pressão exercida, pois os átomos não se movem.

se a pressão é mantida constante, o volume de um gás aumenta em 1/273 para cada alta de 1°C acima de zero.

Disso, ele pôde extrapolar novamente, 1 atribuindo -273°C ao zero absoluto e aproximando-se ainda mais da medida correta.

O problema tomou um rumo diferente depois que Joule mostrou que o calor é mecânico. Em 1848, William Thomson (mais tarde Lorde Kelvin) concebeu uma escala de temperatura com base nas leis da termodinâmica, e não nas propriedades de qualquer substância (ao contrário de Fahrenheit e Celsius). Kelvin encontrou um valor para o zero absoluto que é aceito ainda hoje, de -273,15°C – muito próximo do valor derivado do termômetro de ar e da teoria de Gay-Lussac. A escala Kelvin baseia-se na escala Celsius, mas começa em -273,15°C, e não em 0°C. Embora altamente influente, uma vez que se tornou cavaleiro e foi indicado Presidente da *Royal Society*, Kelvin não foi um cientista muito esclarecido e rejeitou tanto a teoria da evolução de Darwin quanto a existência de átomos.

Calor e luz

Há milênios está claro para a Humanidade que a luz do Sol fornece luz e calor, mas a ligação entre eles só foi explicada recentemente. A primeira pessoa que se sabe

ENERGIA CAMPOS E FORÇAS

O QUANTO É FRIO?

O zero absoluto não existe nem no espaço externo. A temperatura ambiente no espaço externo é de 2,7 Kelvin, uma vez que a radiação básica da micro-onda cósmica – o calor resultante do Big Bang – está presente em todo o espaço. A área mais fria é encontrada na Nebulosa de Bumerangue, uma nuvem escura de gás com apenas 1 Kelvin. A temperatura mais baixa já atingida artificialmente é 0,5 bilionésimo de um Kelvin, atingida brevemente em um laboratório do *Massachusetts Institute of Technology* (MIT) em 2003.

ter notado essa ligação foi um acadêmico italiano Giambattista della Porta (c.1535-1615) que, em 1606, notou o efeito do aquecimento da luz. Erudito, della Porta foi dramaturgo e cientista, tendo publicado sobre agricultura, química, física e matemática. Seu *Magiae naturalis* (1558) inspirou a fundação da academia científica italiana, a Accademia dei Lincei, em 1603. (A página de título do livro foi ilustrada com o desenho de um lince, e o prólogo contínha uma descrição do cientista como aquele que, "com olhos de lince, examina aquelas coisas que se manifestam, de modo que ao observá-las possa usá-las com cautela.")

"[A solução quântica ao problema do corpo negro] foi um ato de desespero porque era preciso encontrar uma interpretação teórica a qualquer preço, não importando o quanto esse preço fosse alto".

Max Planck

Émile Du Châtelet estabeleceu uma ligação entre calor e luz quando notou que o poder de aquecimento da luz variava com sua cor. Embora isso viesse a se assemelhar ao espectro eletromagnético e à descoberta da radiação de raios infravermelhos, não foi desenvolvido na época. Em 1901, Max Planck (veja o painel a seguir) fez uma descoberta importante ligando a luz e o calor enquanto pesquisava a radiação do corpo negro, mas esse foi um avanço casual, um resultado acidental. Esta descoberta, no entanto, viria a formar a base da mecânica quântica.

RADIAÇÃO DO CORPO NEGRO E QUANTA DE ENERGIA

Muitos tipos de material brilham ao serem aquecidos, emitindo luz que vai do vermelho passando do amarelo para o branco. O comprimento das ondas da luz emitidas a temperaturas mais altas é cada vez mais curto enquanto estas se movem para a extremidade azul do espectro. À medida que este é acres-

CALOR E LUZ

A Accademia dei Lincei ocupa o Palazzo Corsini em Roma desde 1883.

Embora ele quase tivesse obtido um resultado correto para sua equação, teve de fazer uma suposição estranha para torná-la perfeita. Essa suposição era que em vez de a luz vir da caixa em um fluxo constante, como ele poderia esperar que acontecesse com a onda, ela tinha de ser cortada em pequenas partes descontínuas ou em pacotes de onda – ou quanta. Planck não pretendia que os quanta de energia se tornassem parte do cenário da física. Ele os via como um artifício matemático engenhoso que futuramente seria substituído por uma nova descoberta ou cálculo. Ele estava totalmente enganado!

OUTRAS FORMAS DE ENERGIA

centado à luz amarela e vermelha, o brilho do corpo quente se torna mais branco e, depois, mais azul. O gráfico que mostra essa distribuição de calor e cor é chamado de curva do corpo negro. O "corpo negro" é algo que absorve toda a radiação que incide sobre ele. Uma caixa feita de grafite com um orifício minúsculo é uma boa aproximação de um corpo negro perfeito (o orifício funciona como corpo negro). Quando o corpo negro é aquecido, ele brilha, radiando luz a comprimentos de onda diferentes para diferentes temperaturas. A cor da luz radiada depende totalmente da temperatura, e não do material do corpo.

Planck tentou calcular a quantidade exata de luz emitida a comprimentos de onda diferentes por um corpo negro que consistisse de uma caixa preta com um orifício minúsculo nela.

Enquanto a luz e o calor eram examinados, algumas formas novas de energia também estavam chamando a atenção da comunidade científica. Tipos de energia que foram explorados durante anos só foram nomeados no século XIX. O cientista francês De Coriolis (1792-1843) descreveu a energia cinética em 1829, e o termo "energia potencial" foi cunhado pelo físico escocês William Rankine

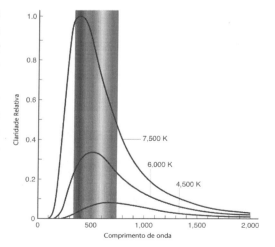

A 7500 K o corpo negro irradia luz no extremo violeta do espectro; a 4500 K ele mudou para o vermelho.

105

ENERGIA CAMPOS E FORÇAS

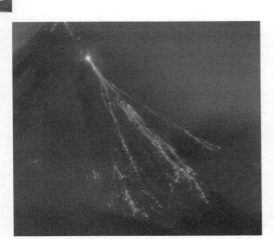

O espectroscópio, trabalhando a partir da luz emitida pela lava incandescente, pode ser usado para calcular a temperatura da lava a partir de uma erupção vulcânica.

(1820-1872) em 1853. O primeiro entre as fontes de energia reconhecidas recentemente foi a eletricidade. Embora os raios fossem intercorrências conhecidas, ninguém havia percebido que envolviam eletricidade.

Descobrindo a eletricidade

O primeiro tipo a ser descoberto foi a eletricidade estática. Mesmo em tempos antigos, as pessoas sabiam que esfregar âmbar ou azeviche gerava um tipo de força que fazia o material atrair plumas e pedaços de material, mas a natureza da atração não era entendida. O filósofo natural inglês Sir Thomas Browne (1605-82) definiu "elétrico" como "um poder de atrair palha e corpos leves, e converter a agulha colocada livre-

---

MAX PLANCK (1858-1947)

Max Planck teve uma longa, mas trágica vida. Nascido em Kiel, no ducado de Holstein (atual Alemanha), ele primeiro quis ser um músico. Quando perguntou para outro músico o que deveria estudar, o homem lhe respondeu que se ele precisava perguntar, ele não seria um músico. Ele, então, virou sua atenção para a física, somente para seu professor de física para dizer-lhe que não havia nada para ser descoberto. Felizmente, Planck se viu preso nisso e sua formulação de quanta preparou as bases para a maior parte física do século XX.

A primeira mulher de Planck morreu em 1909, possivelmente de tuberculose. Durante a Primeira Guerra Mundial, um de seus filhos foi morto na Frente Ocidental, e outro, Erwin, foi levado como prisioneiro pelos franceses. Sua filha, Grete, morreu no parto em 1917 e sua irmã gêmea, Emma, morreu da mesma forma em 1919 (depois de casar-se com o viúvo de Grete). Em 1944, a casa de Planck foi inteiramente destruída durante um bombardeio aliado e seus trabalhos científicos e correspondências foram totalmente perdidos. A gota d'água veio em 1945 quando Erwin foi executado pelos nazistas por conluio em uma trama para assassinar Hitler. Planck perdeu o desejo de viver depois da execução de seu filho e morreu em 1947.

DESCOBRINDO A ELETRICIDADE

Gerador de eletricidade de Otto Von Guericke, ele funcionava com eletricidade estática.

mente". Em 1663, o cientista alemão Otto Von Guericke construiu o primeiro gerador eletrostático. Guericke já tinha feito experimentos com a pressão do ar que mostravam a possibilidade de um vácuo (veja a página 37). Seu gerador eletrostático – ou "máquina de fricção" – usava um globo de enxofre que ao ser girado e friccionado com as mãos gerava uma carga. Isaac Newton sugeriu o uso de um globo de vidro em vez de um de enxofre, e em projetos posteriores foram empregados outros materiais. Em 1746, uma máquina de fricção com uma roda grande que girava vários globos de vidro usava uma espada e o barril de uma arma suspensos em cordas de seda como condutores; outro usava uma almofada de couro no lugar da mão; e um, feito em 1785, envolvia dois cilindros cobertos de pele de lebre que eram friccionados um no outro.

Experimentos com eletricidade passaram a ser mais comuns no século XVIII, e os geradores de eletricidade estática eram atrações populares em palestras de ciência feitas em público. Duas pessoas, um professor holandês de matemática chamado Pieter van Musschenbroek (1692-1761) e o clérigo alemão Ewald Georg Von Kleist (1700-1748) inventaram independentemente a garrafa de Leyden por volta de 1744. Comprimindo um frasco até a metade de água, com uma haste de metal ou com um arame através da rolha, este era um mecanismo simples para armazenar eletricidade. Um projeto mais eficiente tinha uma folha de metal na parte externa da garrafa.

Quando Von Kleist tocou pela primeira vez em sua garrafa, um choque elétrico forte o derrubou no chão. A garrafa de Leyden se tornou uma ferramenta valiosa em experiências com eletricidade e é a origem do capacitor moderno. Benjamin Franklin, investigando a garrafa, descobriu que a carga é mantida no vidro, e não na água, como se supôs anteriormente.

Pipas e trovões

O cientista americano Benjamin Franklin (1706-1790), que ajudou a esboçar a Declaração da Independência Americana, foi o primeiro a demonstrar a natureza elétrica do raio em 1752. Em um experimento famoso, ele testou sua teoria ligando uma

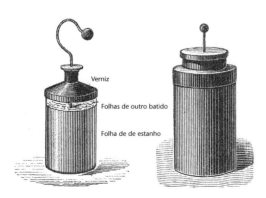

Garrafa de Leyden

ENERGIA CAMPOS E FORÇAS

> ### A PRIMEIRA MÁQUINA TENS
>
> No Egito Antigo, peixes-gato elétricos (siluros) podem ter sido usados para fins médicos, e certamente os romanos achavam o peixe negro torpedo útil para aliviar a dor. Como o peixe negro torpedo (Torpedo torpedo) produz uma carga elétrica, pode ser usado como a máquina TENS (Estimulação Elétrica Nervosa Transcutânea) para aliviar a dor. Os romanos usavam o peixe para aliviar a dor de gota, de cabeça, em operações cirúrgicas e durante o parto. O peixe não sobrevivia ao procedimento (presumivelmente porque fosse usado fora d'água). Tentativas de imitar o efeito do peixe elétrico tiveram seu ponto alto no torpedo de couro feito por Henry Cavendish em 1776. Depois de estudar o peixe, primeiro ele fez uma cópia em madeira, mas descobriu que esta não conduzia bem a eletricidade. Seu segundo peixe foi feito de pedaços de couro grosso de carneiro com placas finas de estanho em cada lado para simular os órgãos elétricos. Ele ligou as placas à garrafa de Leyden e mergulhou o peixe de couro em água salgada. Ao colocar sua mão na água perto do peixe, ele sentiu um choque parecido àquele descrito por pessoas que sentiram os efeitos de um peixe torpedo.

vara de metal a uma pipa e amarrando uma chave na outra ponta do fio. Ele empinou uma pipa durante uma tempestade, com uma chave pendurada perto de uma garrafa de Leyden. Mesmo sem raios, havia carga elétrica suficiente nas nuvens para que o fio úmido conduzisse eletricidade para a chave e fizesse fagulhas alcançar a garrafa de Leyden. Franklin sugeriu que a eletricidade pode ter carga negativa ou positiva. Ele inventou o para-raios, que leva a carga elétrica de um raio até a terra com segurança através de um conduíte de metal, e também inventou o alarme de relâmpagos (veja o painel seguinte).

Eletricidade na moda

Experimentos com eletricidade tornaram-se populares como entretenimentos científicos, às vezes envolvendo voluntários infelizes e provavelmente participantes involuntários. A primeira pessoa a executar experiências sistemáticas sobre eletricidade foi o tingidor inglês e cientista amador Stephen Gray (1666-1736). Seu "bom menino" era um pobre garoto de rua suspenso por uma corda isolante enquanto segurava uma haste de vidro com carga elétrica, fagulhas vinham de seu nariz quando ele atraía partículas minúsculas de folha de metal. Além de ser divertidas (pelo menos para o público), as experiências de Gray, em 1729, demonstraram a condutividade – que a eletricidade podia ser transmitida de um material para outro, inclusive pela água. Em uma experiência parecida, uma carga elétrica era passada ao longo de uma fila

Benjamin Franklin realizou experiências com raios para investigar a eletricidade.

DESCOBRINDO A ELETRICIDADE

> *"Em setembro de 1752, ergui uma barra de ferro para dirigir o relâmpago para dentro de minha casa, a fim de fazer experiências com ele usando dois sinos que avisavam quando a barra estivesse eletrificada. Um recurso óbvio para qualquer eletricista.*
>
> *Descobri que os sinos tocavam às vezes, quando não havia relâmpago ou trovão, mas apenas quando uma nuvem escura passava acima da barra; que às vezes depois de um raio de luz eles paravam de repente; e outras vezes, quando eles não tocavam antes, de repente, depois de um clarão, eles começavam a tocar; que a eletricidade às vezes era muito fraca, de modo que quando uma faísca pequena aparecesse, outra não apareceria no momento subsequente; outras vezes as faíscas se seguiriam com rapidez extrema. E uma vez o sino tocou continuamente, balançando de um lado para outro numa distância equivalente à pena de um corvo. Mesmo durante a mesma rajada, as variações entre as badaladas eram consideráveis."*
>
> Benjamin Franklin, 1753.

PONDO A ELETRICIDADE PARA FUNCIONAR

Antes de a eletricidade ser empregada, era preciso descobrir uma maneira de liberar ou gerá-la quando esta era necessária. A primeira célula elétrica, precursora da bateria, foi desenvolvida pelo físico italiano Alessandro Volta (1745-1827), que deu seu nome ao volt, a unidade de medida para a potência elétrica. Sua "pilha" elétrica, feita em 1800, consistia de uma pilha de discos de zinco, cobre e papel imersos em solução salina. Ele não sabia por que isso produzia uma corrente elétrica, mas não importava como isso funcionava. A operação de íons para transportar uma carga elétrica acabou sendo descrita em 1884 pelo cientista sueco Svante August Arrhenius (1859-1927). O físico alemão Georg Ohm (1789-1854) usou uma versão da célula de Volta para suas próprias investigações de eletricidade que levou à sua formulação da lei que leva seu nome, publicada em 1827. A lei de Ohm enuncia que quando a eletricidade é transportada por um condutor:

$$I = V/R$$

de homens velhos de mãos dadas. O químico Charles Du Fay (1698-1736), trabalhando em Paris, desenvolveu o trabalho de Gray, e em 1733 concluiu que todo objeto e toda criatura vivente contém eletricidade. Ele demonstrou que a eletricidade vem em duas formas – negativa, por ele chamada "resinosa", e positiva, ou "vítrea". Em 1786, o físico italiano Luigi Galvani (1737-1798) experimentou transmitir uma corrente elétrica por sapos mortos, fazendo suas pernas se contraírem espasmodicamente. Isso levou-o a concluir que os nervos dos sapos transmitem um impulso elétrico que faz os músculos de suas pernas funcionarem.

onde I é a corrente em ampères, V é a diferença potencial em volts e R é a resistência em ohms. A resistência do material permanece constante independentemente da voltagem, portanto a alteração da voltagem afeta diretamente a corrente.

Georg Ohm, cujo nome é usado agora como unidade de resistência elétrica.

ENERGIA CAMPOS E FORÇAS

Esperando nos bastidores:
MAGNETISMO

Não podemos ir muito adiante com a eletricidade sem falar dos magnetos. A força que alguns materiais têm de atrair ferro, ou de alinhar norte-sul, foi notada pelos antigos, mas era inexplicável e deve ter parecido algo mágico.

De acordo com Aristóteles, Thales (c.625-545 a.C.) deu uma descrição de magnetismo no século VI a.C. Por volta de 800 a.C., o cirurgião e escritor hindu Sushruta descreveu o uso de magnetos para remover farpas de metal do corpo. Outra referência antiga ao magnetismo é encontrada em um trabalho chinês escrito no século IV a.C. chamado *Book of the Devil Valley Master*, que diz: "magnetita faz o ferro se aproximar ou ela o atrai". Uma magnetita é um pedaço de pedra magnetizado naturalmente. Rochas de magnetita com a estrutura cristalina certa podem ser magnetizadas por raios. Os adivinhos chineses começaram a usar magnetitas em mesas de adivinhação durante o século I a.C. As magnetitas podem ter sido usadas em bússolas desde 270, mas o primeiro uso confirmado de uma bússola para navegação apareceu em no livro de Zhu Yu Pingzhou, *Table Talks*, em 1117, que diz: "O navegador sabe a geografia, ele olha as estrelas à noite, observa o Sol durante o dia; quando o dia é escuro e nublado, ele olha a bússola". A bússola de navegação provavelmente foi desenvolvida de forma independente na Europa. Enquanto a bússola chinesa

Uma magnetita é naturalmente magnética e atrairá metais magnéticos como o ferro e o aço.

tinha 24 divisões básicas, os tipos europeus sempre tiveram 16. Além disso, a bússola só apareceu no Oriente Médio depois que seu uso registrado pela primeira vez na Europa, sugerindo que não passou pelo Oriente Médio da China para a Europa. Finalmente, embora as bússolas chinesas fossem feitas para indicar o Sul, as europeias sempre indicaram o Norte.

As primeiras investigações científicas do magnetismo foram realizadas pelo inglês William Gilbert (1544-1603), um cientista da corte de Elizabeth I. Gilbert cunhou a palavra latina *electricus*, significando "de âmbar". Ele publicou seu livro *De magnete* em 1600 descrevendo muitas experiências que fizera para tentar descobrir a natureza do magnetismo e da eletricidade. Ele dava a primeira explanação sobre a capacidade misteriosa de a agulha da bússola apontar para o norte-sul, revelando a verdade surpreendente de que a Terra em si é magnética. Gilbert conseguiu refutar a crença popular entre os marinheiros de que o alho impedia a bússola

Uma bússola usa o campo magnético da Terra para auxiliar a navegação.

Um ferreiro fazendo um magneto, retratado em De Magnete, *de William Gilbert.*

de funcionar (os que dirigiam o leme não podiam comer alho perto da bússola do navio), e a ideia de que uma vasta montanha magnética perto do Polo Norte atrairia todos os pregos de ferro para fora de um navio que se aproximasse dele.

A força potencial do magnetismo foi reconhecida em histórias do caixão de ferro de Maomé, que supostamente flutuava no ar ao ser posicionado entre dois magnetos. (Evidentemente, se esse espetáculo fosse real, apenas um magneto acima do túmulo teria sido necessário, pois a gravidade teria fornecido o impulso para baixo.)

Eletromagnetismo – o casamento da eletricidade com o magnetismo

Aplicações práticas para a eletricidade começaram a aparecer no início do século XIX. Em 1820, Christian Orsted (1777-1851) notou que uma corrente elétrica podia defletir a agulha de uma bússola. Esta era a primeira dica de uma conexão. Apenas uma semana depois, André-Marie Ampére deu um relato muito mais detalhado. Ele demonstrou na *Academie de Science* que, quando fios paralelos carregam uma corrente elétrica, eles podem atrair ou repelir um ao outro, dependendo de suas correntes correrem na mesma direção ou em direções opostas, estabelecendo a base para a eletrodinâmica. No ano seguinte, Michael Faraday fez uma experiência em que colocava um magneto em um disco de mercúrio e suspendia um fio acima dele, mergulhando-o no mercúrio. Faraday descobriu que quando ele passava uma corrente elétrica pelo fio, esta fazia o magneto girar. Ele chamou isso de "rotações eletromagnéticas", e formaria a base do motor elétrico. De fato, um campo magnético em mudança gera um campo elétrico e vice-versa.

Faraday não conseguiu encontrar tempo para continuar seu trabalho sobre eletromagnetismo imediatamente, e coube ao cientista americano Joseph Henry (1797-1878) desenvolver o primeiro eletromagneto potente em 1825. Ele descobriu que ao enrolar fio isolado em volta de um magneto e passar uma corrente pelo fio, ele podia aumentar bastante a potência do magneto. Ele construiu um eletromagneto que podia erguer um peso de quase 1600 kg. Henry também estabeleceu as bases para o telégrafo elétrico. Ele colocou 1,7 km de fiação pela

ENERGIA CAMPOS E FORÇAS

Albany Academy e depois passou eletricidade pelo fio, usando-o para acionar um sino no outro extremo. Embora Samuel Morse (1791-1872) acabasse desenvolvendo o telégrafo, Henry provou que o conceito era válido.

Se existe um nome que se destaca em relação à eletricidade, provavelmente seja o de Michael Faraday. Embora ele estivesse ocupado demais para continuar o trabalho sobre eletromagnetismo nos anos 1820, depois de sua primeira experiência, ele retomou o assunto em 1831 e descobriu o princípio da indução elétrica. Faraday atou dois fios enrolados em torno de lados opostos de um anel de ferro e passou uma corrente através de um fio. Isso magnetizou o anel e induziu brevemente uma corrente no outro fio enrolado, construindo o primeiro transformador elétrico. Seis semanas depois, ele inventou o dínamo, no qual um magneto permanente é empurrado para trás e para a frente, através de um fio enrolado, induzindo uma corrente no fio. A lei da indução de Faraday estabelece que o fluxo magnético que varia no tempo produz uma força eletromotiva proporcional. Toda a geração de eletricidade se baseia nesse princípio. Faraday também

Joseph Henry

> **CAMPOS E FORÇAS**
> Um campo é a forma em que uma força é transmitida por uma distância. Um campo magnético é aquela área em que uma força magnética opera. Em geral ela é mostrada na forma de linhas que radiam do polo norte de um magneto para seu polo sul. A força de uma força eletromagnética ou gravitacional reduz em relação ao quadrado da distância da fonte – portanto, a duas vezes a distância da fonte, a força tem apenas um quarto de sua força original. A lei do quadrado inverso que relaciona forças foi notada pela primeira vez por Newton em relação à força gravitacional.

introduziu os termos eletrodo, anodo, cátodo e íon, especulando que parte de uma molécula era envolvida em mover eletricidade entre o cátodo e o ânodo. A verdadeira natureza das soluções iônicas e sua condutividade foi explicada finalmente por Arrhenius, que ganhou o prêmio Nobel por esse trabalho em 1903.

ALVORADA DE UMA NOVA ERA MAGNÉTICA

Aproveitando o trabalho prático de Orsted e Faraday, James Clerck Maxwell usou a matemática para dar sustentação à relação entre eletricidade e magnetismo. O resultado foram quatro equações, publicadas em 1873, que demonstraram que o eletromagnetismo é uma força única. Einstein considerou as equações de Maxwell como a maior descoberta em física desde que Newton formulou a lei da gravidade. O eletromagnetismo agora é reconhecido como uma das quatro forças fundamentais que mantêm o universo em ordem – sendo as outras a gravidade e as forças nucleares fortes e fracas que operam dentro e entre os átomos. Na menor escala,

ELETROMAGNETISMO – O CASAMENTO DA ELETRICIDADE COM O MAGNETISMO

> *"Esta foi a primeira descoberta do ato de que uma corrente galvânica poderia ser transmitida a uma grande distância com uma força tão diminuta a ponto de produzir efeitos mecânicos, e dos meios pelos quais a transmissão poderia ser efetuada. Vi que o telégrafo elétrico agora era praticável... Eu não tinha em mente qualquer forma específica de telégrafo, mas referia apenas ao fato geral que agora estava demonstrado que uma corrente galvânica poderia ser transmitida a grandes distâncias, com potência suficiente para produzir efeitos mecânicos adequados ao objeto desejado."*
>
> Joseph Henry

as forças eletromagnéticas ligam íons em moléculas e fornecem a atração entre os elétrons e núcleos de um átomo.

Maxwell explicou como tanto os campos elétricos quanto magnéticos surgem das mesmas ondas eletromagnéticas. Um campo elétrico variável é acompanhado por um campo magnético que varia de forma semelhante e reside em ângulos retos a ele. Ele descobriu também que a onda de campos eletromagnéticos atravessa o espaço vazio de 300 milhões de metros por segundo – a velocidade da luz. Esta foi uma descoberta chocante, e nem todos ficaram satisfeitos com a conclusão de que a luz faz parte do espectro eletromagnético. Einstein incorporou o trabalho de Maxwell em suas teorias da relatividade, dizendo que se um campo era elétrico ou magnético, dependia da referência de quem o estava vendo. Visto de um ponto de referência, o campo é magnético. Visto de um ponto diferente, ele é elétrico.

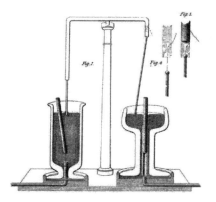

Equipamento de Faraday para demonstrar a rotação eletromagnética.

Um campo magnético é demonstrado pelo arranjo de agulhas de bússola em volta de um magneto.

113

ENERGIA CAMPOS E FORÇAS

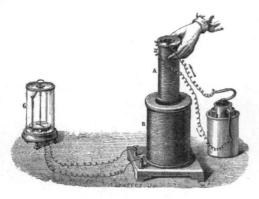

Aparelho de Faraday que mostra indução eletromagnética entre duas bobinas. Uma bateria líquida à direita fornece uma corrente, e a bobina pequena é movida manualmente para dentro e para fora da bobina grande para induzir uma corrente nesta última, indicada pelo galvanômetro à esquerda.

Mais ondas

Embora Maxwell previsse a existência de ondas de rádio, elas não foram observadas até que o físico alemão Heinrich Rudolf Hertz (1857-1894) gerasse ondas eletromagnéticas com um comprimento de onda de 4 m em seu laboratório em 1888. Hertz não reconheceu o significado de ondas de rádio e, quando perguntado sobre o impacto de sua descoberta ele teria dito, "Acho que nenhum". Assim como gerar ondas de rádio. Hertz descobriu que elas podiam ser transmitidas por meio de alguns materiais, mas batiam em outros e voltavam – uma qualidade que mais tarde levaria ao desenvolvimento do radar. A descoberta de ondas de rádio tornou a explicação de Maxwell sobre radiação eletromagnética irresistível. Nos anos seguintes, a descoberta de micro-ondas, raios X, infravermelhos, ultravioleta e gama completou o espectro eletromagnético.

> **LEIS DA INDUÇÃO ELETROMAGNÉTICA DE FARADAY**
>
> 1. Um campo eletromagnético é induzido em um condutor quando o campo eletromagnético que o circunda muda.
> 2. A magnitude do campo eletromagnético é proporcional à taxa de mudança do campo magnético.
> 3. A noção do campo eletromagnético induzido depende da direção da taxa de mudança do campo eletromagnético.

A próxima forma de energia a ser descoberta foi a dos raios X. Embora o físico alemão Wilhelm Conrad Röntgen (1854-1923) nomeasse e descrevesse os raios X, e em geral essa descoberta seja creditada a ele, em 1895 ele não foi, de fato, o primeiro a observá-las. Eles foram detectados pela primeira vez por volta de 1875 pelo seu físico amigo e conterrâneo Johann Wilhelm Hittorf (1824-1914). Hittorf foi um dos inventores do tubo de crookes, um aparelho experimental usado para investigar raios catódicos. Consiste de um vácuo dentro do qual um fluxo de elétrons flui entre um cátodo e ânodo, sendo um precursor do tubo de raio catódico usado em televisores antes do advento da moderna tela de plasma. Hittorf descobriu isso ao deixar placas fotográficas perto do tubo de crookes e verificar mais tarde que algumas estavam marcadas por sombras, mas ele não investigou a causa.

Outros cientistas também estavam investigando os raios X antes de Röentgen pro-

> *"Converter o magnetismo em eletricidade."*
> Lista de coisas a fazer de Michael Faraday, 1822; realizada em 1831.

MICHAEL FARADAY (1791-1867)

Nascido em Londres de família pobre, Faraday saiu da escola aos 14 anos e foi aprendiz de encadernador, educando-se com a leitura de livros de ciência com os quais ele trabalhava. Depois de ouvir quatro palestras dadas por Humphry Davy na Instituição Real (*Royal Institution*) em 1812, Faraday escreveu para Davy pedindo emprego. Davy recusou a solicitação no início, mas no ano seguinte empregou-o como químico assistente da Instituição Real. No início, Faraday só auxiliava os outros cientistas, mas depois começou a conduzir seus próprios experimentos, incluindo aqueles com eletricidade.

Em 1826, ele instituiu as palestras de Natal na Instituição Real e os discursos de sexta à noite – eventos realizados ainda hoje. Faraday deu muitas palestras, tornando-se o principal palestrante de sua época. Ele descobriu a indução eletromagnética em 1831, estabelecendo as bases para o uso prático de eletricidade, que havia sido considerado anteriormente um fenômeno interessante, mas de pouco uso real.

Em reconhecimento a suas realizações, ofereceram duas vezes a Faraday a presidência da Royal Society (e as duas vezes ele a recusou), e um título de cavaleiro (também rejeitado por ele). Ele passou seus últimos dias em Hampton Court Palace, em uma casa que lhe foi dada como presente pelo consorte da rainha Vitória, o príncipe Albert.

Michael Faraday em seu laboratório na Instituição Real.

duzir os famosos raios X da mão de sua esposa e explicar esse fenômeno. As anotações de laboratório de Röntgen foram queimadas após sua morte; por isso é impossível saber exatamente o que aconteceu, mas parece que ele estava investigando raios catódicos usando uma tela pintada com platinocianeto de bário e um tubo de crookes envolto com papel preto. Ele identificou um brilho verde fraco da tela e percebeu que algum tipo de raio estava passando pelo cartão do tubo e fazendo a tela brilhar. Ele investigou os raios e publicou seus achados dois meses depois.

ENERGIA CAMPOS E FORÇAS

EQUAÇÕES DE MAXWELL

A primeira equação de Maxwell é a lei de Gauss, que descreve a forma e a força de um campo elétrico, mostrando que ela reduz com a distância seguindo a mesma lei do quadrado inverso que a gravidade.

$$\oint \mathbf{E} \cdot d\mathbf{A} = \frac{q_{enc}}{\varepsilon_0}$$
$$\nabla \cdot \mathbf{E} = \rho/\varepsilon_0$$

A segunda equação descreve a forma e a força de um campo magnético: as linhas de força sempre vão em *loops* do polo norte para o polo sul de um magneto (e um magneto sempre deve ter dois polos).

$$\oint \mathbf{B} \cdot d\mathbf{A} = 0$$
$$\nabla \cdot \mathbf{B} = 0$$

A terceira equação descreve como a mudança de correntes elétricas cria campos magnéticos.

$$\oint \mathbf{E} \cdot d\mathbf{s} = -\frac{d\Phi_B}{dt}$$
$$\nabla \times \mathbf{E} = -\frac{\partial \mathbf{B}}{\partial t}$$

A quarta equação descreve como a mudança de campos magnéticos cria correntes elétricas, e também é conhecida como lei da indução de Faraday.

$$\oint \mathbf{B} \cdot d\mathbf{s} = \infty_0 \varepsilon_0 \frac{d\Phi_E}{dt} + \infty_0 i_{enc}$$
$$\nabla \times \mathbf{B} = \infty_0 \varepsilon_0 \frac{\partial \mathbf{E}}{\partial \tau} + \infty_0 j_c$$

RADIAÇÃO

Quando o físico francês Henri Becquerel (1852-1908) soube dos raios X em 1896, e que eles vinham de um ponto claro na parede de um tubo de crookes, ele suspeitou que objetos fosforescentes também pudessem emitir raios X. Becquerel foi professor de física no Museu Francês de História Natural e, portanto, tinha acesso a uma grande coleção de materiais fosforescentes. Ele descobriu que, se pudesse absorver energia da luz do Sol por um tempo, esses materiais brilhariam no escuro até que a energia fosse consumida. Então descobriu que se envolvesse uma placa

"Mal podemos evitar a conclusão de que a luz consiste de ondulações transversais do mesmo meio que é a causa de fenômenos elétricos e magnéticos."
James Clerk Maxwell, c. 1862.

fotográfica sobre um disco de sais fosforescentes que tinham sido "carregados" no Sol, áreas de luz apareciam na placa. Ao colocar um objeto de metal entre a placa e o prato, ele produziu uma imagem de sombra do objeto na placa fotográfica, assim como as placas de raios X de Röntgen. Em um experimento maior, ele preparou sua montagem e planejou deixá-la ao Sol. Embora o Sol não aparecesse em Paris durante vários dias, Becquerel decidiu desenvolver a placa de qualquer forma, esperando não encontrar nada. Para sua surpresa, ele descobriu uma imagem – os sais de urânio que ele estava usando pareciam emitir raios X sem exposição ao Sol, aparentemente violando a lei de conservação de energia para produzir energia a partir do nada. Suas investigações prosseguiram e ele descobriu que a radiação não era a mesma que a dos raios X, uma vez que podia ser defletida por um campo magnético, e assim deveriam consistir de

116

MAIS ONDAS

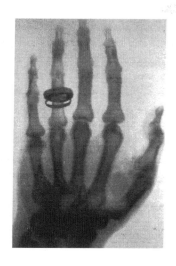

Raios X que Röntgen fez da mão de sua mulher, a primeira imagem de raios X produzida; sua aliança é claramente visível.

> "Não tem serventia nenhuma [...] este é apenas um experimento que prova que o mestre Maxwell estava certo – essas ondas eletromagnéticas misteriosas não podem ser vistas a olho nu, mas elas existem."
>
> Heinrich Hertz, sobre sua descoberta das ondas de rádio em 1888.

HAJA LUZ

O primeiro serviço público de eletricidade foi em Godalming, Surrey, Inglaterra, onde iluminação elétrica de rua foi instalada em 1881. Um moinho d'água no rio Wey dirigia um alternador Siemens que acendia lâmpadas na cidade, fornecendo eletricidade para várias lojas e outras instalações.

partículas carregadas. Ele não realizou mais trabalhos sobre o assunto, contudo, deixou o campo aberto para a física experimental Marie Curie, nascida na Polônia.

Marie Curie (1867-1934) estava trabalhando em seu PhD com "raios de urânio" quando descobriu que o minério do qual o urânio derivava, a pechblenda, é mais radioativo que o próprio elemento. Isso sugeria que havia outros elementos mais radioativos no minério. Com seu marido Pierre, ela extraiu dois desses elementos –

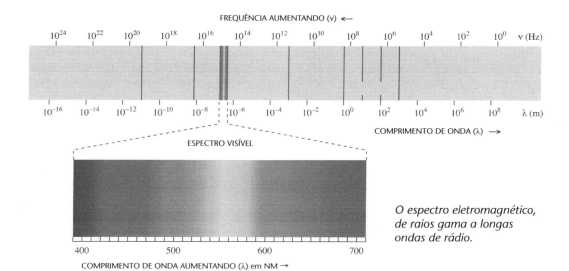

O espectro eletromagnético, de raios gama a longas ondas de rádio.

ENERGIA CAMPOS E FORÇAS

> **BECQUEREL PARA SEMPRE**
> A cadeira titular de física no Museu Francês de História Natural era herdada. Fundada por Antoine Becquerel (1788-1878), em 1838 foi ocupada por um Becquerel sem interrupção até 1948, quando o incumbente não conseguiu gerar um filho para passá-la adiante.

polônio e rádio. Foram quatro anos desde sua descoberta em 1989 até extrair um décimo de grama de rádio, usando toneladas de pechblenda. Pierre descobriu que um 1g de rádio podia aquecer um 1g e um terço de água do ponto de congelamento até o ponto de fervura em uma hora – e podia continuar fazendo isso continuamente. Parecia energia do nada, uma descoberta surpreendente.

O casal não sabia que forma de energia a radioatividade era. A descoberta foi feita pelo químico e físico inglês nascido na Nova Zelândia Ernest Rutherford (1871-1937), trabalhando no laboratório de Cavendish, em Cambridge. Rutherford foi a primeira pessoa a ser admitida em Cambridge como aluno pesquisador, em vez de passar para pesquisa depois de ter o diploma universitário. Ele saiu da Nova Zelândia para pleitear uma bolsa de estudos dois meses antes de Röntgen descobrir os raios X, mas só conseguiu o cargo por acaso. Ele foi um dos candidatos para bolsa e não foi escolhido, mas o candidato aprovado desistiu. Rutherford começou a trabalhar em ondas de rádio e pode ter chegado à transmissão de longo alcance antes de Marconi, mas como ele não estava interessado no potencial comercial delas, não explorou essa descoberta.

Quando Rutherford voltou sua atenção para a radiação, descobriu que a forma que Becquerel tinha descoberto era composta de dois tipos diferentes: radiação alfa, que pode ser bloqueada por uma folha de papel ou alguns centímetros de ar, e a radiação beta, que pode penetrar mais na matéria. Em 1908, Rutherford mostrou que a radiação alfa é um fluxo de partículas alfa: átomos de hélio sem os seus elétrons. A radiação beta consiste de elétrons que se movem rapidamente – como um raio catódico, mas com mais energia. Em 1900, Rutherford descobriu um terceiro tipo de radiação, que ele chamou de gama. Como os raios X, os raios gama formam parte do espectro eletromagnético. Eles são ondas de alta energia com um comprimento de onda ainda mais curto que os raios X. O trabalho de Rutherford levou-o para dentro do átomo, que é nosso próximo destino.

Ernest Rutherford

MAIS ONDAS

Procuram-se átomos

O trabalho em termodinâmica no final do século XIX anulou o modelo calórico e levou físicos como o austríaco Ludwig Eduard Boltzmann e James Clerk Maxwell a acreditar que o calor é uma medida da velocidade em que as partículas estão se movendo, embora não estivessem certos da natureza das partículas envolvidas. A transferência de calor e a condutividade da eletricidade poderiam ser entendidas plenamente se ficasse claro que elas dependiam de um modelo atômico da matéria. Para a eletricidade passar por um condutor, os elétrons devem passar entre os átomos; para o calor se mover de um lugar para outro por condução ou convecção, as partículas devem se mover. A aceitação do modelo atômico da matéria na virada do século XX abriu as portas para se explorar o interior do átomo, e isso, por sua vez, levou a um entendimento maior de como a energia se comporta e é transmitida.

MARIE CURIE (MANYA SKLODOWSKA, 1867-1934)

Nascida em Varsóvia quando a Polônia foi ocupada pela Rússia, Manya Sklodowska não teve chance de frequentar uma universidade em sua terra natal, por isso foi estudar em Sorbonne, Paris. Lá ela conheceu e casou-se com Pierre Curie, que já estava trabalhando em materiais magnéticos. A gravidez atrasou seu PhD, que era sobre o tópico de "raios de urânio". Ela tinha de trabalhar em um galpão seco, uma vez que os acadêmicos temiam que a presença de uma mulher no laboratório provocasse uma tensão sexual tamanha que pelo menos os homens acabariam não realizando trabalho nenhum. Em 1898, ela começou a trabalhar isolando os elementos radioativos desconhecidos da pechblenda (minério de urânio). Seu marido Pierre abandonou sua própria pesquisa para ajudá-la. Eles descobriram dois elementos radioativos, o polônio (cujo nome foi dado em homenagem à Polônia) e o rádio. Em 1903, Marie e Pierre Curie ganharam

o Prêmio Nobel em Física, que compartilharam com Henri Becquerel. Apenas três anos mais tarde, Pierre morreu depois de escorregar em uma rua de Paris e ter o crânio esmagado pela roda de uma carruagem puxada por cavalos que passava por lá. Ele podia estar sofrendo de ataques de tontura, um sintoma da doença provocada pela radiação. Marie morreu de leucemia em 1934, também vítima da exposição à radiação. Seus cadernos de anotação permanecem tão radioativos que ainda hoje devem ser guardados em um cofre selado com chumbo. Ela é a única mulher que recebeu dois Prêmios Nobel (o segundo foi de química, em 1911, também por seu trabalho sobre radioatividade).

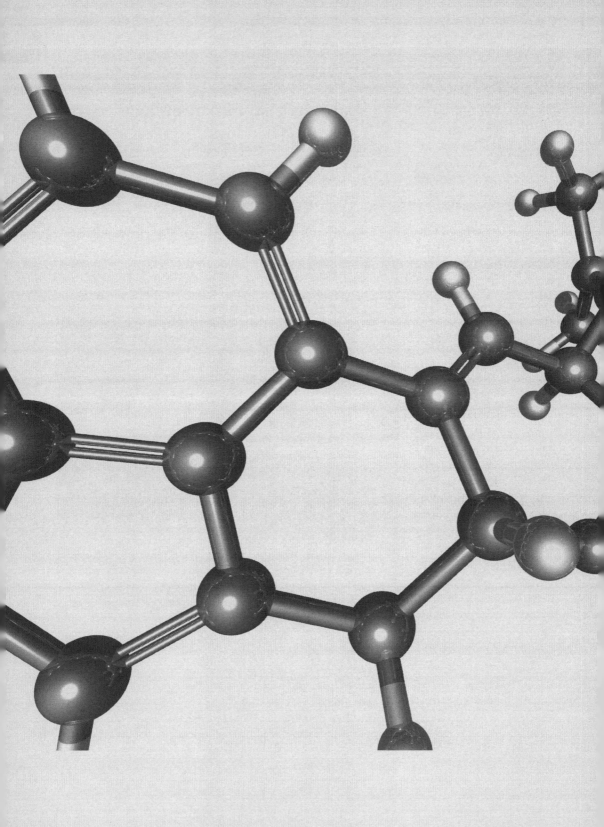

CAPÍTULO 5

Dentro do ÁTOMO

A crença de que os átomos eram os blocos construtores de matéria tem uma história antiga. Alguns pensadores budistas no século VII a.C. acreditavam que toda a matéria fosse formada de átomos, que eles consideravam uma forma de energia. Na Europa, pré-atomistas como Empédocles e Anaxágoras também conceberam partículas de matéria invisíveis de tão minúsculas. Esses primeiros filósofos-cientistas chegaram a essa visão por meio de um processo de raciocínio dedutivo. Embora o atomismo permanecesse em descrédito durante muitos séculos, no final foi o modelo que prevaleceu, apoiado pela experimentação e pela observação. Mas os primeiros atomistas não estavam certos. A crença de que os átomos são as menores partículas indivisíveis da matéria provou ser incorreta, pois os átomos são formados de partículas subatômicas. Quando os cientistas examinaram o átomo internamente, este provou ser um lugar bizarro e imprevisível.

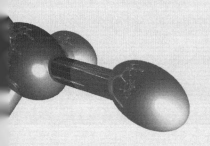

A descoberta da estrutura atômica da matéria abriu as portas para um mundo inteiramente novo para os físicos.

DENTRO DO ÁTOMO

Dissecando o átomo

John Dalton descreveu sua teoria atômica em 1803, dizendo que os elementos são formados de átomos idênticos que se combinam em razões de números inteiros para formar compostos químicos. A teoria só foi aceita universalmente depois que o físico francês Jean Perrin (1870-1942) mediu o tamanho de uma molécula de água um século mais tarde, em 1908, embora muitos cientistas aceitassem e trabalhassem com a teoria antes dessa data. Mas mesmo antes da confirmação da teoria como fato, a premissa de que os átomos não podem ser subdivididos estava sendo abandonada.

O físico inglês Joseph John (J.J.) Thomson (1856-1940) descobriu o elétron em 1897 durante seu trabalho sobre raios catódicos e tubos de Crookes (veja a página 114). Thomson descobriu que os raios catódicos viajam muito mais lentamente que a luz, e por isso não podem, como se suspeitava anteriormente, fazer parte do espectro eletromagnético. Ele concluiu que um raio catódico é um feixe de elétrons. O conceito de que o elétron fazia parte do átomo e que podia se liberar e operar sozinho anulou a crença anterior de que o átomo era indivisível. Em 1899, Thomson mediu a carga em um elétron e calculou sua massa, chegando à conclusão espantosa de que ela tem cerca de 1/2000 da massa de um átomo de hidrogênio.

Embora Thomson recebesse o Prêmio Nobel por seu trabalho sobre o elétron em 1906, a importância dessa pesquisa não ficou clara de imediato. De fato, os físicos não conseguiam ver para que servia o elétron, e o brinde no jantar anual do Cavendish Laboratory em Cambridge foi: "Ao elétron: mesmo que ele nunca tenha utilidade a alguém".

PUDINS DE PASSAS E SISTEMAS SOLARES

O modelo do átomo de J.J. Thomson, proposto em 1904, tem sido chamado de "pudim de passas", porque se parece a um pudim cravejado com groselhas. Ele descreveu o átomo como uma nuvem de carga positiva pontuada de elétrons. Como exemplo de terminologia de reutilização de maneira confusa, ele os chamou de "corpúsculos". A parte carregada positivamente permanecia nebulosa, enquanto os elétrons eram groselhas bem definidas, cravados nela, possivelmente orbitando em anéis fixos.

O modelo do pudim de passas foi desaprovado em 1909 por um experimento feito pelo físico alemão Hans Geiger (1882-1945) e o neozelandês Ernest Marsden (1889-1970) na Universidade de Manchester, enquanto trabalhavam sob a supervisão de Ernest Rutherford. A experiência deles consistia em dirigir um feixe de partículas alfa para uma folha bem fina de ouro envolvida por uma folha de sulfeto de zinco. O sulfeto de zinco acendia quando atingido pelas partículas alfa (núcleos de hélio). Os pesquisadores esperavam que houvesse pouca deflexão quando as partículas alfa passassem pela folha e que o padrão que elas fizessem depois de atravessá-la daria informações sobre como a carga se distribuiu dentro dos átomos de ouro. Os resultados foram uma surpresa. Muito poucas partículas foram defle-

> "A suposição de um estado de matéria dividido mais finamente que o átomo é algo um tanto alarmante."
>
> J.J. Thomson

DISSECANDO O ÁTOMO

tidas, mas a deflexão destas foi de ângulos bem maiores que 90 graus. Rutherford esperava que o experimento endossasse o modelo de pudim de passas e estava totalmente despreparado para esse resultado. A única conclusão que ele pôde tirar foi que a carga positiva no átomo estava concentrada em um centro minúsculo, e não distribuída por todo o átomo.

Coube a Rutherford a tarefa de chegar a um novo modelo para a estrutura do átomo que substituísse o "pudim de passas", em descrédito. O que ele produziu foi um modelo com um núcleo minúsculo, denso, cercado de muito espaço vazio e pontuado por elétrons em órbita. Ele não sabia ao certo se o núcleo tinha carga positiva ou negativa, mas calculou seu tamanho como menor que $3,4 \times 10^{-14}$ metros de extensão (agora se sabe que tem cerca de 1/5 disso). Sabia-se que um átomo de ouro tinha cerca de $1,5 \times 10^{-10}$ metros de raio, tornando o núcleo menos que 1/4000 do diâmetro do átomo.

J. J. THOMSON (1856-1940)

Joseph John (J.J.) Thomson era filho de um encadernador. Ele era pobre demais para ser aprendiz de engenheiro, então foi para a Faculdade de Trinity, em Cambridge, estudar matemática com uma bolsa de estudos. Ele acabou se tornando mestre naquela faculdade, estabeleceu o Cavendish Laboratory como o melhor laboratório de física no mundo e recebeu o Prêmio Nobel de Física por seu trabalho sobre o elétron. Por suas experiências com raios catódicos, Thomson foi capaz de identificar o elétron como uma partícula em 1897, e mediu sua massa e carga em 1899. Em 1912, ele mostrou como usar os raios positivos que podiam ser produzidos usando um ânodo perfurado em um tubo de descarga para separar átomos de elementos diferentes. Essa técnica forma a base da espectrometria de massa, usada atualmente para analisar a composição de um gás ou outra substância. Thomson era notoriamente desastrado. Além de confiar a seus assistentes de pesquisa a condução de experimentos delicados, eles tentavam deixá-lo fora do laboratório para não danificar os equipamentos. Mas ele era querido e um exemplo para todos: sete de seus assistentes de pesquisa e seu próprio filho receberam o Prêmio Nobel. Thomson recebeu honrarias como cavaleiro em 1908.

DENTRO DO ÁTOMO

"Os átomos dos elementos consistem de inúmeros corpúsculos eletrificados negativamente, fechados em uma esfera de eletrificação positiva uniforme."
J.J. Thomson, 1904.

O diagrama de cima mostra o resultado esperado da folha de ouro de Rutherford, com as partículas alfa passando pelos átomos; o diagrama de baixo mostra o resultado surpreendente – algumas partículas tinham defletido amplamente.

O MODELO SATURNINO

O físico japonês Hantaro Nagaoka propôs em 1904 um modelo do átomo baseado em Saturno e seus anéis. Este atribuiu ao átomo um núcleo maciço e os elétrons em órbita eram mantidos no lugar por um campo eletromagnético. Ele chegou a essa ideia depois de ouvir Ludwig Boltzmann conversando sobre a teoria cinética de gases e o trabalho de James Clerk Maxwell sobre a estabilidade dos anéis de Saturno enquanto fazia uma excursão pela Alemanha e Áustria em 1892-1896. Nagaoka abandonou a teoria em 1908.

Rutherford não tinha acabado de estudar o átomo. Ele propôs uma estrutura em que o núcleo do átomo continha partículas carregadas positivamente – prótons, por ele descobertos em 1918 – e alguns elétrons. O resto dos elétrons orbitava pelo núcleo, pensava ele.

O físico dinamarquês Niels Bohr (1885-1962) aperfeiçoou o modelo de Rutherford em 1913 de tal forma que os elétrons conseguiam permanecer em órbita. Ele sugeriu que em vez de vagar pelo espaço fora do núcleo seguindo qualquer trajetória, os elétrons são restritos a determinadas órbitas e são física-

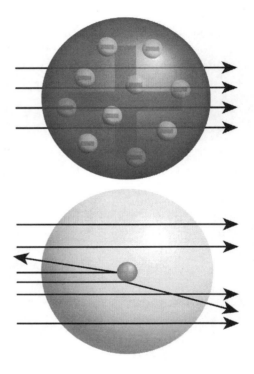

"Foi o acontecimento mais incrível de minha vida. Era quase tão inacreditável quanto se você disparasse um projétil de 15 polegadas contra um pedaço de papel e o projétil ricocheteasse e o atingisse. Refletindo, percebi que essa dissipação deve ser resultado de uma única colisão, e ao fazer os cálculos vi que era impossível obter alguma coisa daquela ordem de magnitude, a não ser que se pegasse um sistema em que a maior parte da massa do átomo estivesse concentrada em um núcleo diminuto. Foi então que eu tive a ideia de um átomo com um centro maciço minúsculo que carregava uma carga."
Ernest Rutherford

DISSECANDO O ÁTOMO

Para Nagaoka, os anéis de Saturno forneceram um modelo para o átomo.

mente incapazes de emitir radiação constantemente (o que poderiam fazer se as leis da física clássica se aplicassem). Bohr acreditava que essas órbitas eram circulares e fixas, dando um modelo planetário do átomo, sendo os elétrons os planetas que orbitavam por um núcleo que seria equivalente ao Sol. Ao contrário dos planetas, no entanto, os elétrons podem saltar entre as órbitas, liberando ou absorvendo uma energia quântica específica de energia por vez, conforme estejam se movendo para o núcleo ou afastando-se dele.

De acordo com o modelo de Bohr, o único elétron do átomo de hidrogênio, por exemplo, pode existir somente em um número limitado de órbitas. Cada órbita representa um nível particular de energia. O nível mais baixo é chamado de estado fundamental e é o ponto mais próximo que o elétron chega do núcleo. Quando o átomo de hidrogênio absorve um fóton de luz, o elétron salta para uma órbita de raio maior (nível maior de energia). Dependendo da energia contida no fóton, ele saltará para uma determinada órbita ou nível. Quando o átomo emite esse fóton, o elétron salta de volta para sua órbita anterior (nível inferior de energia).

Cada órbita, ele defendia, tinha espaço suficiente apenas para um certo número de elétrons, por isso eles não podiam se aproximar o máximo possível do núcleo, por mais que quisessem. Isso significa que as órbitas se preenchem de dentro para fora.

O elétron absorve ou libera um único fóton ou energia quântica somente quando dá um "salto quântico" entre as órbitas. A quantidade de energia – ou comprimento de onda – da energia absorvida ou liberada é determinada pela órbita. Isso parecia ser perfeito, mas, ao testar sua teoria,

Niels Bohr em 1935.

DENTRO DO ÁTOMO

Bohr descobriu que os átomos de hidrogênio emitem energia ao comprimento de onda previsto por seus cálculos matemáticos, desde que os elétrons possam saltar entre suas órbitas prescritas, às quais chamou de conchas. Além disso, o modelo de Bohr explicava por que o hidrogênio – e todos os elementos – produz uma absorção e um espectro de emissão únicos. Esse princípio é o fundamento da espectroscopia, usada por astrônomos para revelar a composição química das estrelas.

Quantum solace

Quando Max Planck falou de *quanta*, pacotes com quantidades fixas de energia, como uma forma de mover pequenas quantidades de energia, ele não quis sugerir que levassem o quântico a sério; esta era uma solução teórica que ele supunha que pudesse ser substituída em breve, assim que alguém resolvesse os cálculos matemáticos para explicar o que

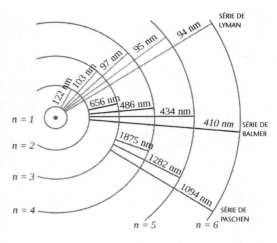

Transições da concha de elétrons do hidrogênio, com suas energias associadas.

acontecia realmente. Mas ele chegara a algo que parecia ser verdadeiro, apesar de improvável. E não só era verdadeiro, mas a base de todo um novo tipo de física que opera no mundo bizarro das partículas subatômicas. A mecânica quântica – que responde pelo comportamento de partículas em uma escala ínfima da mesma forma que a mecânica newtoniana explica o comportamento de sistemas maiores – foi iniciada com as soluções rápidas de *quanta* dadas por Planck. Estas estão no âmbito de impossibilidades aparentes e sugestões incompreensíveis.

Einstein levou os *quanta* a sério. Seu trabalho sobre o efeito fotoelétrico (veja a página 63) se baseou no uso dos *quanta* de Planck, mas aplicado à luz. Einstein sugeriu que um fóton podia ter energia suficiente para arrancar um elétron de um átomo; um fluxo de elétrons expulsos produzia uma corrente de elétrons. Sua ideia foi impopular no início, por ir contra as equações de Maxwell e a sabedoria aceita de que a luz era

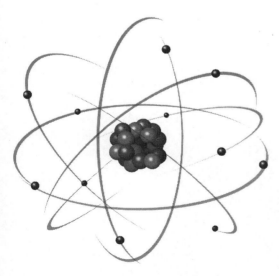

No modelo de átomo de Bohr, os elétrons em geral ficam firmes, alocados em suas conchas, e orbitam pelo núcleo.

QUANTUM SOLACE

Painéis solares usam o efeito fotoelétrico para gerar eletricidade de fótons que acionam um semicondutor

uma onda. Aqui, pela primeira vez os físicos foram contra a dualidade da onda-partícula – algo que às vezes parecia uma onda e às vezes parecia ser uma partícula.

Luz inteligente

Ainda mais intrigante foi a descoberta que a luz parece "saber" se comportar para agradar aos pesquisadores experimentais. Quando uma experiência é feita para testar o comportamento da luz como uma onda, esta age como uma onda. Quando uma experiência testa o comportamento da luz

NIELS BOHR (1885-1962)

O trabalho do físico dinamarquês e filósofo Niels Bohr foi a chave para o desenvolvimento da mecânica quântica, transformando uma hipótese esboçada em um conceito funcional. Pela física quântica ele expandiu a teoria de estrutura atômica de Rutherford e explicou o espectro do hidrogênio. Mas ele nunca subestimou as complexidades envolvidas, comentando certa vez que: "Você nunca entende a física quântica, você só se habitua com ela". Bohr começou seus estudos na Universidade de Copenhagen antes de se mudar para a Inglaterra para trabalhar em Cambridge e Manchester. Mais tarde voltou para Copenhagen para fundar o *Institute of Theoretical Physics*. Em 1922, ele recebeu o Prêmio Nobel de Física. Durante a Segunda Guerra Mundial, ele fez parte da equipe que estava desenvolvendo a bomba atômica. Sua carreira poderia ter seguido uma trajetória diferente. Em 1908, por pouco ele não foi escolhido como goleiro da seleção nacional de futebol na Dinamarca. A perda no futebol representou um ganho para a Física.

Albert Einstein (esquerda) com Niels Bohr.

DENTRO DO ÁTOMO

como uma partícula, esta se comporta como uma partícula. Não é possível entender isso. Se um feixe de luz brilha por duas fendas em uma tela, um padrão de interferência é produzido, com listras escuras e claras (de luz). À medida que se diminui a luz, chega um ponto em que os fótons passam um por vez pela tela, fazendo um clarão cada vez que um deles aparece. Entretanto, coletivamente, a imagem construída ainda é o padrão de interferência. Os fótons parecem "saber" se uma ou duas fendas estão abertas, e se duas fendas estão abertas uma leve interferência ainda ocorre, embora os fótons sejam disparados lentamente na tela. Cada fóton parece capaz de passar por ambas as fendas simultaneamente. Se uma fenda está fechada, mesmo depois que um fóton começou sua jornada, os fótons só passam pela fenda aberta. Indo mais adiante, se existe um detector em uma das fendas para descobrir se o fóton passou por aquela fenda ou outra, os fótons, como se relutassem em ser pegos, param de produzir padrões de interferência – de repente eles agem como partículas.

Como se isso não fosse suficientemente estranho, em 1924 o físico francês Louis-Victor de Broglie (1892-1957) sugeriu que as partículas que compõem a matéria também poderiam se comportar como ondas. Isso significaria que a dualidade onda-partícula está em toda parte e toda matéria tem um comprimento de onda. Em 1927, sua ideia estranha foi apoiada por elétrons que se comportavam como ondas e difração,

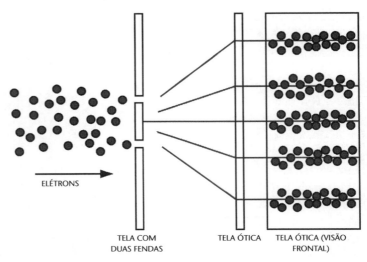

A experiência da fenda dupla que produz padrões de difração com a luz também pode ser realizada espalhando-se elétrons, mostrando que eles também podem se comportar como ondas.

como acontece com a luz. Desde então, partículas maiores – prótons e nêutrons – também foram vistas agindo como ondas.

O trabalho de De Broglie foi sua tese de doutorado. Ele sugeriu que os elétrons eram ondas que corriam em volta das órbitas que podiam ocupar, e que os níveis de energia das órbitas permissíveis estavam em harmonia com a onda, de modo que as ondas se reforçavam sempre. A teoria podia ser testada, disse ele, mostrando que difração dos elétrons ocorre por uma rede cristalina. Isso foi demonstrado com sucesso em 1927 por duas experiências feitas separadamente, uma nos EUA e outra na Escócia. De Broglie e dois dos três homens que realizaram as experiências receberam o Prêmio Nobel de Física em 1937 pelo trabalho.

A importância do trabalho de De Broglie foi que ele mostrou que a dualidade onda-partícula se aplica a toda matéria. Sua equação estabelece que o *momentum* de uma partí-

QUANTUM SOLACE

cula (de qualquer coisa) multiplicado por seu comprimento de onda é igual à constante de Planck. Uma vez que a constante de Planck é muito pequena, o comprimento de onda de qualquer coisa maior que uma molécula é pequeno, comparado ao seu tamanho real. Não nos preocuparíamos com o comprimento de onda de um ônibus ou um tigre, por exemplo. À medida que consideramos partículas maiores e menores, suas propriedades de onda se tornam mais importantes.

Outro momento newtoniano

Não parece impossível que as partículas possam, de fato, se comportar como ondas, depois da explicação dada por Einstein em 1905.

Em um apêndice à sua teoria especial da relatividade, Einstein incluiu uma primeira forma (menos sucinta) dessa equação, que se traduz em palavras como

Energia = massa X a velocidade da luz ao quadrado, que agora é mais familiar como
$$E=mc^2$$

> ### GIGANTES E SEUS OMBROS
> A Física clássica começou de fato com Newton, e seu "ano miraculoso" (*annus mirabilis*) de 1666. O renascimento da física que deu início à mecânica quântica começou com a publicação da teoria especial da relatividade de Albert Einstein em 1905. Ambos os cientistas estavam trabalhando baseados no trabalho de muitos dos primeiros cientistas que tornaram esses momentos de revelação possíveis. Suas descobertas reverberaram pelos anos seguintes.

Foi um resultado que mudou o mundo, tão importante quanto *Principia* de Newton. A equação de Einstein mostrava que energia é o mesmo que matéria, mas de forma diferente. A matéria pode ser convertida em uma quantidade muito grande de energia. Este é o fundamento da energia nuclear e das armas nucleares, ambas controlam a energia que pode ser liberada, interferindo nos núcleos dos átomos.

> ### ONDAS E PARTÍCULAS
> A dualidade da onda-partícula é espelhada perfeitamente na história dos Prêmios Nobel de Física. Um dos homens que compartilharam o Prêmio Nobel com De Broglie (foto à direita) por demonstrar as propriedades de onda dos elétrons foi George Thomson. Ele era filho de J. J. Thomson que recebeu o Prêmio Nobel em 1906 por demonstrar que os elétrons eram partículas. Nenhum dos dois é considerado errado; ambas as explanações ainda são aceitas. (Os laureados com Nobel não podem estar errados.)

129

DENTRO DO ÁTOMO

Havia um problema fundamental com os modelos de átomo de Rutherford e Bohr que não podia ser resolvido dentro dos limites definidos da física newtoniana. Uma vez que o elétron tem carga negativa, ele deve ser atraído para o núcleo, que tem carga positiva. Deve acelerar a fim de permanecer em órbita, mas gastaria energia fazendo isso, emitindo-a constantemente como radiação eletromagnética. Perdendo energia dessa forma, o elétron logo entraria no núcleo, fazendo um movimento em espiral e o átomo entraria em colapso. "Logo", de fato, esta é uma afirmação imprópria – isso aconteceria em cerca de dez bilionésimos de segundo.

A solução para esse quebra-cabeça exigiu a contribuição de vários físicos, mas uma das contribuições mais importantes foi a do físico teórico austríaco Erwin Schrödinger (1887-1961).

ONDA OU PARTÍCULA?

Se uma partícula está se portando como onda, podemos dizer realmente onde ela está? Esta foi a pergunta que Schrödinger tentou esclarecer. Ele descartou a ideia de que os elétrons se moviam em órbitas fixas, visto que com a mecânica quântica era impossível dizer exatamente onde estava o elétron. A conclusão dele é que podemos ter uma probabilidade de onde está uma partícula, com base em nosso conhecimento de ondas e de probabilidade matemática, mas não podemos dar sua posição exata. Isso se tornou conhecido como a equação de Schrödinger. Aplicando a equação a elétrons, podemos afirmar que existe uma probabilidade talvez de 80-90% de o elétron estar em uma determinada área, mas permanece uma pequena possibilidade de ele estar em algum outro lugar. Acabamos com uma "função de onda" que expressa a probabilidade de a onda/partícula estar em um determinado lugar.

Tomando um exemplo maior que o de um elétron, se uma mosca entra em uma caixa fechada, a função onda dela dá a probabilidade de ela estar em qualquer lugar na caixa. A função onda tende a zero em lugares onde a mosca não pode estar. Logo, se parte da caixa for estreita demais para a mosca entrar, a função onda é nula nesse ponto (e fora da caixa, contanto que não haja furos por onde a mosca possa escapar). Schrödinger formulou sua equação em 1926, apenas dois anos depois do trabalho inicial de De Broglie sobre a dualidade da onda-partícula.

Os foguetes espaciais usam energia nuclear para gerar as quantidades enormes de energia de que precisam.

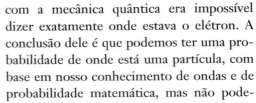

QUANTUM SOLACE

ALBERT EINSTEIN (1879-1955)

Einstein nasceu em Ulm, na Alemanha, mas também viveu na Suíça e na Itália quando criança, pois as dificuldades profissionais de seu pai forçaram a família a se mudar. Apesar de mais tarde ser tido como gênio, Einstein não foi um aluno promissor. Seu pai consultou um especialista porque suspeitava que seu filho tivesse um atraso mental, e Einstein não conseguiu entrar na Politécnica de Zurique por não ter conhecimentos mínimos de matemática. Ele não conseguiu trabalhar na universidade, então aceitou um emprego no Escritório de Patentes em Bern, Suíça. Esta acabou sendo uma boa iniciativa, pois ele era um bom funcionário e tinha tempo livre e energia intelectual suficientes para estudar física. Enquanto estava no Escritório de Patentes e estudava física durante o tempo livre, ele publicou cinco trabalhos que mudariam o mundo, os quais tratavam do efeito fotoelétrico, do movimento browniano e da teoria especial da relatividade. Com base em sua pesquisa publicada, ele assegurou um posto acadêmico em Zurique em 1909. Recebeu o Prêmio Nobel em 1921 por esse primeiro trabalho. Insatisfeito com as limitações da teoria especial da relatividade, que se aplicava a corpos em movimento constante e consistente e não respondia pela gravidade, ele começou a produzir uma teoria da relatividade abrangente e achou o trabalho mais difícil do que esperava. Lutou com cálculos matemáticos, mas acabou publicando a teoria geral da relatividade em 1916. Suas teorias da relatividade redefiniram o que pensamos do espaço, tempo, matéria e energia. Quando o astrônomo Arthur Eddington confirmou parte da teoria de Einstein mostrando que a gravidade pode curvar a luz (veja a página 70), Einstein virou estrela internacional no mundo científico. Einstein mudou-se para os EUA para escapar da perseguição nazista aos judeus. Passou o resto da vida nos EUA, trabalhando na Universidade em Princeton.

Embora Einstein tivesse ajudado a iniciar a pesquisa sobre bombas atômicas, arrependeu-se de seu envolvimento e mais tarde fez campanha pelo desarmamento nuclear. Ele também trabalhou para o estabelecimento do estado de Israel. Continuou a trabalhar como físico teórico até o fim da vida, lutando para encontrar uma teoria do campo unificada – o que não conseguiu –, uma única teoria ou grupo de teorias relacionadas que explicasse tudo no universo. Ele nunca aceitou totalmente os avanços na mecânica quântica (veja a página 135).

O modelo de Schrödinger retrata o elétron situado em algum lugar em uma nuvem de probabilidades representando todos os lugares onde ele poderia estar. A nuvem é mais densa onde o elétron tem mais probabilidade de estar e menos densa onde é menos provável de ele estar. Toda vez que você faz uma medição, pode ter um resultado diferente. Mas se você fizer medições suficientes, algumas – as mais prováveis – aparecem com mais frequência que outras. Esses resultados mais prováveis se associam a níveis de energia sugeridos por Bohr. O resultado é que o modelo de Schrödinger

DENTRO DO ÁTOMO

Grandes físicos reunidos em Chicago, 1929: (da esquerda) Arthur Compton, Werner Heisenberg, George Monk, Paul Dirac, Host Eckardt, Henry Gale, Robert Mulliken, Friedrich Hund e Frank Hoyt.

dá resultados precisos sem as limitações inerentes ao modelo de Bohr. No entanto, substituir a certeza pela probabilidade significava tumultuar a física quântica.

Ao mesmo tempo em que Schrödinger perseguia o modelo elétron-como-onda, o físico alemão Werner Heisenberg (1901-1976) estava formulando seu próprio modelo matemático de elétrons, mas favorecendo suas propriedades semelhantes à partícula, pois ele dava saltos quânticos entre os orbitais. Ele, como Schrödinger, publicou em 1926. O físico inglês

Werner Heisenberg, à esquerda, nadando com amigos. Até os físicos nucleares relaxam de vez em quando.

QUANTUM SOLACE

Paul Dirac (1902-1984) desenvolveu um terceiro modelo matemático e teórico ao mesmo tempo. De fato, Dirac foi em frente para mostrar que os outros dois modelos – de Heisenberg e de Schrödinger – na realidade eram equivalentes, e que todos estavam dizendo a mesma coisa de formas ligeiramente diferentes. Os três ganharam o Prêmio Nobel por contribuições à mecânica quântica.

Podemos estar certos?

O princípio da incerteza de Heisenberg, estabelecido em 1927, afirma que não podemos saber tudo sobre uma partícula. Ele viu que uma consequência da mecânica quântica é que é impossível medir todos os aspectos de uma partícula ao mesmo tempo. Se medimos sua posição e velocidade, podemos saber mais dentro de certos limites, mas aumentar a exatidão de uma medida torna as outras menos corretas. Esta é uma propriedade fundamental da descrição quântica de medida e não pode ser evitada mudando-se o método ou as ferramentas de observação.

Heisenberg alegou originalmente o princípio de incerteza usando uma hipótese experimental. Por exemplo, poderíamos medir a posição de uma partícula em movimento fazendo uma luz brilhar sobre ela, e nesse caso teremos um de dois resultados. Um fóton de luz pode ser absorvido, fazendo um elétron no átomo saltar para outro nível de energia, e nesse caso alteramos o átomo e nossa medida é falsa. Por outro lado, um fóton não é absorvido, mas passa direto, e nesse caso não fizemos medição nenhuma.

O princípio da incerteza é mais complicado se tentarmos tratar ambas as "partículas" e o fóton como ondas-partículas.

Heisenberg percebeu que o princípio da incerteza não afetava apenas o presente,

> **PARA ONDE EU POSSO IR? O DILEMA DO ELÉTRON**
>
> Toda a mecânica quântica pode ser construída a partir do princípio da incerteza. Relembrando o problema original do modelo atômico apresentado pela mecânica newtoniana, de por que os elétrons não caem para dentro do núcleo e para esclarecer esse dilema, o princípio de Heisenberg oferece uma explicação. O *momentum* de uma partícula em uma determinada órbita é conhecido, logo sua posição não pode ser conhecida com exatidão – ele está em algum lugar na órbita. Entretanto, se a partícula caísse no núcleo sua posição seria conhecida – e seu *momentum* também, pois este seria zero. Ao cair no núcleo, o elétron violaria o princípio da incerteza. Simplesmente isso não pode acontecer. De fato, a menor órbita em um átomo (veja a órbita do elétron em um átomo de hidrogênio) é tão pequena quanto possivelmente pode ser sem violar o princípio da incerteza – a matemática funciona. O tamanho de átomos e de fato sua própria existência são determinados pelo princípio da incerteza.

mas também o passado e o futuro. Uma vez que uma posição sempre foi e é apenas um conjunto de possibilidades, fixar a trajetória de uma partícula não é o que parece. Como Heisenberg disse: "A trajetória passa a existir somente quando a observamos". A trajetória futura, de forma similar, não pode ser prevista com certeza.

A física newtoniana lida com certezas, com causa e efeito, um modelo determinista em que o conhecimento permite a previsão. A nova mecânica quântica parecia derrubar tudo isso, pelo menos no nível atômico. Ela

133

DENTRO DO ÁTOMO

> *"Aquele que não fica chocado com a teoria quântica não a entendeu."*
> Niels Bohr

estava longe de ser aceita em alguns círculos; até Einstein desconfiava dela dizendo, "Deus não lança dados", embora ele tivesse de aceitar os cálculos matemáticos. De fato, desde o início do século XX o uso de modelos matemáticos tem assumido continuamente o controle da física experimental que podia ser testada em laboratório. O pensamento experimental, apoiado por cálculos matemáticos, tornou-se o esteio da nova física, bastante teórica.

A INTERPRETAÇÃO DE COPENHAGEN

Enquanto Schrödinger tendia a focar os aspectos de onda da dualidade onda-partícula, Heisenberg se concentrou mais na partícula e apresentou seu trabalho na forma de matrizes, enquanto Schrödinger trabalhou com a teoria da probabilidade. Em volta dessas duas abordagens, surgiram dois grupos distintos de físicos, cada um acreditando que a outra abordagem estivesse errada.

Em 1927, Bohr, Heisenberg e o físico Max Virn (1882-1970), nascido na Alemanha, trabalharam juntos para produzir uma síntese dos aspectos aparentemente contraditórios da teoria quântica, conhecida como "Interpretação de Copenhagen". Esta diz que não são as partículas atômicas ou fótons "que escolhem" entre agir como uma onda ou partícula em qualquer ponto, ou que elas são realmente uma ou outra: em vez disso, os aspectos que as fizeram parecer agir como uma ou outra são dois lados da mesma moeda. Qual deles nós vemos e como interpretamos seu comportamento depende do que estamos procurando e como as estamos observando. A luz existe tanto como onda quanto como partícula simultaneamente, mas só aparece como uma ou outra quando a medimos. O ato de medir ou observar determina o resultado por causa do tipo de observação que escolhemos fazer. No ponto em que a medição é feita e a qualidade de onda ou de partícula é determinada, diz-se que a função onda entra em colapso. Mais precisamente, ela muda instantânea e descontinuamente para a função onda que estaria associada ao resultado da medição.

Bohr reconheceu a importância do princípio da incerteza, mas foi além de Heisenberg ao destacar que este não é um problema que vem da interferência física envolvida na medição, mas uma questão mais fundamental – o próprio ato de fazer uma medição muda a situação (ou sistema) que está sendo examinada. Isso lança dúvidas em toda a premissa do método científico. Pode não haver um observador objetivo se o ato da medição ou observação em si afetar o resultado.

UM GATO EM UMA CAIXA

A explicação de Bohr não agradou a ninguém. Schrödinger mostrou seu desdém descrevendo um exercício intelectual para demonstrar o absurdo da Interpretação de Copenhagen. No experimento de Schrödinger, um gato é fechado em uma caixa com um dispositivo que consiste de uma quantidade minúscula de substância radioativa, um contador Geiger, um pequeno frasco de ácido hidrociânico e um martelo. O equipamento é montado de modo que se houver o decaimento de um átomo da substância radioativa, a detecção da partícula liberada fará o martelo quebrar o frasco e o gato será intoxicado com o gás. A probabilida-

QUANTUM SOLACE

O gato de Schrödinger, morto e vivo, em uma caixa com e sem veneno.

de de um átomo decair ou não é igual, e o gato não pode interferir no equipamento. O gato é deixado na caixa por uma hora. No final da hora as chances são 50:50 de ele estar vivo (ou morto). Seguindo o argumento de Bohr e a Interpretação de Copenhagen, o estado – morto ou vivo – do gato não é determinado até olharmos dentro da caixa. Isto, dizia ele, era ridículo.

Muitos universos

Outra resposta à ideia repugnante de que tudo existe em uma nuvem de probabilidade até que seja observado foi o modelo de "muitos mundos" proposto em 1957 pelo físico americano Hugh Everest III (1930-1982). Este sugere a existência de um número infinito de universos paralelos que explicam todos os resultados possíveis para todas as questões possíveis. Em momentos de tomada de decisão (ou observação), um novo universo se divide. Se nada mais acontecer, isso nos ajuda a chegar a um acordo com a infinidade. Se um novo universo tem de se dividir cada vez que você escolhe entre chá ou café, ou que um girino nada para a esquerda ou para a direita, ou um galho cai ou não cai em um telhado, deve haver muitos universos – em algum lugar.

Embaralhamento quântico: o paradoxo Einstein-Podolsky-Rosen

Albert Einstein foi um que não aceitou a Interpretação de Copenhagen. Em 1935, Einstein e os físicos americanos Boris Podolsky (1896-1996) e Nathan Rosen (1909-1995) prepararam o chamado paradoxo EPR. Este suponha que uma partícula estacionária decaía, produzindo duas outras partículas. Elas devem ter *momentum* angular igual e oposto de modo que se cancelem mutuamente (conservação do momentum

Erwin Schrödinger

135

DENTRO DO ÁTOMO

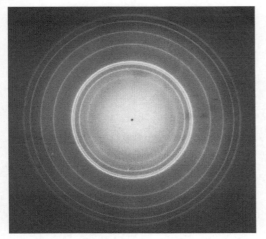

Padrão de difração do elétron do berílio.

angular), e todas as suas outras propriedades quânticas devem se equilibrar de modo semelhante para conservar as propriedades da partícula-mãe. Essa ligação entre as partículas deve continuar a existir depois de serem emitidas e seguirem caminhos separados. Se medimos uma propriedade para uma partícula, destruímos a função onda para a mesma propriedade na outra partícula – ela é afetada instantânea e inevitavelmente.

Assim como o gato de Schrödinger, as partículas de Einstein foram concebidas deliberadamente para mostrar o absurdo da Interpretação de Copenhagen, mas acabaram a fortalecendo. Desde então, foi demonstrada a existência do embaralhamento de partículas, com partículas separadas por vários quilômetros. O emaranhado pode até ser colocado em uso prático, oferecendo novos métodos rápidos de cálculo (usando

Frederic Joliot e Irène Joliot-Curie trabalhando em seu laboratório.

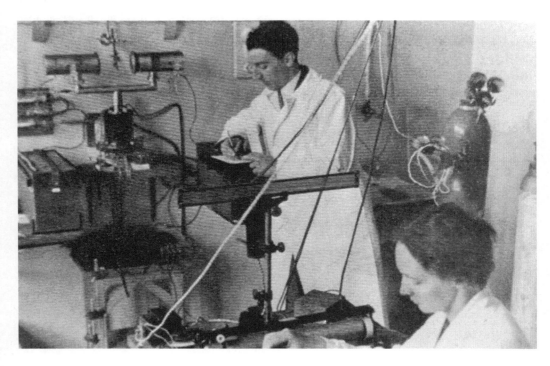

QUANTUM SOLACE

James Chadwick ganhou um Prêmio Nobel por seu trabalho sobre o nêutron realizado em fevereiro de 1932.

"qubits", ou bits quânticos), comunicação instantânea, criptografia. De fato, o embaralhamento oferece uma maneira de transmitir informação mais rápido do que a velocidade da luz.

A busca por mais partículas atômicas

Há muito é sabido que os elétrons poderiam ser arrancados do átomo com bastante facilidade, pois foi assim que eles foram descobertos em 1897. No início dos anos 1930, Walter Bothe (1891-1957) e Irène Joliot-Curie (1897-1956, filha de Marie e Pierre Curie) e seu marido Frédéric Joliot-Curie (1900-1958) descobriram que a radiação de partícula alfa no berílio produzia outro tipo de radiação. Esse tipo expulsava algo de outros elementos, mas não estava claro o que era. Os Joliot-Curie anunciaram seus resultados em janeiro de 1932. O físico inglês James Chadwick (1891-1974) repetiu os experimentos imediatamente e explicou o efeito sugerindo que as partículas alfa estavam expulsando bits do núcleo de átomos de berílio. Primeiro, ele pensou que esses "bits" fossem pares próton-elétron, pois não tinham carga elétrica ou esta não era equilibrada.

Durante toda a década de 1920, Chadwick procurou uma partícula neutra, que ele esperava que assumisse a forma de um próton e elétron ligados. Mas seu trabalho mais importante, pelo qual ganhou um Prêmio Nobel em 1935, concentrou-se em alguns dias frenéticos em fevereiro de 1932. As medições que ele fez em 1934 derrubaram sua primeira conclusão, pois as partículas

CANDIDATOS À PATERNIDADE DO TERMO

Dois anos antes de Chadwick atribuir o nome "nêutron" para sua partícula sem carga no núcleo, o físico austríaco Wolfgang Pauli (1900-1958) usou o mesmo nome para uma partícula teórica que ele sugeriu ser emitida do núcleo durante a radiação beta. Sua ideia teve um impacto tão pequeno na época que Chadwick "copiou" o nome sem problemas. A existência da partícula de Pauli acabou sendo confirmada nos anos 1950 e atualmente é chamada de neutrino (veja a página 145).

DENTRO DO ÁTOMO

ROCHA DAS ERAS

Em 1920, Frederick Soddy previu que, como um isótopo muda (decai) em outro isótopo ou elemento, este poderia ser usado para datar as rochas. Hoje, esse método é usado amplamente. Por exemplo, o carbono-14 se transforma em nitrogênio-14 por meio do decaimento beta a uma taxa conhecida – leva 5.730 anos para decair pela metade (sua meia-vida). Portanto, medindo-se o índice de carbono-14 em relação ao nitrogênio-14 remanescente em uma rocha, é possível determinar a idade dela. Essa técnica é chamada de datação de carbono.

eram pesadas demais para serem um único próton e um único elétron ligados. Ele concluiu que devia haver outro tipo de partícula subatômica – que não tinha carga, à qual chamou de nêutron. Isso significava que as variantes de elementos químicos com diferentes pesos atômicos, chamadas isótopos, podiam ser explicadas com simplicidade. Todos os isótopos de um determinado elemento devem conter o mesmo número de prótons e elétrons, mas números diferentes de nêutrons.

O nêutron é uma espécie de superastro atômico. Ele torna possíveis as reações em cadeia ocorridas nas usinas nucleares e nas bombas atômicas, e também pode ser usado para examinar a estrutura de outros átomos, uma vez que os nêutrons não são defletidos por cargas positivas ou negativas.

JUNTANDO TUDO

Os prótons e os nêutrons são misturados no núcleo, que ocupa apenas uma porção minúscula do átomo – em torno de cem milionésimos dele. Se o átomo tivesse o diâmetro de um estádio de futebol, o núcleo seria do tamanho de um grão de areia. Se o átomo fosse grande como a Terra, o núcleo teria 10 quilômetros de diâmetro. No entanto, os prótons devem repelir uns aos outros por causa de suas cargas iguais. Então como eles podem ser mantidos espremidos juntos no núcleo de um átomo? A explicação é a chamada força nuclear extrema, sugerida pela primeira vez em 1934 pelo físico japonês Hideki Yukawa (1907-1981). Ele sugeriu que a força era carregada por partículas chamadas mésons que são trocadas entre prótons e nêutrons. Os mésons são partículas com vida curta que sobrevivem apenas por algumas centenas de milionésimos de segundo.

Ao contrário da gravidade, das forças elétricas e magnéticas, a força forte não observa a lei do quadrado inverso. Ela é muito forte – cem vezes mais forte que a força elétrica – por uma distância muito curta de até 13 cm, mas depois desaparece, não tendo força para distâncias maiores. No raio de um núcleo ela é forte o suficiente para superar a repulsão eletrostática entre prótons. Mesmo assim, a forte força não as pressiona tanto a ponto de eles se esmagarem – ela conserva uma distância minúscula entre eles. A faixa de força limita o tamanho dos núcleos atômicos. O méson pi, ou píon, o verdadeiro mediador da força nuclear, foi descoberto em 1947 por três físicos, um inglês, um brasileiro e um italiano, respectivamente Cecil Powell (1903-1969), César Lattes (1924-2005) e Giuseppe Occhialini (1907-1993), enquanto investigavam produtos de raio cósmico. Yukawa recebeu o Prêmio Nobel de Física em 1949 por sua previsão.

As coisas desmoronam

Enquanto muitos físicos estavam examinando como os átomos são mantidos unidos, outros estavam explorando como os átomos podem se desmanchar. Depois que Henri Becquerel descobriu a radioatividade, mais pesquisas seguiram em várias direções. Rutherford e o radioquímico inglês Frederic Soddy (1877-1956), trabalhando juntos,

Uma usina nuclear em Cattenom, França.

CADEIA DE DECAIMENTO RADIOATIVO DE URÂNIO-238

Quando há decaimento de um isótopo radioativo, ele se torna outro elemento, o nuclídeo filho. Este também pode ser radioativo, resultando em mais decaimento. O tempo que leva para a metade do isótopo decair é chamado "meia-vida". O urânio-238 decai naturalmente em chumbo-206, passando por 14 etapas como mostrado aqui.

ELEMENTO	TIPO DE DECAI-MENTO	MEIA-VIDA	NUCLÍDEO FILHO
urânio-238	emissão-alfa	4,5 bilhões de anos	tório-234
tório-234	emissão beta	24 dias	protactínio-234
protactínio-234	emissão beta	1,2 minutos	urânio-234
urânio-234	emissão-alfa	240.000 anos	tório-230
tório-230	emissão-alfa	77.000 anos	rádio-226
rádio-226	emissão-alfa	1.600 anos	radônio-222
radônio-222	emissão-alfa	3,8 dias	polônio-218
polônio-218	emissão-alfa	3,1 minutos	chumbo-214
chumbo-214	emissão beta	27 minutos	bismuto-214
bismuto-214	emissão beta	20 minutos	polônio-214
polônio-214	emissão-alfa	160 microssegundos	chumbo-210
chumbo-210	emissão beta	22 anos	bismuto-210
bismuto-210	emissão beta	5 dias	polônio-210
polônio-210	emissão-alfa	140 dias	chumbo-206

DENTRO DO ÁTOMO

> *"Poderíamos, nesses processos, obter muito mais energia do que o próton fornecia, mas em média não podíamos esperar obter energia dessa forma. Era uma forma muito pobre e ineficiente de produzir energia, e quem procurasse uma fonte de energia na transformação dos átomos estaria sonhando. Mas o assunto era interessante cientificamente porque dava uma ideia esclarecedora sobre os átomos."*
>
> The Times, 12 de setembro de 1933, em uma fala de Ernest Rutherford sobre energia atômica.

desenvolveram um modelo de decaimento radioativo em 1903. Eles explicaram que um átomo de um elemento pesado poderia ser instável e decair, perdendo uma partícula alfa (núcleo de hélio) ou ter o decaimento de um nêutron em um próton e emitir uma partícula beta (elétron). Em ambos os casos, o número de prótons no núcleo muda, portanto, o átomo se torna um elemento diferente. Eles previram que o decaimento de rádio produziria hélio, um resultado que Soddy atingiu em 1903 enquanto trabalhava com o químico escocês William Ramsay (1852-1916) em Londres. Em 1913, Soddy afirmou que a emissão de uma partícula alfa reduzia o número atômico em dois (pois dois prótons são perdidos) enquanto a emissão de uma partícula beta aumentava-o em um (pois um nêutron decai em um elétron, que se perde, e um próton que permanece; portanto, aumentando o número atômico). Soddy criou o nome "isótopos" para descrever variantes de um elemento com diferentes massas atômicas.

Em 1919, Rutherford descobriu que se bombardeasse o nitrogênio com partículas alfa, este se transformava em um isótopo de oxigênio, perdendo um núcleo de hidrogênio (um único próton) no processo. Esta foi a primeira transmutação artificial de um elemento em outro – um objetivo almejado pelos alquimistas ao longo dos séculos, embora com a meta mais ambiciosa de transformar o metal base em outro. Em vez do primeiro passo em um novo mundo da alquimia, foi o primeiro passo no âmbito da física nuclear.

Entre 1920 e 1924, Rutherford e Chadwick demonstraram que a maioria dos elementos mais leves emitirá prótons se bombardeada com partículas alfa.

Enrico Fermi

AS COISAS DESMORONAM

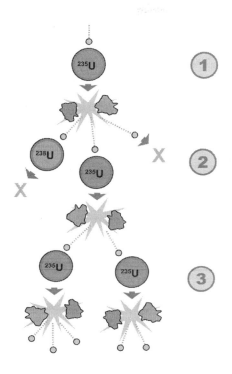

A reação em cadeia produzida pelo decaimento de urânio-235 induzida por bombardeio com nêutrons.

mentos com partículas alfa, podiam transformá-las em isótopos radioativos instáveis que então decairiam. O físico italiano Enrico Fermi (1901-1954) ampliou a pesquisa, usando nêutrons lentos para produzir mais radioatividade artificial. Ao urânio com nêutrons, Fermi pensava ter criado um novo elemento, ao qual chamou de hespério. Em 1938, no entanto, um grupo de quatro cientistas alemães e austríacos descobriu que de fato a técnica de Fermi tinha dividido o núcleo de urânio em duas partes aproximadamente iguais. Esse processo é a fissão nuclear.

O físico húngaro Leó Szilárd (1898-1964) percebeu que os nêutrons liberados por uma reação de fissão nuclear podiam ser usados para gerar a mesma reação em outros átomos, levando a uma reação em cadeia autossustentável. Szilárd estava em Londres quando ficou indignado com um artigo em *The Times* descartando a possibilidade levantada por Rutherford de que a energia dentro dos átomos podia ser aproveitada para fins práticos. Enquanto ia a pé para trabalhar no Hospital St. Bartholomew e esperava o sinal de tráfego mudar em Southampton Row, em Bloomsbury, Szilárd re-

APROVEITANDO A REAÇÃO EM CADEIA

A transformação de um elemento em outro pode ser desencadeada artificialmente e pode ser a fonte de um imenso poder. A energia liberada na detonação de uma bomba atômica, ou aproveitada em uma estação de energia nuclear, vem de uma reação nuclear em cadeia com partículas emitidas por um decaimento atômico usado para desencadear outro.

Irène e Frèderic Joliot-Curie descobriram a radioatividade induzida, ou artificial, em 1934, ao perceberem que ao bombardear alguns ele-

O primeiro reator nuclear do mundo se torna autossustentável em Chicago, 1942 (nenhum fotógrafo estava presente).

DENTRO DO ÁTOMO

O MUNDO LIBERTADO – OU NÃO

Leó Szilárd foi inspirado por um romance escrito pelo escritor inglês H. G, Well, chamado *O Mundo Libertado* (1914), em que um novo tipo de arma, uma "bomba atômica", provocou a devastação. As bombas atômicas ficcionais de Wells continuaram a explodir durante dias. Isso levou Szilárd a pensar seriamente em aproveitar as reações nucleares em cadeia para fazer bombas atômicas reais. Szilárd mudou-se para os EUA em 1938, e um ano depois convenceu Albert Einstein a escreverem juntos para o presidente Franklin D. Roosevelt, pedindo que o governo montasse um programa de pesquisa para desenvolver uma bomba atômica, a fim de combater o risco de a Alemanha nazista desenvolver armas nucleares primeiro. Este foi o Projeto Manhattan. Szilárd idealizou o projeto como uma forma de proteger o mundo contra a destruição descrita por Wells, pois esperava que a bomba fosse mantida como ameaça, e não realmente usada. Ele ficou cada vez mais descontente à medida que o controle da pesquisa passou para os militares, e insistiu em uma demonstração da potência de uma bomba atômica aos japoneses que garantisse a rendição sem a perda de vidas, uma sugestão que o governo dos Estados Unidos rejeitou. As bombas atômicas foram lançadas sobre as cidades japonesas de Hiroshima e Nagasaki em 1945, causando grande devastação e muitos milhares de mortes. Depois da guerra, Szilárd previu o impasse nuclear que caracterizaria a Guerra Fria. Ele se afastou da física para se concentrar em pesquisa sobre biologia molecular.

"Nós viramos o interruptor e vimos os flashes. Nós os vimos por pouco tempo e então viramos novamente o interruptor e fomos para casa... Aquela noite, havia poucas dúvidas em minha mente de que o mundo estava se dirigindo para o sofrimento."
Léo Szilárd, após ter sucesso em começar uma reação em cadeia usando urânio em Columbia University, Manhattan, em 1938

solveu como uma reação nuclear em cadeia poderia funcionar. Ele pediu patente por isso no ano seguinte. De fato, Szilárd tinha originalmente as patentes tanto da reação em cadeia quanto do reator nuclear (com Enrico Fermi), embora abrisse mão da patente das reações nucleares em cadeia para a Marinha Britânica em 1936. Szilárd foi o pioneiro no desenvolvimento da bomba atômica (veja o quadro).

Fréderic Joliot-Curie produziu evidências experimentais da reação em cadeia em 1939, e cientistas em muitos países (inclusive Estados Unidos, Reino Unido, França, Alemanha e União Soviética) solicitaram dinheiro para pesquisar a fissão nuclear. O primeiro reator foi o Chicago-Pile-1 em dezembro de 1942, construído para produzir o plutônio a ser usado em armas nucleares.

O fim do átomo clássico

Com o modelo de Bohr, era impossível responder pelo comportamento do átomo em termos da física clássica. O núcleo minúsculo contém os prótons e nêutrons, mantidos juntos pela força nuclear forte. No espaço vazio, os elétrons giram com velocidade em torno de suas conchas designadas, sem sair

O FIM DO ÁTOMO CLÁSSICO

Detonação de bombas atômicas sobre Hiroshima (esquerda) e Nagasaki (direita) em agosto de 1945.

de suas órbitas, mas capazes de saltar de uma para outra nas circunstâncias certas. O que os antigos, com seu conceito de átomo indivisível, achariam difícil de entender foi não apenas que o átomo continha elétrons, prótons e nêutrons, mas que os prótons e nêutrons podem ser ainda mais divididos. A segunda metade do século XX viu a descoberta dos *quarks*, unidos por uma força mediada por glúons. É intrigante que esta seja a força forte – a mesma responsável por ligar prótons e nêutrons. De fato, a ligação de prótons e nêutrons é algo de efeito residual. A forte força que age sobre os quarks é bem mais interessante. Em vez de diminuir a distância, a força se torna mais forte até que atinja um máximo que ela exerce sobre todas as distâncias substancialmente maiores que o tamanho de um próton ou nêutron. Os glúons foram detectados pela primeira vez em 1979 usando o colisor elétron-positron PETRA, na Alemanha.

Prótons e nêutrons são exemplos de hádrons, os quais todos são compostos por três quarks (bárions) ou um quark e um antiquark (mésons). Experimentos no Stanford Linear Accelerator Center em 1968 revelaram que o próton não é indivisível, mas abrange objetos menores, semelhantes a um ponto, que Richard Feynman chamou de "pártons". O modelo quark foi proposto em 1964, mas os pártons não foram identificados imediatamente com os quarks. Os quarks vêm em seis sabores: "up", "down", "top", "bottom", "strange" e "charm" ("top" e "bottom" às vezes são chamados "verdade" e "beleza"). Os quarks antimatéria – antiquarks têm antissabores, que originam conceitos estranhos como o quark "antiestranho" e o quark "anti-up". Na vida normal, estes poderiam

DENTRO DO ÁTOMO

ser chamados "mundano" e "down", mas no estranho mundo dos quarks, "down" não é o mesmo que "anti-up".

Tanto prótons quanto nêutrons são bárions e são apenas hádrons estáveis, embora os nêutrons só sejam estáveis dentro do núcleo de um átomo. Existem cerca de 40 tipos conhecidos ou previstos de bárion, e cerca de 50 tipos conhecidos ou previstos de méson. Eles têm nomes bizarros, como "ômega duplamente carregado bottom" (um bárion de massa ou duração desconhecida). Alguns têm vida muito curta (se é que existem) – como o bárion delta, que dura apenas $5,58 \times 10^{-24}$ segundos. (Isso significa que levaria cerca de 30 vezes o número de partículas delta que as estrelas no universo para durar um único segundo.) Os primeiros mésons descobertos foram káons e píons, encontrados em raios cósmicos em 1947.

O grande número de partículas subatômicas vai além do escopo deste livro, mas basta dizer que existem muitas que ainda não foram descobertos ou comprovados, alguns com propriedades e funções desconhecidas.

MATÉRIA E ANTIMATÉRIA

Em 1927, Paul Dirac publicou uma equação de onda definitiva do elétron que acomodava plenamente os requisitos da teoria especial da relatividade (veja a página 132). Surpreendentemente, no entanto, ela tinha duas soluções; uma descrevia o elétron familiar e a outra algo equivalente ao elétron, mas com carga positiva. Primeiro, Dirac tentou encaixá-la no próton, mas esta também tinha massa demais. Outras investigações sugeriram que ao usar energia suficiente, um par de partículas podia ser criado com carga elétrica oposta, mas

O QUARK DE UM PATO

O nome "quark" foi escolhido por uma das duas pessoas que propuseram sua existência independentemente em 1964, Murray Gell-Mann. Ele escolheu esse nome lembrando o som feito pelos patos, querendo que fosse pronunciado "quork", mas não conseguiu se decidir quanto à escrita. Ele optou por "quark" depois de encontrar a palavra em *Finnegans Wake*, de James Joyce:

Três quarks para o senhor Mark!
Ele não chega a latir exatamente
E certamente qualquer latido que ele dê será
além do esperado.

144

O FIM DO ÁTOMO CLÁSSICO

massa idêntica. Em 1932 e 1933, Carl Anderson descobriu vestígios de uma partícula carregada positivamente como previsto por Dirac. Ele a chamou de pósitron. Outros a reconheceram como a primeira partícula antimatéria a ser descoberta. Desde então se encontrou uma aplicação prática para o pósitron em uma técnica de diagnóstico médico por imagem chamada scan PET (tomografia por emissão de pósitron). Agora sabemos que todas as partículas têm partículas antimatéria correspondentes com propriedades exatamente opostas.

Murray Gell-Mann deu o nome aos quarks.

Partículas fantasmas

Uma das partículas mais intrigantes e difíceis de descrever é o neutrino, sugerido pela primeira vez por Wolfgang Pauli em 1930. Ele precisava dela para equilibrar uma equação. Quando o núcleo de um átomo radioativo decai, a energia liberada deveria ser igual àquela presente originalmente. Mas Pauli descobriu que não era este o caso. A energia que se perdia era maior do que aquela que podia ser medida, o que significava que algo estava sendo emitido e não estava sendo identificado pelos detectores. Pauli sabia que, durante o decaimento beta, os elétrons emitidos aparentemente podiam ter uma quantidade enorme de energia até um máximo para cada determinado tipo de núcleo. Mas se fosse este realmente o caso, violaria a lei da conservação de energia. A solução radical de Pauli foi sugerir a existência de outra partícula sem carga que não era quantificada e pudesse carregar qualquer quantidade de energia cinética para cima, até um máximo preestabelecido. Ele chamou sua partícula potencial de nêutron, embora dois anos depois Chadwick adotasse esse nome para a partícula que agora conhecemos como *nêutron*.

Em 1933, Enrico Fermi deu o nome de "neutrino" para a misteriosa partícula de Pauli. Fermi sugeriu que um nêutron decai em um próton e um elétron (que também decai se levado para fora do núcleo atômico), e também a um novo tipo de partícula não carregada, o neutrino. Então o neutrino era emitido juntamente com um elétron durante o decaimento beta.

Os neutrinos não saíram da teoria até que os físicos americanos Frederick Reines (1918-1998) e Clyde Cowan (1919-1974) os detectaram em 1953. Eles usaram grandes tanques de água perto de um reator nuclear como "coletores de neutrino". Calcularam que o reator geraria dez trilhões de neutri-

DENTRO DO ÁTOMO

> *"Fiz algo muito ruim hoje ao propor uma partícula que não pode ser detectada. É algo que nenhum teórico deveria fazer."*
> Wolfgang Pauli, diário, 1930.

nos por segundo e conseguiram acompanhar três por uma hora. Claramente muitos escapavam, mas os poucos que eles encontraram forneceram a prova necessária de que os neutrinos existem.

Os neutrinos têm massa desprezível e não têm carga; por isso passam por tudo que encontram sem impedimento algum. De fato, se um feixe de neutrinos fosse disparado contra uma parede de chumbo de espessura de 3.000 anos-luz, metade passaria por ela sem ser detida. Existem neutrinos emitidos pelo Sol e fluindo de explosões estelares. Realmente, cerca de 100 trilhões de neutrinos passam por nosso corpo a cada segundo. Lembre-se de que os átomos são basicamente espaço vazio – o núcleo é o grão de areia no estádio de futebol. Por isso, existe muito espaço para os neutrinos zarparem por tudo e, por não terem carga, eles não são defletidos nem desviados por elétrons ou prótons.

Cerca de 10 anos após a descoberta do primeiro neutrino, um detector de neutrino especializado foi instalado em uma mina de ouro em Dakota do Sul. O detector consistia de um vasto tanque cheio de fluido para limpeza a seco, rico em cloro. Quando um neutrino colide com um átomo de cloro, ele cria árgon radioativo. A cada poucos meses, um exame do tanque revelava cerca de 15 átomos de árgon, mostrando que 15 neutrinos tinham colidido com átomos de cloro. O detector foi usado continuamente durante mais de 30 anos.

Hoje existem muitos detectores de neutrinos construídos em subsolos profundos, alguns em velhas minas, outros sob o oceano e também abaixo do gelo da Antártica. Não é problema para os neutrinos chegar até os detectores, mas o abrigo impede os cientistas de confundi-los com raios cósmicos (partículas maiores que são impedidas pela matéria interveniente). O detector neutrino Super-K no Japão usa 50.000 toneladas de água em um tanque fechado por um domus

O detector MINOS (Mains Injector Neutrino Oscillation Search) no Soudan Underground Mine State Park, usado para investigar neutrinos.

O FIM DO ÁTOMO CLÁSSICO

com 13.000 sensores de luz. Os sensores detectam um clarão azul sempre que um neutrino colide com um átomo na água e cria um elétron. Ao traçar a trajetória exata que o elétron faz pela água, os físicos podem identificar de que direção o neutrino veio, e daí deduzem sua origem. A maioria vem do Sol. Em 2001, os físicos descobriram que os neutrinos vêm em três "sabores". Existem muitos outros tipos além do que eles tinham percebido, mas eles descobriram apenas aqueles que criam elétrons quando interagem com a matéria. A descoberta de sabores tem mais uma implicação – significa que os neutrinos possuem massa. Um detector para medir a massa de um neutrino entrará em operação na Alemanha em 2012.

O trabalho de Feynmann sobre o *spin* e a rotação de elétrons nasceu ao ver uma placa girando e refletindo sobre a oscilação enquanto ele observava o padrão.

"Enquanto almoçava, uns garotos atiraram uma placa na lanchonete. Havia um medalhão azul na placa, o símbolo de Cornell, e quando eles atiraram a placa e ela começou a cair, a coisa azul girava e me parecia que com mais rapidez do que a oscilação, e eu não entendia a relação entre as duas. Por brincadeira, pois aquilo não tinha importância nenhuma, montei equações de movimento que faziam coisas girar, e descobri que se a oscilação fosse pequena, o medalhão azul giraria duas vezes mais rápido que a oscilação.

Comecei a brincar com essa rotação e esta me levou a um problema semelhante da rotação do spin de um elétron de acordo com a equação de Dirac, e isso me levou de volta à eletrodinâmica quântica, que era

> **UMA ROTA CIRCULAR**
> O KATRIN (Karlsruhe Tritium Neutrino Experiment), que será usado para calcular a massa de um neutrino, foi construído a 400 quilômetros de Karlsruhe, Alemanha, onde funcionará. No entanto, por ser grande demais para ser transportado por estradas estreitas, foi transportado por barco pelo Rio Danúbio, entrando no Mar Vermelho, passando pelo Mediterrâneo, contornando a Espanha, atravessando o Canal Inglês e entrando no Reno, para Leopoldshafen, Alemanha, onde então continuaria por estrada. O trajeto levou dois meses e cobriu 8.960 quilômetros.

o problema com o qual estive trabalhando. Continuei agora a brincar com isso da forma descontraída que tinha feito no início e era como tirar uma rolha de uma garrafa – tudo simplesmente derramou, e em pouco tempo eu resolvi as coisas que me fizeram ganhar o Prêmio Nobel mais tarde."

A última partícula perdida

A antimatéria e os neutrinos foram contemplados em teoria antes de serem descobertos. Agora a caçada é de outra partícula cogitada em teoria, o bóson de Higgs. Às vezes denominada "partícula de Deus", o bóson de Higgs é a última partícula no chamado Modelo Padrão do mundo físico que ainda precisa ser descoberta. O bóson de Higgs não precisa existir em todos os modelos da física, e em alguns modelos pode haver mais de um tipo de bóson de Higgs. Descobrir se a partícula existe ou não ajudará os cientistas a decidir qual dos modelos sugeridos é mais provável de estar correto. O bóson de Higgs é pensado como um componente do campo de Higgs. Passar pelo campo de Higgs confere massa às partículas. Se o

DENTRO DO ÁTOMO

RICHARD FEYNMANN (1918-1988)

Nascido em Nova York, Feynmann foi apresentado à ciência por seu pai, que fazia uniformes, mas tinha interesse por ciência e lógica. Feynmann estudou em *Massachusetts Institute of Technology* (MIT) e Princeton antes de trabalhar no Projeto Manhattan para desenvolver a bomba atômica durante a Segunda Guerra Mundial. Mais tarde ele entrou para o *California Institute of Technology*. Feynmann foi um professor carismático e popular com muitos *hobbies* e interesses incomuns, entre eles tocar bongô em um bar de *strip tease*. Ele desenvolveu a teoria matemática da física de partículas e demonstrou que a interação entre elétrons (ou pósitrons) pode ser considerada em termos dos elétrons trocando fótons virtuais, e mostrou essas interações na forma de "diagramas de Feynmann". Famosamente, ele tinha uma van decorada com diagramas de Feynmann, a qual ainda existe em uma garagem na Califórnia. Ele também foi pioneiro da computação quântica e chegou ao conceito de nanotecnologia. Niels Bohr procurava Feynmann para discutir física porque os demais reverenciavam tanto a ele próprio que acabavam não o contradizendo nem destacando falhas em seus argumentos.

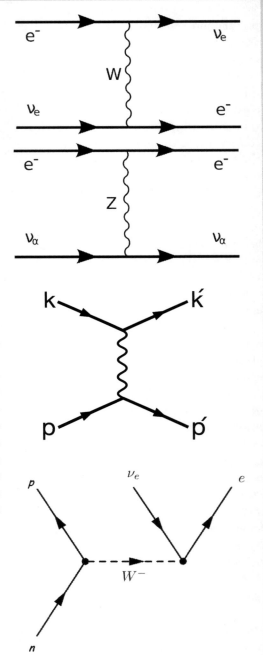

Diagramas de Feynmann de:
(1) interação do neutrino com a matéria com corrente carregada; (2) interação do neutrino com a matéria com corrente neutra; (3) um processo de dispersão; e (4) decaimento do nêutron.

O FIM DO ÁTOMO CLÁSSICO

Túnel do LHC em CERN.

bóson de Higgs existe, ele é parte integral da matéria e está presente em toda parte. A primeira descrição completa da partícula foi dada por Peter Higgs em 1966.

A busca pelo bóson de Higgs exige o uso de colisores em grande escala, como o Grande Colisor de Hádrons (LHC – Large Hadron Collider) no Cern, Suíça, e o Tevatron no Fermilab, EUA. Existem várias maneiras de o colisor de hádrons produzir um bóson de Higgs esmagando prótons juntos a altas velocidades.

Partículas das estrelas

Grandes colisores de hádrons tentam imitar as condições que existiram no início do próprio universo, com as partículas forçadas a se juntar sob imensa pressão. O fato de termos ideia do que pode ter acontecido próximo ao início do universo é o resultado de milhares de anos de observação e da formulação de teorias sobre as estrelas e o espaço, uma atividade que sem dúvida começou antes dos registros históricos de nossos primeiros ancestrais que olhavam maravilhados para o céu e inventavam estórias para explicar o que viam.

RENOMEANDO O NÃO EXISTENTE

Muitos cientistas fazem objeção ao termo popular "partícula de Deus" para designar o bóson de Higgs. A sugestão mais popular em um concurso para dar novo nome a ele em 2009 foi o "bóson garrafa de champanhe", mas outros nomes concorrentes foram "mastodon", "misteron" e "não existon".

CAPÍTULO 6

Tentando alcançar as ESTRELAS

É impossível saber quando os seres humanos olharam pela primeira vez para as estrelas, querendo entendê-las. Alguns ficavam motivados ao ver constelações – no padrão das 4000 estrelas aproximadamente, visíveis a olho nu, e este deve ter sido um pequeno passo para inventar estórias que acompanhassem essas imagens. Algumas dessas histórias se tornaram a base das crenças religiosas e tentaram explicar o inexplicável – a origem do mundo, a razão para as estações, o movimento das estrelas e planetas pelo céu. Outras pessoas, ao que parece, se motivaram a procurar explicações racionais. Elas observavam, contavam, mediam e eventualmente faziam previsões. Sem dúvida, testaram e aprimoraram suas previsões à medida que ao longo do tempo os problemas foram transferidos para seus modelos. Esses primeiros astrônomos foram os primeiros cientistas. Eles não entravam em conflito com as tradições religiosas de suas culturas, mas trabalhavam de mãos dadas com elas, prevendo o movimento de corpos celestes para produzir calendários com aplicações religiosas e também práticas.

A via Láctea = nosso lar no universo, mas apenas uma das centenas de bilhões de galáxias.

Existem 3.000 pedras pré-históricas em Carnac, na França.

Estrelas e pedras

Algumas das estruturas humanas mais antigas podem mostrar evidência de observação cuidadosa do movimento da Lua, estrelas e planetas pelo céu. As 3.000 pedras de Carnac, na França, datam de cerca de 4500-3300 a.C., e podem ter tido significado astronômico. O círculo de pedras em Stonehenge no sul da Inglaterra, erigido 3000-220 a.C., pode ter servido como observatório celeste: o Sol no meio do verão nasce aproximadamente em alinhamento com o eixo central de Stonehenge. A precessão da Terra (a forma como nosso planeta gira sobre seu eixo ao fazer a rotação) significa que Stonehenge teria se alinhado com menos exatidão 4000 atrás do que hoje, mas ainda pode ter fornecido dados astronômicos úteis para serem aplicados à agricultura e a cultos espirituais. Outros investigadores descobriram alinhamentos muito mais exatos com diferentes movimentos celestes, inclusive a Lua e os planetas, e sugeriram que Stonehenge representa o resultado de décadas ou mesmo séculos de observação astronômica.

As Grandes Pirâmides em Giza no Egito são alinhadas com mais exatidão. Concluídas em 2680 a.C., todos os quatro lados das três pirâmides seguem a orientação norte-sul e leste-oeste dentro de uma pequena fração de um grau. As posições das pirâmides podem espelhar as estrelas centrais nas constelações de Orion, com outras pirâmides correspondendo possivelmente a outras estrelas em Orion e o Nilo correspondendo à Via Láctea. O primeiro retrato correto da astronomia do Egito Antigo é o teto da tumba de Senenmut, arquiteto chefe e astrônomo durante o reinado da Rainha Hatchpsut (c.1473-1458 a.C.). Várias construções erguidas pelos maias na América do Sul se alinham ao aglomerado de estrelas Plêiades e à Era Draconis (uma estrela da constelação Draco).

Primeiros observadores das estrelas

Não existem registros contemporâneos que sustentem um uso ou correlação astronômica para Stonehenge e as pirâmides, mas os

Stonehenge, em Salisbury, Inglaterra, pode ter tido usos astronômicos em tempos pré-históricos.

ESTRELAS E PEDRAS

As Grandes Pirâmides em Giza, Egito, parecem estar alinhadas com as estrelas e com os pontos de orientação da bússola.

primeiros astrônomos que deixaram registros datam aproximadamente do mesmo período. Os astrônomos chineses começaram a observar o céu usando observatórios especialmente construídos por volta de 2300 a.C. O primeiro relato de um cometa foi registrado em 2296 a.C., de uma chuva de meteoros em 2133 a.C. e de um eclipse solar em 2136 a.C. A astronomia chinesa serviu à astrologia, e os admiradores do céu precisavam prever eclipses e outros fenômenos celestes a fim de escolher momentos propícios para realizar eventos reais e batalhas, além de prever o futuro sucesso e a saúde do imperador. O fracasso poderia ser fatal – sabe-se de pelo menos dois astrônomos decapitados em 2300 a.C. por fazerem previsões inexatas de um eclipse solar. Uma tumba em um Xishuipo, na província de Henan, datando de cerca de 6000 atrás, continha conchas e ossos formando as imagens de três constelações da astronomia chinesa, o Dragão de Azure, o Tigre Branco e o Dipper do Norte. Ossos do oráculo de 3.200 anos com os nomes de estrelas relacionadas às 28 casas lunares foram preservados. Os chineses acreditavam que os alinhamentos no céu indicavam ou previam acontecimentos significativos na Terra. Do século XVI a.C. até o final do século XIX d.C., quase todas as dinastias designavam autoridades para observar e registrar acontecimentos e alterações astronômicos deixando um registro inestimável para os historiadores de astronomia da atualidade.

Os babilônios ocuparam a área em 1600 a.C., aproximadamente. Seus astrônomos tinham apoio estatal para atividades como elaborar calendários e fazer previsões astrológicas. Eles compilaram catálogos de estrelas e começaram a manter registros, a longo prazo, de movimentos planetares e de eclipses solares e lunares que os ajudavam a fazer previsões aproximadas de eclipses. Eles parecem ter descoberto o ciclo de 223 meses dos eclipses lunares. Por volta de 800 a.C., eles fixaram a localização de Vênus, Júpiter e Marte em relação às estrelas e registraram o movimento retrógrado (para trás) dos planetas.

Os babilônios desenvolveram um calendário de 12 meses com o bônus ímpar, o décimo terceiro mês adicionado ocasionalmente para manter a regularidade dos anos. Em algumas partes da Babilônia, também havia uma semana de sete dias. Os babilô-

153

TENTANDO ALCANÇAR AS ESTRELAS

Constelações chinesas, Dragão de Azure e Tigre Branco, retratadas em ladrilhos.

Ter um sistema para medir ângulos permitiu aos astrônomos babilônios medir o movimento retrógrado dos planetas. Com base em registros mantidos em placas de argila ao longo de séculos, eles puderam prever as posições planetárias e os movimentos retrógrados, mesmo sem entender como ou por que os movimentos aconteciam. Eles não tentaram dar explicações científicas nem modelos, uma vez que suas previsões atendiam apenas a finalidades práticas e religiosas.

nios também dividiram o círculo em 360 graus, e a partir deste eles derivaram uma divisão do dia em 12 "kaspu", durante o qual o Sol variava 30 graus do céu. Eles usavam o arco de um grau como unidade para medir o espaço angular.

Da observação ao pensamento

Enquanto os astrônomos chineses, sumérios e babilônios eram rigorosos no registro das estrelas e acontecimentos, os gregos antigos adotaram uma abordagem mais teórica e científica, tentando explicar e modelar o comportamento dos corpos celestes.

Por volta de 500 a.C., Pitágoras sugeriu que o mundo é um globo, em vez de ser achatado, e no século V a.C., Anaxágoras propôs que o Sol é uma rocha muito quente, e que a Lua é um pedaço da Terra. Em 270 a.C., Aristarco disse que a Terra gira em torno do Sol. Anteriormente, as pessoas acreditavam que a Terra fosse o centro em torno do qual a Lua, o Sol, os planetas e estrelas giravam. Aristarco fez o primeiro

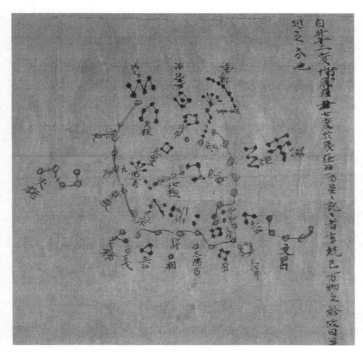

O mapa estelar chinês Dunbuang, criado em 700 a.C.

DA OBSERVAÇÃO AO PENSAMENTO

> *"Então, se parecesse mais provável que o equador do globo terrestre, em um único segundo (ou seja, no tempo em que alguém andando rapidamente é capaz de dar um único passo) pode perfazer um quarto de milha inglesa (sendo 60 milhas equivalentes a um grau de um grande círculo na Terra), ou que o equador do primum mobile naquele mesmo tempo deveria atravessar 5.000 milhas com celeridade inefável... mais rápido que as asas de raios, eles mantêm a verdade que assombra especialmente o movimento da Terra."*
>
> Edward Wright, na introdução ao *De magnete* de William Gilbert (1600), explicando por que é mais provável que a Terra gire em torno de seu próprio eixo que o Sol gire em volta da Terra a cada 24 horas.

cálculo do tamanho do Sol e da Lua e de sua distância da Terra, e concluiu que uma vez que o Sol é muito maior que a Terra, é relativamente improvável que o Sol girasse em volta da Terra, tendo sua órbita subordinada a ela.

Trabalhando a partir do tempo que levava para um eclipse lunar acontecer, Aristarco calculou a distância da Terra até a Lua em cerca de 60 vezes o raio da Terra, o que está de acordo com os dados modernos. Ele decidiu que o Sol está 19 vezes mais longe da Terra que a Lua, e tem cerca de 10 vezes o diâmetro da Terra, embora esses dados não fossem tão exatos. Infelizmente, as conclusões de Aristarco não foram aceitas por seus contemporâneos. Um argumento era que se a Terra se move em torno do Sol, às vezes ele estaria muito além das estrelas e seu tamanho parecia variar. De fato, evidentemente, a Terra está tão longe das estrelas que a distância que a Terra viaja é minúscula em comparação e não faz diferença ao tamanho aparente das estrelas, mas se não fosse este o caso, esse raciocínio faria sentido. Mas tais distâncias eram inconcebíveis naquela época e o modelo de Aristarco foi rejeitado. Levaria 1800 anos até que este fosse aceito.

HIPARCO – O MAIOR ASTRÔNOMO DA ANTIGUIDADE?

O astrônomo grego Hiparco nasceu em Nicea por volta de 190 a.C., mas passou a maior parte de sua vida em Rhodes. Foi chamado o maior astrônomo da Antiguidade, embora muito pouco de seu trabalho tenha sido preservado. Ele é muito conhecido por nós por meio de *Almagest*, de

Hiparco com a esfera armilar inventada por ele.

TENTANDO ALCANÇAR AS ESTRELAS

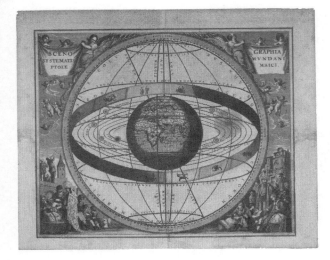

Quadro mostrando o universo de Ptolomeu, com a Terra no centro, 1660-1.

Ptolomeu. Ele se baseou no trabalho de astrônomos babilônios, formando uma ponte entre os acadêmicos da Babilônia e da Grécia dedicados a essa área, e aparentemente usou alguns de seus métodos, bem como os dados coletados por eles.

Hiparco foi um grande observador dos céus e com frequência credita-se a ele a produção do primeiro catálogo detalhado das estrelas. O trabalho chinês *The Gan and Shi Book of the Stars*, escrito durante o século IV a.C., registra as posições de 121 estrelas. Mas Hiparco notou as posições de 850 estrelas visíveis a olho nu, classificando-as em seis grupos de acordo com seu brilho. Esse sistema é usado ainda hoje. Ele levantou uma lista de todos os eclipses que ocorreram nos 800 anos anteriores e notou uma nova estrela na constelação de Escorpião em 134 a.C. Ele também recebeu os créditos por inventar a trigonometria e talvez o astrolábio planisférico. Ptolomeu disse que Hiparco explicou o movimento circular do Sol e da Lua, mas ele não tinha um modelo das trajetórias dos planetas, embora organizasse os dados sobre eles e mostrasse que eles não estavam de acordo com as teorias contemporâneas. Seu feito mais famoso foi discutir como os pontos do solstício e do equinócio se movem lentamente do Leste para o Oeste quando definidos com base em estrelas fixas – conhecidas como a precessão dos equinócios.

Hiparco foi o primeiro a determinar a duração de um ano com exatidão, formando 365 dias, 5 horas e 55 minutos. Ele notou que as estações tinham durações diferentes e calculou a duração do mês com grande exatidão, faltando apenas um segundo.

Ptolomeu com uma esfera armilar.

DA OBSERVAÇÃO AO PENSAMENTO

As esferas de Ptolomeu

Deve ter sido o modelo heliocêntrico de Aristarco que chegou do mundo antigo para nós, mas seu lugar foi tomado por outro descrito por Ptolomeu por volta de 140 d.C. Este não se originou com Ptolomeu – ele estava apresentando o consenso da opinião contemporânea em seu *Mathematical Compilation* (agora conhecido como *Almagest*, após uma corruptela de seu título em árabe). De acordo com Ptolomeu, a Terra situa-se no centro de um grupo de esferas concêntricas. Nessas esferas, a Lua, o Sol, os planetas e as estrelas fixas giram em volta da Terra. Os gregos acreditavam que o círculo fosse uma forma perfeita, e assim como o céu era o âmbito da perfeição, as órbitas devem ser circulares. Contudo, isso não explicava o movimento observado dos planetas.

Para fazer o modelo funcionar, as órbitas circulares dos planetas tinham de se distanciar da Terra. Estava claro de Vênus e Mercúrio estavam em órbita em volta do Sol, logo, no modelo de Ptolomeu, eles seguiam uma trajetória circular em volta do Sol, que fazia uma trajetória circular em torno da Terra. Marte, Júpiter e Saturno – os outros planetas visíveis a olho nu – também giravam em torno de algo, mas que não era o Sol. Ptolomeu identificou pontos vazios que formavam o foco das órbitas desses planetas, e esses pontos vazios giravam em volta da Terra seguindo uma trajetória circular.

UM MODELO MENOS PLAUSÍVEL

Na mitologia hindu, diz-se que o mundo é sustentado no espaço por quatro elefantes, que, por sua vez, estão de pé sobre o casco de uma tartaruga. Não há observação astronômica conhecida que apoie esse modelo. Terry Pratchett tomou emprestado a lenda hindu em seu romance *Discworld*. A resposta à pergunta óbvia do que representa a tartaruga tem sido dada com frequência como "a tartaruga é o retorno ao infinito", uma resposta que tem sido atribuída a muitas fontes.

Esse padrão de órbitas circulares deslocadas explicava, de modo aproximado, a trajetória ligeiramente errante dos planetas, que às vezes parecia voltar para trás (seguir uma trajetória retrógrada). As estrelas fixas podiam ser explicadas mais facilmente – elas se espalhavam por uma esfera distante que girava em volta da Terra, fornecendo um pano de fundo para todo o resto.

Com observações cada vez mais exatas do movimento dos planetas, ficou claro que o modelo de Ptolomeu não explicava plenamente suas trajetórias. Um número cada vez maior de pequenos acertos foi feito para ajustar o modelo e mantê-lo de acordo com as observações, mas eventualmente, após mais de 1.000 anos ele teve de ser abandonado.

TENTANDO ALCANÇAR AS ESTRELAS

BRAHMAGUPTA (598-668 d.C.)

O matemático hindu Brahmagupta nasceu na cidade de Bhinmal em Rajasthan, Noroeste da Índia. Foi chefe do observatório astronômico em Ujjaun, e escreveu quatro textos sobre matemática e astronomia, um dos quais contém o primeiro relato do número zero. Brahmagupta propôs que a Terra gira em torno de seu eixo; demonstrou que a Lua não está mais longe da Terra que o Sol; e afirmou que a Terra é redonda, e não achatada. Para combater as críticas de que se a Terra fosse um globo, tudo cairia, ele descreveu algo próximo da gravidade (veja a citação abaixo). Deu métodos para calcular a posição de corpos celestes e prever eclipses. Foi nos trabalhos de Brahmagupta que os astrônomos árabes tomaram conhecimento da astronomia hindu. Kankah, que veio de Ujjain em 770 d.C. a convite do califa al-Mansur, usou o Brahmasphutasiddhanta de Brahmagupta para explicar a astronomia.

"Todas as coisas pesadas são atraídas para o centro da Terra... A Terra é a mesma em todos os lados; todas as pessoas na Terra ficam de pé e todas as coisas pesadas caem na Terra pela lei da natureza, pois é da natureza da Terra atrair e manter as coisas, como é da natureza da água fluir, do fogo queimar, e do vento colocar em movimento... A Terra é a única coisa que fica abaixo, e as sementes sempre caem nela, seja qual for a direção de onde você atirá-las, e elas nunca sobem, da terra para cima."

Brahmagupta, Brahmasphutassiddhanta, 628 d.C.

PARA DENTRO E PARA FORA DA ESCURIDÃO

Com o declínio do mundo helênico, a astronomia entrou em seu próprio período de eclipse. Não há grandes astrônomos romanos, e pouco progresso foi feito antes do aparecimento da ciência árabe e a fundação da escola de astronomia de Baghdad em 813 d.C. por al-Ma'mun.

Enquanto nada estava acontecendo na Europa e Norte da África, os astrônomos hindus estavam fazendo e gravando observações que mais tarde alimentariam a astronomia árabe. O primeiro texto hindu sobre as estrelas, o Vedanga Jyotisa, data em torno de 1200 a.C., mas é um trabalho astrológico, não astronômico, e seus usos eram principalmente religiosos. O Aryabhatiya, de 476-550 d.C., foi o primeiro texto verdadeiramente astronômico a circular na Índia. Teve uma influência nos escritores árabes posteriores e é o primeiro a estabelecer o início do dia à meia-noite. Afirma que o mundo gira sobre seu eixo, e é por isso que as estrelas parecem se mover pelo céu e que a Lua é iluminada ao ser refletida pela luz do Sol.

ASTRONOMIA ÁRABE

Os astrônomos árabes foram os primeiros a aplicar a matemática consistentemente ao movimento das estrelas e planetas. Os astrônomos islâmicos foram impelidos pela necessidade de ter um calendário confiável, pois precisavam identificar com exatidão os horários para orações ao amanhecer, ao meio-dia, à tarde, ao pôr do sol e à noite, e serem capazes de determinar a direção de sua cidade sagrada Meca de qualquer lugar. Eles olhavam para o céu para ajudar nessas tarefas, seguindo as recomendações do Corão para usarem as estrelas para navegação: "Foi Ele quem organizou as estrelas para

DA OBSERVAÇÃO AO PENSAMENTO

Mapa celeste árabe para o hemisfério norte, 1275.

que os guiem na escuridão da terra e do mar". O Corão também encorajava a confiança em dados empíricos e as evidências dos sentidos, enquanto os pensadores gregos colocavam mais ênfase na razão. A injunção do Corão de observar, raciocinar e contemplar levou a uma aproximação do método científico.

O Islã, em geral, se opõe ao uso da astrologia para fins de previsão. Quando um eclipse ocorreu durante a morte do filho de Maomé, ele desencorajou os observadores de tirarem conclusões sobre Deus dizendo: "Um eclipse é um fenômeno da natureza e não tem relação com o nascimento ou a morte de um ser humano". Isso diferenciou a astronomia árabe das tradições hindu e chinesa, ambas as quais colocavam a astronomia a serviço da astrologia e da previsão do futuro.

Desde 700-825 d.C., aproximadamente, a maioria dos astrônomos árabes concentrou-se em assimilar e traduzir trabalhos astronômicos dos gregos, hindus e persas pré-islâmicos (*Sassanids*). Seu próprio esforço começou aproximadamente quando o califa al-Ma'mun estabeleceu a Casa da Sabedoria em Baghdad. A chegada do papel da China ao Iraque durante o século VIII, muito antes de chegar à Europa, tornou extremamente fácil coletar e disseminar conhecimento, e de 825 d.C. até o saque de Baghdad pelos mongóis em 1258, a Casa da Sabedoria foi o centro intelectual do mundo.

O primeiro trabalho original muçulmano de astronomia foi o *Zij al-Sindh*, escrito por Muhammed ibn Musa al-Khwarizimi (c.780-c.850) em 830 d.C. Consiste de tabelas para os movimentos do Sol, da Lua e os cinco planetas conhecidos. Al-Khwarizimi é lembrado basicamente como um matemá-

A obrigação de orar na hora certa levou os árabes ao desenvolvimento do calendário e, portanto, da astronomia.

TENTANDO ALCANÇAR AS ESTRELAS

A nebulosa do Caranguejo foi criada por um evento da supernova testemunhada pelos astrônomos em 1054.

tico (a forma latinizada de seu nome, Algoritmi, nos deu o termo "algoritmo"), e os avanços árabes em matemática certamente auxiliaram o estudo da astronomia. Ele também aprimorou o relógio solar e inventou o quadrante, usado para medir ângulos. Perto de 825-835 d.C., Habash al-Hasib al--Marwazi produziu *The Book of Bodies and Distances*, em que aperfeiçoou as estimativas de algumas distâncias astronômicas. Ele deu o diâmetro da Lua como 3.037 km (na verdade é 3.470 km) e sua distância da Terra como 346.344 km (é 384.402 km). Em 964, o astrônomo persa Abd al-Rahman al-Sufi (903-986) registrou observações e desenhos das estrelas, dando suas posições, magnitudes, brilho e cor. Seu livro inclui as primeiras descrições e figuras da galáxia Andrômeda. Em 1006, o astrônomo egípcio Ali ibn Ridwan (988-1061) descreveu a supernova de maior brilho registrada na história, dizendo que era de duas a três vezes maior que Vênus e com um quarto do brilho da Lua. Ela também foi descrita por astrônomos na China, Iraque, Japão, Suíça e talvez pelo povo indígena na América do Norte.

Os avanços que os astrônomos árabes podiam fazer eram gravemente limitados por sua convicção de que a Terra estava no centro do sistema celeste e que o infinito era impossível. Entretanto, Ja'far Muhammad ibn Musa ibn Shakir sugeriu, no século IX d.C., que os corpos celestes observam as mesmas leis físicas que operam na Terra (ao contrário da crença dos antigos), e no século XI, Ibn al-Haytham fez a primeira tentativa de aplicar o método experimental à astronomia. Ele usou aparato especial para testar como a Lua refletia a luz do Sol, variando a montagem de seu equipamento e gravando os efeitos. Ele sugeriu que o meio dos céus é menos denso que o ar e refutou a visão de Aristóteles de que a Via Láctea é um fenômeno da atmosfera superior. Ao medir sua paralaxe, ele deduziu que ela está muito longe da Terra. Foi al-Biruni que descobriu, no mesmo século, que a Via Láctea é formada por estrelas. Ele também descreveu a gravidade como "a atração de todas as coisas para o centro da Terra", e disse que a gravidade existe dentro dos corpos celestes e das esfe-

DA OBSERVAÇÃO AO PENSAMENTO

PRIMEIRAS FERRAMENTAS DO OFÍCIO

As ferramentas astronômicas mais antigas que conhecemos são placas de argila da Babilônia mostrando três círculos concêntricos divididos em 12 seções. Cada um desses 36 campos mostra os nomes de constelações e números simples, que podem representar os meses do calendário babilônico. Um astrolábio representa as posições dos planetas e estrelas, com base na suposição de que a Terra está no centro do universo. Os astrolábios provavelmente foram desenvolvidos antes do século I d.C., embora o primeiro instrumento preservado seja árabe e date de 927-8 d.C. A tradição islâmica explica as origens do astrolábio: Ptolomeu estava montado em um burro enquanto olhava para seu globo celeste. Ele derrubou o globo e o burro pisou nele, achatando-o e dando, assim, a ideia para o astrolábio a Ptolomeu.

Uma esfera armilar é um equivalente tridimensional de um astrolábio, representando os planetas e estrelas em uma série de anéis concêntricos com a Terra no centro.

Um quadrante é usado para medir a elevação de um corpo acima do horizonte. O primeiro quadrante registrado é mencionado por Ptolomeu por volta de 150 d.C. Os astrônomos islâmicos construíram grandes quadrantes, mas o mais famoso foi aquele usado por Tycho Brahe (1546-1601) em seu observatório em Uraniborg, na ilha dinamarquesa de Hven.

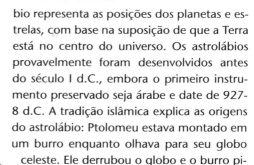

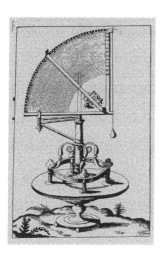

Antigas ferramentas astronômicas (no sentido horário, de cima): astrolábio, esfera armilar, quadrante.

TENTANDO ALCANÇAR AS ESTRELAS

ras celestiais (ainda trabalhando com o modelo ptolomaico do universo). Al-Haytham propôs que a Terra gira em volta de seu eixo, uma ideia que foi colocada anteriormente pelo hindu Brahmagupta. Al-Biruni não viu problemas matemáticos na rotação da Terra quando comentou sobre os escritos de Brahmagupta em 1030.

Como acontece com outros aspectos da ciência islâmica, a investigação rigorosa em astronomia era desencorajada no Islã, se considerada como uma tentativa de conhecer a mente de Deus. Talvez a contribuição mais significativa dos acadêmicos árabes dos séculos VIII ao XII tenha sido aperfeiçoamentos em instrumentos astronômicos e avanços nos cálculos matemáticos. Estes prepararam terreno para os astrônomos europeus da Renascença que reescreveriam o livro dos céus.

A GRANDE ESTRELA CONVIDADA

Por 23 dias a começar em julho de 1054, uma estrela tão brilhante que podia ser vista à luz do dia brilhou no céu. Os astrônomos chineses referiam-se a ela como uma "estrela convidada" na constelação de Taurus, registrando que seu brilho amarelo era quatro vezes mais brilhante que Vênus. Ela permaneceu visível durante 653 dias.

OS MAIAS, DE OLHO CLÍNICO

O *Dresden Codex* é um texto maia produzido na América do Sul no século XI ou XII. Registra com exatidão surpreendente observações provavelmente feitas 300 ou 400 anos antes, da Lua e de Vênus. Vênus era o corpo celeste mais importante para os maias depois do Sol. Os maias também pareciam saber da existência da nebulosa difusa no coração da constelação de Orion: ela era descrita em estórias tradicionais e representada com o uso de fuligem em locais onde se faziam fogueiras. São a única civilização conhecida por ter descoberto essa característica de Orion sem o uso de telescópios.

A TERRA SE MOVE – NOVAMENTE

O poeta japonês Sadie Fujiwara escreveu sobre a estrela, e ela foi registrada em potes de cerâmica pelos artistas nativos americanos Anasazi e Mimbres. A "estrela convidada" era a supernova que criou a nebulosa do Caranguejo. Depois do desaparecimento da nova estrela do céu noturno, ela não foi vista novamente por quase 700 anos, quando o médico e astrônomo inglês John Bevis (1695-1771) descobriu a nebulosa em 1731 usando um telescópio.

> *"Deus, ao criar o mundo, moveu cada um dos globos celestiais como quisera, e para movê-los imprimiu neles ímpetos sem que precisasse movê-los mais... E aqueles ímpetos que ele imprimiu nos corpos celestiais não diminuíram nem foram afetados depois, porque não havia tendência dos corpos celestiais para outros movimentos. Nem havia resistência que fosse destrutiva ou repressiva daquele ímpeto."*
> Jean Buridan, filósofo francês do século XIV.

A Terra se move – novamente

Quase 2.000 anos depois de Aristarco ter sugerido pela primeira vez que a Terra se move em volta do Sol, a ideia reapareceu. No mundo cristão, esta era uma proposição perigosa, pois a Igreja ensinou que o céu era perfeito e imutável, que o homem era o pináculo da criação e estava no centro do plano de Deus. Como, então, a Terra poderia ser um lugar subserviente, movendo-se em volta do Sol? A ideia era uma heresia e gerou problemas de imediato. Houve problemas com o modelo de Ptolomeu, o mais significativo dos quais era que a distância exigida da Terra até o foco da órbita da Lua era tão grande que a Lua deveria estar bem mais perto da Terra em alguns momentos que em outros – de fato, o suficiente para parecer notavelmente maior. Esse problema, e outras observações que lançam dúvidas ao modelo de Ptolomeu, foi revelado em 1496 pelo matemático e astrônomo alemão Johannes Miller (1436-1476), conhecido por seu nome latinizado Regiomantus. O homem que ousou questionar o modelo ptolomaico foi Copérnico – Mikolay Kopernik –, um astrônomo polonês que não se preocupava com observações, mas decidiu que seria uma solução mais acertada se a Terra girasse em torno do Sol, e não vice-versa. Copérnico questionava particularmente os epiciclos, ou pequenas órbitas chamadas "laçadas", que os planetas precisavam seguir no modelo ptolomaico para explicar seus movimentos observados, e buscou um sistema em que houvesse um único centro fixo do universo.

Embora Copérnico concluísse seu raciocínio sobre o universo centrado no Sol em torno de 1510, ele foi cauteloso e comunicou isso apenas a algumas pessoas antes de publicar seu trabalho fundamental *De Revolutionibus Orbium Coelestium* (*Sobre Revolução*

Copérnico

das Esferas Celestes), em 1543. O impressor, Rheticus, estava preparando o livro de Copérnico quando teve de sair de Nuremberg. O trabalho foi passado para um luterano, Andreas Osiander, que acrescentou um prefácio afirmando que Copérnico não queria dizer que o Sol era *literalmente* o centro do universo, ele estava apresentando apenas um modelo matemático que ajudava a explicar observações. O prefácio pretendia evitar críticas à Igreja, mas de fato a Igreja Católica prestou pouca atenção ao livro e só os luteranos fizeram objeção a ele. Copérnico morreu no ano em que o livro foi publicado e pôde ver nenhum exemplar. Seu livro foi amplamente ignorado, e a impressão de 400 cópias nem mesmo foi vendida, apesar de ter sido considerado, desde então, o texto que iniciou a astronomia moderna e ajudou a desencadear a revolução científica.

Embora melhor que as esferas de Ptolomeu, o modelo de Copérnico ainda apresentava alguns problemas. Considerava que as estrelas fixas estavam em uma esfera invisível além do planeta mais distante. Para que as estrelas parecessem imóveis, precisavam estar muito distantes. Hoje, este conceito não nos incomoda, mas no século XVI ele questionou imediatamente por que Deus desperdiçaria tanto espaço vazio entre o planeta mais distante e as estrelas fixas. Outro problema era que se a Terra se movia, por que os oceanos não inundavam os continentes e as construções não tremiam, desmoronando? No entanto, ao contrário do modelo de Ptolomeu, o modelo de Copérnico explicava os movimentos observados dos planetas sem recorrer a artifícios complexos.

A explicação de Copérnico colocou os planos em dois grupos, com Mercúrio e Vê-

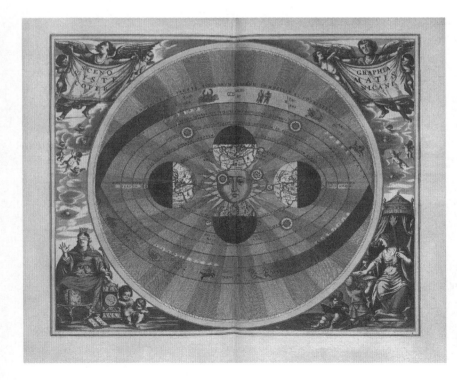

O modelo do sistema solar de Copérnico, com os planetas girando na órbita do Sol.

A TERRA SE MOVE – NOVAMENTE

O UNIVERSO EXPANDINDO, A TERRA ENCOLHENDO

Todos nós lutamos para nos colocar no centro das coisas. A inquietação que resultou quando se descobriu que a Terra não estava no centro do sistema solar foi imensa. No entanto, os astrônomos supunham que o sistema solar fosse importante no universo. Astrônomos que viveram bem mais tarde, que reconheceram que a Via Láctea era uma galáxia, supuseram que o Sol estava próximo de seu centro, e que a Via Láctea estava no centro do universo – de fato, ela *era* o universo. A descoberta de que a Via Láctea era uma galáxia que contém bilhões de estrelas, que o universo contém bilhões de galáxias, que o sistema solar não é central na galáxia da Via Láctea, nem a Via Láctea está no centro do universo deu outros golpes à noção do "eu" da humanidade. Somos, sem dúvida, seres insignificantes em um ponto insignificante de um planeta, em um sistema solar comum que faz parte de uma galáxia comum – nada de especial.

nus mais perto do Sol que da Terra, e Marte, Júpiter e Saturno mais longe. (Os outros planetas eram desconhecidos na época.) Copérnico também calculou quanto tempo cada planeta levava para completar a órbita em volta do Sol, e as distâncias relativas dos planetas até o Sol. Esses cálculos correspondiam a seu agrupamento relativo à órbita da Terra, fornecendo evidências fortes em favor de seu modelo.

TUDO MUDA

Tycho Brahe foi uma figura brilhante, um aristocrata sequestrado quando bebê que mais tarde perdeu parte do nariz em um duelo e usava uma prótese de ouro e prata. Desde cedo ficou obcecado pelas estrelas, e percebeu que observações consistentes, exatas, devem formar a base de qualquer conjunto de previsões. Em 1569, ele fez um quadrante gigantesco, com um raio aproximado de 6 m. O aro era calibrado em minutos e permitia medições bem exatas. Ele o usou até que foi destruído em uma tempestade em 1574.

Em 1572, Tycho observou o que parecia ser uma nova estrela muito brilhante na constelação de Cassiopeia. Como se supunha que o céu fosse fixo para toda a eternidade, esta era uma causa de certa consternação, e ele registrou sua posição durante meses para determinar se era um cometa que se moveria em relação às estrelas fixas. Ele a observou durante 18 meses, nesse período ela deixou de ser mais brilhante que Vênus para se parecer com uma estrela comum, mas não mudou sua posição. Quando ele publicou seu relato em *De Nova Stella*, cunhou um novo termo apara a astronomia – nova. Tycho estudou seus dados para evidência da paralaxe que seria esperada se a Terra se movesse em volta do Sol. Paralaxe é a mudança evidente da posição de uma estrela próxima contra o fundo de estrelas mais distantes, quando vista de dois pontos diferentes. Como não encontrou nada, Tycho interpretou suas observações como uma negação do modelo heliocêntrico de Copérnico.

Por mais que sua abordagem fosse científica, Tycho ainda achava que os eventos no céu pressagiavam mudanças maiores na Terra e pensava que os fenômenos celestes fossem responsáveis pelas guerras religiosas que estavam ocorrendo na época. Ele também não aceitava que a Terra se movia. Se a Terra estava se movendo pelo espaço, ele afirmava, uma pedra derrubada de uma torre cairia a uma distância do pé da torre, porque a Terra teria se movido, deixando a pedra para trás. Evidentemente, isso foi refutado por Gassendi em 1640 (veja a página 84).

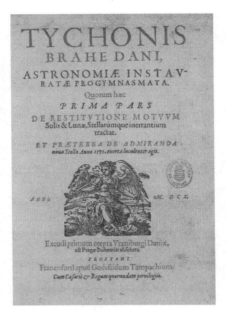

Tratado astronômico de Tycho Brahe, mostrando seu modelo do sistema solar.

Anos mais tarde, em 1577, Tycho fez outra observação que mudaria a Terra, dessa vez de um cometa. Suas observações revelaram que o cometa não poderia ser um fenômeno local, viajando muito perto da Terra e provavelmente mais perto da Lua. Em vez disso, ele devia viajar entre os planetas. Isso significava que a ideia de Ptolomeu de esferas de cristal abrigando os planetas e estrelas fixas precisava ser abandonada, pois o cometa colidiria com elas. Era quase tão revolucionária quanto o conceito de uma nova estrela.

Tycho publicou seu livro em 1587-1588, estabelecendo seu próprio modelo do universo. Ele era um tanto híbrido, mantendo a Terra ptolomaica estática no centro do universo, mas tendo os outros planetas girando na órbita do Sol, que girava em volta da Terra.

Isso descartou a necessidade de "deferentes" e "epiciclos", necessários para fazer o modelo de Ptolomeu funcionar. O mais importante, no entanto, era que ele rejeitava a ideia de esferas de cristal e, pela primeira vez, os planetas estavam soltos no espaço, sem apoio.

Johannes Kepler (1571-1630)

Um pouco mais jovem que Tycho, Johannes Kepler foi outro astrônomo prodígio, embora tenha sido forçado a tomar uma abordagem diferente. O entusiasmo de Kepler pela astronomia foi estimulado desde criança, quando sua mãe o levou a um lugar alto para ver o Grande Cometa de 1577 (o mesmo que levou Tycho a realizar seu trabalho sobre cometas). Kepler, no entanto, não conseguiu fazer observações astronômicas por ter a vista fraca, uma vez que foi afetada quando ele teve catapora. Em vez disso, ele aplicou cálculos matemáticos ao estudo das estrelas. Kepler foi seminarista, mas seu curso em Tubingen, Alemanha, incluiu as disciplinas de matemática e astronomia, nas quais ele se destacou. Seu tutor, Michael Maestlin, ensinava oficialmente o modelo Ptolomaico, mas introduziu aos seus alunos prediletos a astronomia de Copérnico.

Kepler não tinha uma renda que lhe desse independência, e uma das maneiras de ganhar dinheiro extra era fazendo horóscopos. Diferentemente de Tycho, que levava a sério a ligação entre acontecimentos terrestres e celestes, Kepler considerava os horóscopos como um lixo e referia-se a seus clientes como "cabeçudos". Apesar disso, os horóscopos lhe forneceram uma renda útil e o mantiveram em boa situação financeira.

Kepler desenvolveu seu próprio modelo do universo, publicado em 1597, que combinava algo de Copérnico com ideias de alguns físicos gregos arcanos, em uma fusão bizarra. Kepler sugeriu que os seis planetas (incluindo a Terra) ocupavam órbitas que eram definidas por um conjunto de esferas aninhadas dentro e entre os cinco sólidos geométricos definidos pela geometria euclidiana. Embora isso em si não fosse particularmente significativo, ele deu uma sugestão mais importante: que os planetas eram dirigidos por um "vigor" que emanava do Sol, mas com impacto reduzido à medida que a distância do Sol aumentava. Esta foi a primeira vez que a força física foi citada como fonte do movimento dos planetas, se não incluirmos a ideia de que eles eram empurrados por anjos.

Dois por um: os astrônomos em Praga

Em 1597, Tycho mudou-se para Praga para se tornar o Astrônomo Imperial oficial do Rei da Boêmia e do Santo Imperador Romano Rudolph (Rodolfo) II. Foi lá, em 1600, que Kepler conheceu Tycho. Embora Tycho tivesse acumulado uma quantidade prodigiosa de dados, ele não tinha habilidade em matemática para usá-los. Kepler tinha a capacidade matemática, mas não tinha dados para trabalhar. Esta parecia uma associação perfeita, mas o relacionamento deles não era fácil. Tendo visitado Tycho, Kepler voltou para a casa de sua família em Graz, Áustria, enquanto Tycho deveria arranjar, com o Imperador Rodolfo, recursos para o trabalho de

Tycho Brahe

TENTANDO ALCANÇAR AS ESTRELAS

Astrônomo do século XIX com telescópio ótico.

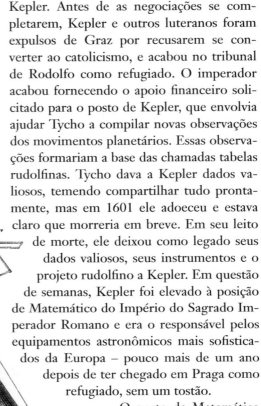

Kepler. Antes de as negociações se completarem, Kepler e outros luteranos foram expulsos de Graz por recusarem se converter ao catolicismo, e acabou no tribunal de Rodolfo como refugiado. O imperador acabou fornecendo o apoio financeiro solicitado para o posto de Kepler, que envolvia ajudar Tycho a compilar novas observações dos movimentos planetários. Essas observações formariam a base das chamadas tabelas rudolfinas. Tycho dava a Kepler dados valiosos, temendo compartilhar tudo prontamente, mas em 1601 ele adoeceu e estava claro que morreria em breve. Em seu leito de morte, ele deixou como legado seus dados valiosos, seus instrumentos e o projeto rudolfino a Kepler. Em questão de semanas, Kepler foi elevado à posição de Matemático do Império do Sagrado Imperador Romano e era o responsável pelos equipamentos astronômicos mais sofisticados da Europa – pouco mais de um ano depois de ter chegado em Praga como refugiado, sem um tostão.

O posto de Matemático do Império envolvia ser astrólogo de Rodolfo, por isso Kepler tinha de passar boa parte de seu tempo em atividades que ele sabia serem inúteis e pura invenção. Mesmo assim, para o resto de sua vida Kepler pôde trabalhar com seus cálculos, que o levaram a descobertas importantes como que cada planeta gira em torno da órbita do Sol seguindo uma trajetória elíptica com o Sol no foco da elipse, e que os planetas se movem mais rapidamente quando estão mais próximos do Sol. As descobertas de Kepler não o tornaram uma sensação do dia para a noite, e de fato tiveram um impacto relativamente pequeno. Muitas pessoas ainda não aceitavam que a Terra não está no centro do universo. Foi somente quando Isaac Newton tomou o trabalho de Kepler e explicou, usando a gravidade, por que as órbitas dos planetas são elípticas, que o significado de sua descoberta tornou-se claro.

O tumulto religioso, a agitação e tragédias pessoais intercederam para deter o trabalho de Kepler. Sua esposa morreu (mais tarde ele se casou de novo) e então sua mãe foi julgada por bruxaria, embora liberada depois de passar vários meses na cadeia.

Sua terceira e última lei, que lhe ocorreu em 1618, descreve como o quadrado do tempo que leva um planeta para girar pela órbita do Sol é proporcional ao cubo de sua distância do Sol. Por exemplo, Marte está 1,52 vezes mais longe do Sol que a Terra, e seu ano é 1,88 anos Terra: $1,52^2 = 3,53 = 1,88^3$. As tabelas rudolfinas, finalmente publicadas em 1627, foram as primeiras tabelas astronômicas modernas. Elas usaram os logaritmos recém-descobertos desenvolvidos pelo matemático e astrônomo escocês John Napier (1550-1617), que podiam ser empregados para determinar as posições dos planetas a qualquer momento no passado ou no futuro.

Telescópio acromático, meados do século XVIII (esquerda); réplica do telescópio refletor de Newton, 1672 (direita).

O invisível torna-se visível

Enquanto Tycho Brahe trabalhava sem telescópio, medindo as posições das estrelas e planetas com bússolas e quadrantes, a partir de 1610, Kepler tinha um telescópio que podia usar – mandado por Galileu, para que ele confirmasse as próprias observações de Galileu. Para os astrônomos, o mundo – e o universo – mudou com a invenção do telescópio. De repente, a diferença entre estrelas e planetas ficou evidente. Descobriu-se que alguns planetas tinham suas próprias luas, e a possibilidade de elas poderem ser outros mundos surgiu. A Via Láctea se revelou um conjunto de estrelas, e estas se tornaram realmente incontáveis.

O primeiro telescópio astronômico foi feito por Leonard Digges (1520-1559) na

TENTANDO ALCANÇAR AS ESTRELAS

Inglaterra no início dos anos 1550, mas este não chamou a atenção do público até que seu filho Thomas (1546-1595) publicou seu trabalho sobre o telescópio em 1571, 12 anos depois da morte de Leonard. Thomas tinha apenas 13 anos quando seu pai faleceu e foi criado por John Dee (1527-1609), o matemático, filósofo, alquimista e astrólogo da corte da Rainha Elizabeth I. Isso deu a Thomas acesso à magnífica Biblioteca de Dee, onde ele leu o livro de Copérnico. Em 1576, Thomas publicou seu próprio trabalho mais importante, uma edição revisada de *Prognostication Everlasting*, de seu pai. Ele acrescentou não só um relato do modelo de Copérnico de um universo centrado no Sol, mas sua própria teoria de que o universo é infinito. Rejeitando a ideia de estrelas fixas em uma esfera distante, Thomas Digges propôs um espaço infinito em que as estrelas continuavam para sempre. Ele não citou evidências dessa teoria, mas parece provável que seu uso do telescópio e a percepção de que a Via Láctea é um grupo de estrelas o levaram a essa conclusão. Uma vez que Digger publicou em inglês, e não em latim, suas ideias foram acessíveis a muito mais pessoas, e a popularidade do modelo de Copérnico se espalhou.

Quase no mesmo período, no entanto, a Igreja Católica começou a atentar para a ideia potencialmente herege de um universo centrado no Sol. A fonte de sua animosidade parece ter sido que o modelo era defendido por Giordano Bruno, queimado por heresia em 1600. Bruno foi seguidor de um movimento religioso chamado Hermetismo, baseado em crenças egípcias antigas de que o Sol é um deus e deveria ser adorado. Sua atração por um modelo heliocêntrico do universo foi natural. A defesa do modelo de Copérnico por ele atraiu a atenção da Igreja, mas a crença popular de que ele teria sido queimado por defender o modelo de Copérnico não tem fundamento. Ele foi condenado realmente por acreditar que Cristo foi criado por Deus, não sendo ele próprio Deus (Arianismo), e pela prática da magia. Entretanto, o apoio do modelo heliocêntrico por Bruno aumentou a hostilidade da Igreja com ele, e por extensão com a teoria do universo infinito de Digges. Apesar de suas ideias religiosas malucas, Bruno teve *insights* bem à frente de seu tempo como astrônomo. Ele sugeriu que as estrelas distantes podiam ser como o nosso Sol, poderiam ter mundos próprios e que estes podiam até ser o lar de seres tão gloriosos quanto a espécie humana.

GALILEU NO ESPAÇO

A NASA lançou uma nave espacial chamada Galileo em homenagem a ele em 1989, a qual entrou em órbita em volta de Júpiter em 1995. Em rota, a nave Galileo passou pelo cinto de asteroides onde descobriu uma Lua em miniatura chamada Dactyl, em órbita em volta do asteroide Ida. Em 1994, Galileo fotografou fragmentos do cometa Shoemaker-Levy ao se chocar com Júpiter. Uma sonda solta na atmosfera de Júpiter registrou ventos em torno de 720 km/h antes de ser destruída pela atmosfera Joviana. Galileo fez 11 órbitas, registrando dados sobre o planeta e suas luas em sua missão básica. A missão da nave foi estendida e ela estudou Io, a lua vulcânica de Júpiter, e sua lua gelada Ganymede. Galileo foi destruída deliberadamente em 2003, sendo queimada na atmosfera de Júpiter

GALILEU, MESTRE DO UNIVERSO

O asteroide Ida com sua lua minúscula, Dactyl. Ida tem 56 quilômetros de comprimento e Dactyl tem apenas 1,6 quilômetro.

Galileu, mestre do universo

O primeiro grande usuário do telescópio foi, sem dúvida, Galileu. Ele se dedicou à astronomia em 1604, estudando a supernova que Kepler tinha observado. Ele estabeleceu que ela não se movia e, por isso, devia estar tão distante quanto as outras estrelas. Galileu fez seus próprios telescópios, que eram muito potentes para a época (veja a página 51). Em 1610, ele tinha um instrumento com capacidade de aumento de 30 vezes, com o qual observou as quatro luas mais brilhantes de Júpiter (agora chamadas de "luas de Galileu"). A maior das luas de Júpiter, agora chamada Ganymede, foi aparentemente localizada pelo astrônomo chinês Gan De em 364 a.C. (a olho nu). Primeiro Galileu pensava que elas fossem "estrelas fixas" próximas a Júpiter, mas fez nova observação e esta mostrou que elas se moviam. Quando uma desapareceu, ele percebeu que ela tinha ido para trás de Júpiter, e logo devia girar na órbita do planeta. Estes foram os primeiros corpos identificados como girando em volta da órbita de outra coisa que não o Sol ou a Terra, e o impacto na cosmologia contemporânea foi imenso. Até 1892, não foram encontradas mais luas Jovianas, embora agora existam 63 conhecidas com a órbita relativamente estável em volta do planeta, e mais luas pequenas podem ser encontradas.

Também em 1610, Galileu observou as fases de Vênus (parecidas às fases da lua). Isso provou conclusivamente que o planeta deve girar em volta da órbita do Sol e que as fases se devem à maneira como várias partes são iluminadas pelo Sol durante as fases de sua órbita. Como resultado, a maioria dos astrônomos trocou sua aliança do modelo ptolomaico para o heliocêntrico durante o início do século XVII.

Todavia, isso não foi tudo. Galileu também observou os anéis de Saturno, embora não fosse capaz de identificar o que eram. Ele percebeu que a Via Láctea, na verdade, é um conjunto incontável e maciço de estrelas, viu que a Lua tem crateras e montanhas, observou manchas solares e distinguiu entre planetas e estrelas. Ele afirmou que as estrelas são sóis distantes e fez estimativas de sua distância da Terra com base em seu brilho

TENTANDO ALCANÇAR AS ESTRELAS

relativo. Embora ele colocasse as estrelas mais próximas apenas várias centenas de vezes a distância da Terra do Sol, e aquelas visíveis ao telescópio vários milhares de vezes a distância entre a Terra e o Sol (bem aquém das distâncias reais, evidentemente), esses dados puseram em ridículo os argumentos contra o modelo de Copérnico de que as estrelas podiam não estar tão distantes. Ele deixou claro também que as estrelas não estão todas a uma distância fixa, mas espalhadas pelo espaço. Em *Sidereus Nuncius* (*Mensageiro Estrelado*) publicado em 1610, ele declarou que os planetas seriam discos quando vistos pelo telescópio, enquanto as estrelas permanecem pontos de luz. Ele observou Netuno, mas não percebeu que este era um planeta. Ele até identificou manchas solares, que também foram vistas pelo astrônomo alemão Johan Fabricius (1587-1616) e pelo astrônomo inglês Thomas Harriot (1560-1621), e concluiu que o Sol gira em torno de seu eixo a cada 25 dias. As manchas solares viriam a ter mais significado para a vida de Galileu do que mereciam.

CRUZANDO ESPADAS COM DEUS

As observações de Galileu forneceram amplas evidências em favor do modelo de Copérnico de um sistema solar heliocêntrico e do movimento terrestre, mas Galileu não queria apoio público para esse modelo, ansioso por causa do destino de Giordano Bruno. Primeiro, a Igreja ficou interessada e até mesmo en-

> **EPPUR SI MUOVE**
>
> Costuma-se dizer que Galileu, depois de renunciar à sua crença de que a Terra se move em torno do Sol, teria murmurado "eppur si muove" – "no entanto, ela se move". A fonte mais antiga disso é de um século depois de sua morte, e é improvável que ele tivesse feito algo tão provocativo frente à Inquisição.

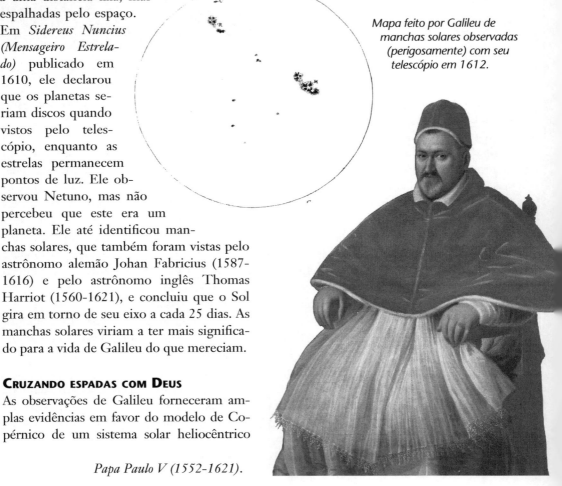

Mapa feito por Galileu de manchas solares observadas (perigosamente) com seu telescópio em 1612.

Papa Paulo V (1552-1621).

172

GALILEU, MESTRE DO UNIVERSO

> **BESTSELLER DE 1610**
>
> Galileu enviou uma cópia de *The Starry Messenger* (*O Mensageiro Estrelado*) para a corte em Florença em 13 de março de 1610. Em 19 de março, a impressão de 550 cópias se esgotou. O livro foi traduzido para muitas outras línguas imediatamente, e em cinco anos estava disponível até em chinês!

tusiasmada com as descobertas de Galileu. Ele visitou o Papa Paulo V em 1611, e uma subcomitiva de padres jesuítas endossou suas descobertas de que a Via Láctea é uma vasta coleção de estrelas, Saturno tem uma forma oval estranha com protuberâncias laterais (elas não foram identificadas como anéis), a Lua tem uma superfície irregular, Júpiter tem quatro luas e Vênus tem fases. O comitê não comentou sobre as implicações das descobertas. Enquanto estava em Roma visitando o papa, Galileu tornou-se membro de uma das primeiras sociedades científicas do mundo, a Academia Lyncean, e em um banquete em sua homenagem, o nome "telescópio" foi sugerido pela primeira vez para o novo instrumento astronômico.

No entanto, o bom relacionamento de Galileu com a Igreja não duraria. Ele produziu um panfleto sobre manchas solares em que fez sua única declaração publicada a favor do modelo de Copérnico. Ela atraiu a atenção da Igreja e, quando visitou Roma em 1615, o papado montou uma inquisição sobre crenças copérnicas e concluiu que elas eram "tolas e absurdas... e formalmente hereges". Logo depois, Galileu foi informado que não devia ter, defender e nem ensinar crenças copérnicas, e que ele enfrentaria a Inquisição se desobedecesse. Ele acatou a advertência, no início. Em 1629, Galileu escreveu seu *Dialogue of the Two Chief World Systems* que apresentava os modelos de Copérnico e de Ptolomeu na forma de um diálogo imaginário entre defensores de cada sistema. Ele publicou com a permissão da igreja, sob a condição de que não defenderia as ideias de Copérnico. A censura papal insistiu em um prefácio e uma declaração final dizendo que a visão de Copérnico foi dada como hipótese e avisou que Galileu podia mudar a formulação da frase contanto que seu significado permanecesse o mesmo. As mudanças que Galileu fez ao prefácio, e o fato de o personagem do livro chamado Simplício apoiar o modelo de Ptolomeu e ser claramente um simplório, levaram o Papa Urbano VIII a acreditar que Galileu estava se divertindo à custa dele e promovendo o Copernianismo.

> **POR TRÁS DOS TEMPOS**
>
> *O Diálogo* e *De Revolutionibus* de Copérnico permaneceram no índice de livros proibidos da Igreja Católica mesmo depois da proibição geral de livros que ensinam o heliocentrismo ter sido suspensa em 1758. Em 1820, a censura da Igreja recusou uma licença para um livro que tratava o heliocentrismo como um fato estabelecido. Um apelo contra a decisão conseguiu a sua revogação, e tanto o livro de Galileu quanto de Copérnico foram removidos do índice na publicação seguinte, em 1835. A Igreja Católica acabou se desculpando por seu tratamento a Galileu – mas somente depois do ano 2000. O papa João Paulo II citou o julgamento de Galileu entre outros erros cometidos nos 2000 anos anteriores e reconhecidos pela Igreja, embora com atraso considerável.

173

TENTANDO ALCANÇAR AS ESTRELAS

HALLEY COMO CATALISADOR

Quando Halley visitou Newton em Cambridge em 1684, os dois falaram sobre uma ideia que os astrônomos experientes já discutiam há tempos – a relação da lei do quadrado inverso com a atração que mantém os planetas em órbita. Halley discutiu isso com Robert Hooke e Christopher Wren em janeiro do mesmo ano. Halley perguntou a Newton qual seria a órbita de um planeta se a força entre ele e o Sol fosse recíproca ao quadrado de sua distância ao Sol. Newton respondeu que ele já tinha calculado isso e que seria uma elipse. Como resultado dessa conversa, Newton foi em frente e publicou *Principia*, finalmente lançando o trabalho que fizera durante anos. Este se tornou o trabalho científico mais importante já publicado.

Galileu foi convocado a ir a Roma para ser julgado por heresia – por "sustentar como verdadeira a falsa doutrina ensinada por alguns de que o Sol é o centro do mundo". Galileu foi convencido a se considerar culpado para evitar a Inquisição e a possível tortura. Ele concordou ter ido longe demais ao apresentar uma defesa do Copernicanismo.

Sua punição foi a prisão perpétua, que eventualmente tomou a forma de prisão domiciliar de 1634 até sua morte em 1642.

Durante os últimos anos de sua vida, Galileu escreveu seu maior trabalho, *Discursos e Demonstrações Matemáticas a Respeito de Duas Novas Ciências*.

O primeiro livro-texto científico moderno apresentava o método científico e dava explicações matemáticas e físicas para fenômenos que anteriormente foram tratados usando-se apenas as ferramentas da filosofia. O livro foi levado para fora da Itália e publicado em Leiden, na Alemanha, em 1638. Teve grande popularidade e influência em toda parte, exceto na Itália.

Catalogando os céus

O desenvolvimento do telescópio permitiu que os astrônomos fizessem mapas mais precisos das estrelas. Estimulada pela rivalidade com os franceses, que tinham montado um observatório nacional sob o controle da Academia francesa, a *Royal Society of London* pressionou para a fundação de um observatório na Inglaterra. O Observatório Real foi estabelecido em Greenwich em 1675, com John Flamsteed (1646-1719) como o primeiro Astrônomo Real (embora o título na época fosse "Observador Astronômico"). Flamsteed logo se correspondeu com o jovem Edmund Halley (1656-1742), então um estudante em Oxford e já um astrôno-

CATALOGANDO OS CÉUS

mo brilhante – ele levou um telescópio de mais de sete metros de comprimento com ele para a Universidade de Oxford. Halley primeiro escreveu para Flamsteed com as correções sugeridas ao catálogo de estrelas então em uso, e logo se tornou protegido de Flamsteed, que estava engajado em fazer um novo catálogo de estrelas do hemisfério norte. Halley propôs um estudo paralelo no hemisfério sul e logo assegurou a aprovação real. O pai de Halley o financiou, dando a seu filho uma mesada que era três vezes mais que o salário real de Flamsteed.

Vendo cada vez mais

À medida que o poder do telescópio continuava a melhorar, os astrônomos podiam revelar mais dos mistérios que assombravam os primeiros cientistas. Galileu descobrira as "orelhas" de Saturno, que então desapareceram estranhamente alguns anos mais tarde. Em 1655, Huygens começou a trabalhar com seu irmão Constantijn em um telescópio aperfeiçoado que impedia aberração cromática – orlas coloridas em torno das imagens. Então ele virou para Saturno seu telescópio com capacidade de aumentar 50 vezes. Em 1652, ele descobriu a maior lua de Saturno, Titã, e quatro anos depois viu que as "orelhas" que Galileu tinha visto em Saturno eram, na realidade, um anel: "...o planeta é cercado por um anel fino e achatado, que não toca em nenhum lugar, e inclinado para o eclíptico". Não estava claro do que o anel era feito. Primeiro, os

---

RETORNO LENTO

O cometa de Newton, o Grande Cometa de 1680, foi o primeiro a ser observado com um telescópio. Ele é programado para voltar aproximadamente em 11.037. Newton usou suas medidas da trajetória do cometa para testar as leis de Kepler.

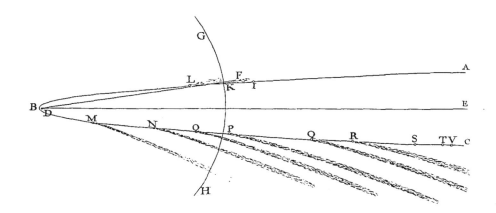

Diagrama de Newton da órbita do cometa em 1680, mostrando sua trajetória parabólica.

TENTANDO ALCANÇAR AS ESTRELAS

O alinhamento do Sol, da Terra e de Marte deu aos astrônomos do século XVII uma oportunidade para calcular o tamanho do Sol e sua distância da Terra.

astrônomos supuseram que ele fosse sólido ou líquido, mas em 1675 Giovanni Cassini descobriu uma falha no sistema de anéis. Determinar a natureza do anel foi o tema escolhido pelo Adam's Prize Essay na Universidade de Cambridge em 1855. Este foi ganho por James Clerk Maxwell, que demonstrou que uma coleção de minúsculas partículas sólidas em órbita é a única possibilidade para algo que seria instável; apenas a distância da Terra a Saturno fazia o sistema parecer uma massa contínua. Maxwell provou estar correto em 1895, usando técnicas espectroscópicas.

Longe, muito longe

Cassini é mais famoso por seu trabalho sobre a distância entre planetas e o tamanho do Sol. Antes disso, as únicas estimativas da distância do Sol até a Terra eram aquelas fornecidas por Aristarco em 280 a.C. O trabalho de Copérnico tornou possível julgar os índices de distâncias de cada planeta até o Sol, mas não havia dados para calcular as distâncias absolutas. Uma oportunidade perfeita apresentou-se em 1671, quando o Sol, a Terra e Marte estavam alinhados e a distância entre a Terra e Marte era mínima. Como diretor do Observatório de Paris, que fora inaugurado naquele ano, Cassini foi capaz de enviar um colega, Jean Richer, para Cayenne, na América do Sul, para fazer observações enquanto ele fazia suas próprias observações em Paris. Como na época quem reinava na França era Luís XIV – o Rei Sol –, o projeto obteve aprovação real. Sabendo que 10.000 km separavam Paris de Cayenne, Cassini usou a trigonometria para calcular a distância entre Marte e a Terra, e depois aplicou as leis do movimento planetário de Kepler para deduzir que o Sol estava a 138 milhões de quilômetros da Terra. Isso representa apenas 9% a menos que o dado aceito atualmente de quase 150 milhões de quilômetros. Mais cálculos revelaram que o Sol é 110 vezes o tamanho da Terra. Depois da publicação de *Principia* de Newton e de sua descrição da gravidade, ficou claro que o Sol tem cerca de 330.000 vezes a massa da Terra.

COLOCANDO COMETAS EM SEU LUGAR

A amizade entre Halley e Newton deu frutos na forma de uma explicação do movi-

LONGE, MUITO LONGE

TRÂNSITO DE VÊNUS

Antes de Cassini, o astrônomo inglês Jeremiah Horrocks (1618-1641) sugeriu que, ao determinar com precisão o *timing* do trânsito de Vênus – a passagem do planeta pela face do Sol – a partir de diferentes locais da Terra, seria possível calcular a distância entre a Terra e o Sol. O próprio Horrocks observou um trânsito de Vênus em 1639, dois anos antes de sua morte. O seguinte ocorreria em 1761, e novamente em 1769. Halley tornou popular a ideia de usar a triangulação para calcular a distância entre o Sol e a Terra, conhecida como uma unidade astronômica (UA), a qual poderia ser usada para calcular o tamanho do sistema solar como então era conhecido. A triangulação é uma maneira de calcular a posição de algo medindo o ângulo até ele a partir de dois pontos fixos, sendo a distância entre eles conhecida. O método era usado tradicionalmente para medir a altura de edifícios e até mesmo de montanhas.

Halley morreu 19 anos antes de a próxima passagem ocorrer, e por isso coube a outros pôr essa ideia em prática. Quando a data se aproximou, os astrônomos iniciaram expedições em volta do mundo para registrar os *timings*. O trânsito provou ser muito difícil de medir com exatidão e confiabilidade, mas ao colocar juntas várias medições distintas feitas em diferentes partes do globo, eles chegaram a um dado de cerca de 153 milhões de quilômetros, não muito distante do dado aceito atualmente de 150 milhões de quilômetros. No final do século XVIII, então, os astrônomos tinham uma ideia realista do tamanho do sistema solar. Foram estabelecidas as bases da moderna era da astronomia, uma era em que a maioria dos corpos celestes distantes estaria em foco.

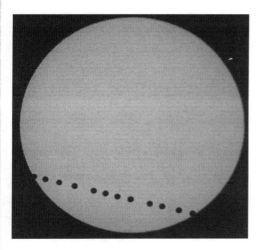

Durante o trânsito de Vênus, o planeta parece uma pequena mancha escura na frente do Sol.

mento dos cometas. Newton mostrou em *Principia* como a trajetória de um cometa podia ser calculada a partir de três posições observadas num período de dois meses, e ele compilou dados sobre 23 cometas. Ele supôs, no entanto, que os cometas seguiam uma trajetória parabólica, vindo para fora do sistema solar, girando em torno do Sol e se dirigindo para o espaço externo novamente – o que atualmente seria considerado um cometa não periódico. Sem desejar fazer os cálculos de seu cometa, Newton entregou os dados a Halley. Ele também supôs que a trajetória fosse parabólica, até notar que a trajetória do cometa em 1607 (observada por Kepler) era muito parecida àquela do

177

TENTANDO ALCANÇAR AS ESTRELAS

cometa de 1680, que ele próprio vira. Mais tarde ele descobriu que ela também correspondia à trajetória de um cometa visto em 1531 e concluiu que todos os três eram o mesmo objeto, não seguindo uma trajetória parabólica, mas uma órbita elíptica muito ampla em torno do Sol. Halley previu o reaparecimento do mesmo cometa em 1758, tendo calculado um período de retorno de 76 anos. O cometa – agora conhecido como cometa Halley – reapareceu no dia de Natal de 1758, 16 anos depois da morte de Halley.

O COMETA HALLEY NA HISTÓRIA

O cometa de Halley pode ter sido registrado em 467-466 a.C. na Grécia Antiga e na China. Um meteoro do tamanho de um "vagão de carga" que caiu enquanto o cometa estava no céu foi algo curioso e uma atração na Grécia durante 500 anos. O primeiro registro certo do cometa Halley é chinês, sobre sua aparição em 240 a.C. A vez seguinte em que foi visto, em 164 a.C., é registrada em uma tábua de argila na Babilônia. Moedas retratando o rei armênio Tigranes, o Grande, parecem mostrar o cometa Halley em sua coroa, registrando seu aparecimento em 87 d.C.

Ele fez sua maior aproximação em 837 d.C., a uma distância de apenas 0,03 UA, quando sua cauda pode ter se estendido até 60 graus pelo céu. O cometa Halley é retratado na tapeçaria Bayeux, e possivelmente

A primeira passagem do cometa Halley a ser fotografada, 1910.

A tapeçaria Bayeux mostra o cometa Halley aparecendo em 1066, quando foi interpretado como um presságio.

178

LONGE, MUITO LONGE

> **O COMETA TRAZ E O COMETA LEVA**
>
> "Vim com o cometa de Halley em 1835. Ele voltará no próximo ano e espero ir embora com ele. Será o maior desapontamento de minha vida se eu não for embora com o cometa de Halley. O todo-poderoso disse, sem dúvida: agora aqui estão as duas aberrações incalculáveis; eles vêm juntos, eles devem ir juntos."
>
> Mark Twain, autobiografia, 1909
>
> Twain nasceu em 30 de novembro de 1835, exatamente duas semanas depois de o cometa Halley fazer sua maior aproximação do Sol (periélio). Ele morreu em 21 de abril de 1910, no dia seguinte ao próximo periélio do cometa.

em *Adoration of the Magi*, de Giotto, como a estrela de Belém (que provavelmente não era, pois ela apareceu em 12 a.C.).

O cometa apareceu espetacularmente em 1910 com uma aproximação relativamente perto de 0,15 UA. Foi fotografado pela primeira vez, e sua cauda analisada por espectroscopia (um método de analisar a composição química de um corpo gasoso estudando o padrão característico das linhas espectrais que ele produz, veja a página 126). Seu espectro revelou (entre outras coisas) que a cauda continha o gás tóxico cianogênio. Isso levou o astrônomo Camille Flammarion (1842-1925) a dizer que passar pela cauda "possivelmente ceifaria toda a vida na [Terra]". Como resultado, o público foi ludibriado, gastando uma fortuna em máscaras de gás, "pílulas anticometa" e "guarda-chuvas anticometa". Não é preciso dizer que a vida na Terra sobreviveu ao encontro.

O retorno do cometa em 1994 resultou não só em fotografias tiradas da Terra, mas na inspeção minuciosa no espaço por duas sondas, Giotto e Vega. Estas descobriram que o cometa tem a forma parecida àquela de um amendoim, tem 15 km de comprimento e 8 km de largura e espessura, com uma vírgula (ponto de luz ou atmosfera) de 100.000 km. A vírgula se forma como monóxido de carbono sólido e o dióxido de carbono em sua superfície se transforma em gás (sublime) com os raios do Sol. O cometa Halley seria composto de pequenos pedaços, chamados de Rubble Pile, unidos. Eles giram como um corpo a cada 52 horas. As duas sondas mapearam cerca de um quarto da superfície do cometa, encontrando colinas, montanhas, penhascos, depressões e uma cratera.

ESPECTROSCOPIA – UMA NOVA MANEIRA DE VER

No final do século XIX, surgiu uma forma totalmente nova de examinar as estrelas, estudando-se seu espectro com uma técnica chamada espectroscopia. Quando a luz passa por um gás, alguns comprimentos de onda são absorvidos, deixando um padrão carac-

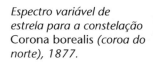

Espectro variável de estrela para a constelação Corona borealis (coroa do norte), 1877.

Williamina Fleming

terístico de linhas espectrais. Cada gás cria seu próprio padrão. Logo, pela análise da luz de uma estrela, é possível identificar sua composição química. O astrônomo americano Henry Draper (1837-1882), pioneiro da astrofotografia, foi o primeiro a fotografar o espectro de uma estrela, em 1872. Suas fotografias de Vega mostraram linhas espectrais distintas. Ele tirou mais de 100 fotografias de espectros estelares antes de sua morte em 1882. Em 1885, Edward Pickering (1846-1919) assumiu a empreitada e começou a supervisionar o uso em larga escala da espectroscopia fotográfica como diretor do Harvard College Observatory, com o objetivo de produzir um catálogo detalhado de estrelas. A viúva de Draper concordou em financiar o negócio de risco, e a catalogação ambiciosa para a produção do Catálogo Henry Draper começou. A primeira publicação foi o *Draper Catalogue of Stellar Spectra* (Catálogo Draper de Espectros Estelares) em 1890, com 10.351 estrelas catalogadas.

Pickering ficou frustrado com a competência de seus assistentes homens e declarou que sua empregada seria capaz de fazer um trabalho melhor. Sua empregada era uma escocesa, Williamina Fleming (1857-1911), que imigrou com o marido, mas depois foi abandonada por ele quando estava grávida. Ela foi trabalhar para Pickering para sustentar a ela e ao filho. Fleming se dedicou à tarefa de catalogar e classificar as estrelas, desenvolvendo um sistema de atribuir a elas uma carta de acordo com a quantidade de hidrogênio existente em seus espectros (sendo A para a maior quantidade). Em nove anos, Fleming catalogou mais de 10.000 estrelas. Ela descobriu 59 nebulosas gasosas, mais de 310 estrelas variáveis, 10 novas e a nebulosa Horsehead. Pickering colocou-a como responsável por uma grande equipe de mulheres chamadas "calculadoras", a quem ele empregou para executar

Annie Jump Cannon

os cálculos necessários envolvidos na classificação e catalogação das estrelas. (As mulheres recebiam apenas 25-50 centavos por hora, menos que as secretárias recebiam na época). Fleming e várias outras mulheres da equipe, inclusive Henrietta Swann Leavitt (1868-1921) e a sobrinha de Henry Draper, Antonia Maury (1866-1952), tornaram-se astrônomas respeitadas por mérito próprio.

Outra das "mulheres de Pickering" foi Annie Jump Cannon (1863-1941), que aperfeiçoou o sistema Fleming e introduziu a classificação de estrelas com base na temperatura. Ao contrário de Fleming, Cannon era formada em física e já estava estudando astronomia quando começou a trabalhar para Pickering. Ela ficou quase totalmente surda depois de contrair febre escarlatina, no entanto, era ela quem negociava quando Maury e Fleming discutiam quanto aos métodos de classificação. O novo método de Cannon classificava as estrelas como O, B, A, F, G, K, M (um mnemônico em inglês usado para lembrar é: "Oh, Be a Fine Guy/Girl, Kiss Me"), um sistema conhecido como esquema Harvard de classificação espectral que hoje ainda é usado. Um aperfeiçoamento do esquema, chamado sistema Morgan-Keenan, complementa cada letra com números 0-9, e acrescenta numerais romanos I ao V para indicar luminosidade, mas a base do sistema de Cannon foi mantida. Cannon mais tarde assumiria o projeto de catalogação.

Com todos os seus complementos, o catálogo Draper registrou e classificou 359.083 estrelas. Cannon classificou pessoalmente 230.000 estrelas, mais do que o trabalho de classificação feito por todos os astrônomos juntos. Ela foi a primeira mulher a ser premiada com um doutorado honorário pela Universidade de Oxford e a

PARALAXE

É um método de calcular a distância de um objeto observando-o de duas posições diferentes. No caso de uma estela, o céu é fotografado duas vezes no intervalo de seis meses. Ao medir quanto a estrela parece ter se movido em relação às estrelas do fundo, os astrônomos podem usar a triangulação para determinar a distância entre a Terra e a estrela.

Você pode ver como o princípio da paralaxe funciona segurando um lápis à sua frente e olhando para ele primeiro com o olho esquerdo e depois com o direito. O lápis parece se mover em relação ao fundo porque cada olho o vê de uma posição ligeiramente diferente.

primeira mulher a ser eleita representante da Sociedade Americana de Astronomia.

EXAMINANDO O VAZIO

O método da triangulação que Cassini usou no século XVII para estimar a distância até Marte poderia, com habilidade, ser usado para estimar a distância até estrelas próximas. Significa usar as posições da Terra num intervalo de seis meses – ou seja, em cada lado do Sol – para fornecer a linha-base para a triangulação. Como a distância entre a Terra e o Sol é de uma UA, essa linha de base terá dois UA largura, uma distância grande o suficiente para as medidas exatas exigidas. Durante esse tempo, se verá uma estrela próxima em posição diferente comparada às estrelas de fundo mais distantes – um método conhecido como paralaxe (veja o painel, página 181).

Huygens tentou anteriormente estimar a distância de Sirius até a Terra comparando seu brilho com aquele do Sol. Ele decidiu que, supondo que Sirius fosse tão brilhante quanto o Sol, estaria 27,664 vezes mais longe. Foi uma tarefa difícil, pois ele tinha que comparar suas observações do Sol feitas durante o dia com as observações de Sirius vista à noite.

Embora o princípio de medir o movimento aparente de uma estrela no céu para calcular sua distância faça sentido, a técnica era difícil e exigia equipamentos que simplesmente não estavam disponíveis aos primeiros astrônomos. A primeira distância estelar descoberta com exatidão por paralaxe foi calculada pelo cientista alemão Friedrich Bessel (1784-1846), que em 1838 determinou uma distância de 10,3 anos-luz para 61 Cygnus. De fato, um escocês, Thomas Henderson (1798-1844), já tinha medido a distância até Alpha Centauri em 1832, mas só publicou seus resultados depois de 1839. Uma vez conhecida a distância até uma estrela, é relativamente fácil reverter as equações de Huygens para calcular seu brilho.

No entanto, as ferramentas disponíveis ainda não estavam realmente à altura da tarefa. As medidas tinham de ser feitas a olho nu e a fotografia ainda não tinha sido inventada. Por volta de 1900, apenas 60 paralaxes tinham sido medidas. Com o advento da fotografia, o processo pôde ser acelerado acentuadamente, e os 50 anos seguintes renderam mais 10.000 paralaxes.

O satélite Hiparco, usado para medir as paralaxes de mais de 100.000 estrelas.

LONGE, MUITO LONGE

TELESCÓPIOS NO ESPAÇO

O Telescópio Espacial Hubble, lançado usando-se o ônibus espacial em 1990 e tendo recebido o nome em homenagem ao astrônomo famoso, é um telescópio ótico em órbita em volta da Terra.

Por estar no espaço, produz imagens de extrema claridade, quase sem interferência da luz de fundo ou distorção da atmosfera da Terra. Os telescópios espaciais foram propostos pela primeira vez em 1923, muito antes de se tornar possível construir um.

Imagem do Hubble de duas galáxias que estão se unindo por sua atração gravitacional mútua.

Entre 1989 e 1993, o satélite Hiparco da European Space Agency mediu as paralaxes de 118.000 estrelas, e o catálogo Tycho-2 da mesma missão fornece dados para mais de dois milhões e meio de estrelas da Via Láctea.

Para estrelas muito distantes, a paralaxe é de pouca serventia. Outro método, usando-se dados de estrelas chamadas Cefeidas, foi desenvolvido por Henrietta Swan Leavitt, da equipe de mulheres "calculadoras" de Henry Peckering. As Cefeidas variam em intensidade, pulsando em intervalos que vão de um dia a meses. Uma vez calculada a distância até uma Cefeida, a equação de Leavitt, que relaciona período-luminosidade à distância, permitiu que a distância de outras cefeídas fosse determinada. De repente, as distâncias através da Via Láctea e até mesmo a fora dela tornaram-se evidentes, e descobriu-se que o universo era bem maior do que se imaginava.

Em 1918, o astrônomo americano Harlow Shapley (1885-1972) usou o método Cefeida para estudar aglomerados globulares que ele pensou existirem dentro da Via Láctea. Ele percebeu que a Via Láctea era muito maior do que se pensava anteriormente e que o sistema solar não estava nem mesmo perto do centro, como se tinha suposto. No final de 1923 e início de 1924, o astrônomo americano Edwin Hubble (1889-1953) encontrou Cefeidas fora da Via Láctea, na Galáxia de Andrômena, e conseguiu calcular a distância até a galáxia como cerca de um milhão de anos-luz (seus dados foram baixos, na realidade ela tem cerca de dois milhões e meio de anos-luz de distância).

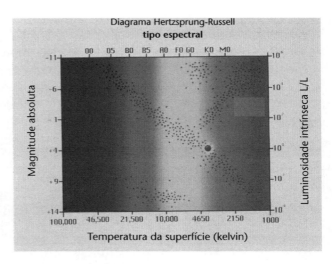

Diagrama de Hertzsprung-Russell mostrando o brilho (eixo-y) e a temperatura (eixo x) das estrelas; a cor muda com a temperatura.

Listras das Estrelas

O engenheiro químico holandês Ejnar Hertzsprung (1873-1967) estudava astronomia e fotografia em suas horas de folga quando descobriu uma relação entre a cor de uma estrela e seu brilho. Embora Hertzsprung acabasse se tornando um astrônomo profissional renomado, ele ainda era amador quando publicou seus resultados em 1905 e em 1907 em um periódico fotográfico modesto. Sua descoberta não foi reconhecida pelos astrônomos profissionais. O astrônomo americano Henry Norris Russell (1877-1957) também notou a relação entre o brilho estelar e a cor, mas publicou sua descoberta em um periódico

Ejnar Hertzsprung

Henry Russell

A VIDA SECRETA DAS ESTRELAS

Arthur Eddington

mais conhecido de astronomia em 1913. Além disso, Russell traçou um gráfico com os resultados obtidos. A contribuição de Hertzsprung foi reconhecida desde o início e o gráfico agora é conhecido como diagrama Hertzsprung-Russell

A cor de uma estrela – ou mais exatamente, o comprimento de onda da luz que ela emite – indica sua temperatura. No entanto, o brilho geral de uma estrela depende também de seu tamanho. Assim como um aquecedor pode emitir mais calor que um fósforo queimando (muito mais quente), o tamanho de uma estrela é tão importante quanto sua temperatura. Logo, uma estrela vermelha imensa pode emitir mais energia que uma pequena estrela azul, mesmo que a temperatura da superfície da estrela azul seja mais alta. Informações do diagrama de Hetzsprung-Russell deram aos astrônomos a primeira suspeita do que poderia estar acontecendo dentro das estrelas.

A vida secreta das estrelas

Arthur Eddington, o astrônomo inglês que liderou a expedição para observar o eclipse solar em 1917, confirmando a teoria da relatividade de Einstein, foi o primeiro a imaginar o que poderia estar acontecendo dentro de uma estrela. Ao combinar informações do diagrama de Hertzsprung-Russell e a massa conhecida de algumas estrelas, ele descobriu que as estrelas com maior massa são as mais brilhantes. Isso faz sentido. A fim de evitar que a gravidade puxe a estrela para dentro, por si mesma, ela deve produzir e emitir muita energia. Quanto maior a massa, maior a atração da gravidade e mais energia é necessária para resistir a ela. Ele logo descobriu que, independentemente do tamanho e da temperatura da superfície, a temperatura interna de todas as estrelas da sequência principal é aproximadamente a mesma.

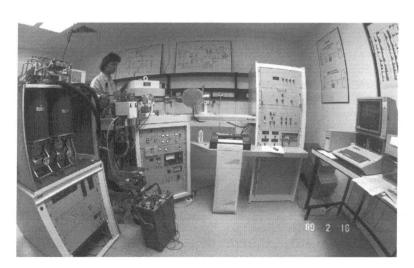

Espectômetro de massa usado para medir carbono estável e isótopos de oxigênio.

TENTANDO ALCANÇAR AS ESTRELAS

> *"Uma estrela está utilizando um vasto reservatório de energia por meios que desconhecemos. Esse reservatório dificilmente será outro que a energia subatômica a qual, como se sabe, existe abundantemente em toda matéria; às vezes sonhamos que o homem um dia aprenderá a liberá-la e a usá-la para atender às suas necessidades. O armazenamento é praticamente inesgotável, bastando termos acesso a ela. Existe em quantidade suficiente no Sol para manter sua produção de calor durante 15 bilhões de anos."*
>
> Arthur Eddington, 1920.

Ele percebeu também que o combustível que fornece energia para uma estrela deve ser nuclear – não haveria outra maneira de uma estrela ter um suprimento suficiente de combustível para continuar queimando durante bilhões de anos.

A primeira sugestão foi que a energia do Sol era derivada de isótopos radioativos como o rádio, mas a meia-vida do rádio é curta demais. Um avanço importante veio por meio do trabalho executado no centro de pesquisa atômica Cavendish em Cambridge, Inglaterra. Em 1920, o químico e físico inglês Francis Aston (1877-1945) usou um espectômetro de massa para medir a massa do hidrogênio e do hélio. O núcleo do hidrogênio tem um próton, enquanto o núcleo do hélio tem dois prótons e dois nêutrons. Aston descobriu que quatro núcleos de hidrogênio tinham pouco mais massa que um núcleo de hélio. Eddington sabia que o hidrogênio e o hélio eram elementos muito abundantes no Sol. Ele conhecia o trabalho de Einstein e foi capaz de aplicar a equação $E=mc^2$ ao Sol e deduzir que sua energia vinha da fusão nuclear, sendo o hidrogênio forjado no hélio no centro do Sol. A ligeira diferença na massa que Aston notou se transformaria em energia.

Assim como uma fissão nuclear transforma elementos mais pesados em elementos mais leves dividindo o núcleo, a fusão nuclear transforma elementos mais leves em elementos mais pesados combinando núcleos. O imenso volume de gás envolvido significava que havia energia suficiente sendo liberada para alimentar o Sol durante bilhões de anos. Mais tarde percebeu-se que todos os elementos que não fossem o hidrogênio, o hélio e o lítio eram formados por fusão dentro das estrelas ou supernovas.

OUVINDO O VAZIO

Embora já lidemos com distâncias e números de estelas inimagináveis aos primeiros observadores de estrelas, ainda há muita

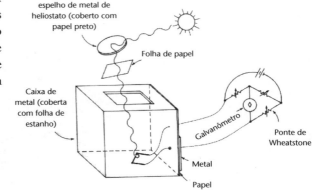

Wilsing e o equipamento de Scheiner para tentar detectar ondas de rádio do Sol.

A VIDA SECRETA DAS ESTRELAS

NIKOLA TESLA (1856-1943)

Nikola Tesla nasceu no Império Austro-Húngaro, em uma área que atualmente faz parte da Croácia. Ele abandonou a universidade duas vezes e cortou ligações com a família e amigos (seus amigos acreditavam que ele tivesse se afogado no rio Mura). Em 1884, mudou-se para os EUA.

Tesla trabalhou com comunicação wireless, raios X, eletricidade e energia. Quando chegou aos EUA começou a trabalhar para Thomas Edison, mas se demitiu em razão de uma discussão sobre o pagamento. Mais tarde montou seu próprio laboratório. Ele era um inventor prolífico, mas algumas de suas invenções, seu caráter e suas atitudes eram excêntricas, e ele sempre foi considerado um dissidente. Suas afirmações de que ele teria detectado transmissões de rádio de alienígenas de Marte ou Vênus não ajudaram. Em 1904, o Escritório de Patentes dos Estados Unidos retirou a patente de Tesla pelo rádio e deu-a a Marconi; Marconi foi laureado com o Prêmio Nobel pela invenção do rádio em 1909. Depois de brigas com Marconi e Eddington, e a demolição de sua estação Telefunken sem fio em Long Island pela Marinha, temendo que ela fosse usada para espionagem durante a Primeira Guerra Mundial, a sorte de Tesla deu uma virada para pior. Ele ficou cada vez mais obsessivo pelo número três e por pombos.

O último fato a manchar sua reputação foi sua promoção do chamado "raio da morte", que, conforme ele alegava, "enviava feixes concentrados de partículas pelo ar, de uma energia tão imensa que derrubariam uma frota de 10.000 aviões inimigos a uma distância de 200 milhas... e causariam a morte de exércitos em seu raio de alcance". Tesla viveu os últimos 10 anos de sua vida no Hotel New Yorker, e quando faleceu duas cargas de caminhão cheias de trabalhos foram apreendidos pelo governo dos Estados Unidos por serem consideradas um risco à segurança.

coisa que não vemos com telescópios ópticos, mesmo aqueles ancorados no espaço. Mas quando as partes não visíveis do espectro eletromagnético, como ondas de rádio, foram usadas, foi possível explorar ainda mais profundamente o cosmos.

Talvez as origens da astronomia do rádio estejam ligadas ao inventor e empreendedor Thomas Edison (1847-1931), que sugeriu em uma carta escrita em 1890 que ele e um colega poderiam construir um receptor para captar ondas de rádio a partir do Sol. Se ele tivesse construído um aparelho desses, infelizmente não teria detectado ondas de rádio do espaço. O físico inglês Sir Oliver Lodge (1851-1940) construiu realmente um detector, mas não encontrou evidências de ondas de rádio vindas do Sol em 1897-1900.

TENTANDO ALCANÇAR AS ESTRELAS

Foto da constelação de Sagitário tirada pelo telescópio Hubble, fonte do sinal de rádio detectado por Jansky.

Os primeiros cientistas que examinaram a questão profundamente foram os astrônomos Johannes Wilsing (1856-1943) e Julius Scheiner (1858-1913), trabalhando na Alemanha. Eles concluíram que a astronomia do rádio fracassa porque as ondas de rádio são absorvidas por vapor d'água na atmosfera.

Um estudante francês, Charles Sordman, raciocinou que se a atmosfera estivesse bloqueando ondas de rádio do espaço, seria melhor ele colocar sua antena em um local mais alto para tentar ficar acima dela. Ele a levou ao topo de Mont Blanc. Nordman também não conseguiu captar ondas de rádio do Sol – mas no seu caso foi por falta de sorte. O equipamento dele teria funcionado em horário de máximo solar, quando as ondas de rádio emitidas atingem o pico. Infelizmente, 1900 foi um período de mínimo solar e, portanto, ele não detectou nada. Mas o trabalho de Max Planck sobre radiação de corpo negro e quanta de luz revelou outro problema.

Prevendo a partir das equações de Planck a quantidade de radiação recebida do Sol que deveria entrar em parte das ondas de rádio do espectro (comprimento de onda 10-100 cm), ficou claro que a radiação seria muito fraca – fraca demais para ser detectada por equipamento disponível na época. Um novo golpe veio em 1902, quando os engenheiros elétricos Oliver Heaviside (1850-1935) e Edwin Kennelly (1861-1939) previram a existência da ionosfera, uma camada de partículas ionizadas na camada superior da atmosfera que refletiria ondas de rádio. (Contudo, essa camada tem tido usos importantes como auxílio à comunicação por rádio. Ao liberar ondas de rádio da ionosfera é possível transmitir sinais a longas distâncias.) Essas conclusões desapontadoras parecem ter abafado o entusiasmo pela pesquisa, e não houve mais tentativas de detectar sinais de rádio do espaço durante 30 anos.

O grande avanço veio em 1932, quando o engenheiro de rádio americano Karl

Antena de um radiotelescópio no centro de astronomia de Yebes, Espanha.

188

A VIDA SECRETA DAS ESTRELAS

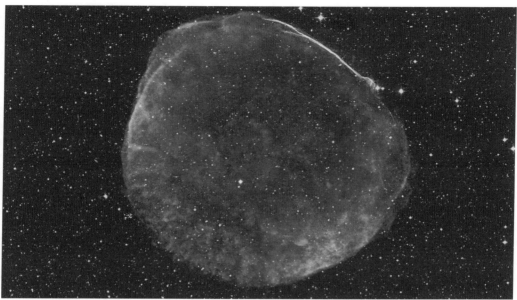

Restos da supernova SN-006, produzidos pela explosão de uma estrela enorme cerca de 7000 anos atrás.

Jansky (1905-1950) foi empregado pela Bell Telephone Company, em New Jersey, EUA, para investigar a interferência estática das ondas de rádio em seu serviço de telefonia intercontinental. Usando uma grande antena direcional, Jansky encontrou um sinal de origem desconhecida que se repetia a cada 24 horas. Ele suspeitou que viesse do Sol, mas então percebeu que a repetição ocorria a cada 23 horas e 56 minutos – menos que a duração do dia. Um amigo astrofísico, Albert Skellett, disse que parecia vir das estrelas. Usando mapas astronômicos, eles identificaram a Via Láctea como a origem, e mais particularmente o centro da galáxia, em torno da constelação de Sagitário, pois o pico do sinal coincidia com o aparecimento dessa constelação. Jansky suspeitou que o sinal viesse de uma poeira interestelar ou nuvem de gás situada no centro da galáxia. Ele queria continuar seu trabalho sobre ondas de rádio da Via Láctea, mas seus empregadores o transferiram para outro projeto e ele teve de abandonar a pesquisa. Sua única grande descoberta marcou o início e o fim de sua carreira em astronomia. O trabalho de Jansky inspirou o astrônomo amador americano Grote Reber (1911-2002), que construiu um radiotelescópio parabólico em seu quintal em 1937 e realizou a primeira pesquisa do céu com frequências de rádio.

As ondas de rádio do Sol foram descobertas pela primeira vez em 1942 por James Hey (1909-2000), oficial pesquisador da Marinha Britânica. A astronomia do rádio estava então se tornando respeitável: os astrônomos de rádio Martin Ryle (1918-1984) e Antony Hewish (1924-) na Universidade de Cambridge mapearam as fontes de rádio do céu no início dos anos 1950, produzindo as pesquisas 2C e 3C (Segundo e Terceiro Catálogos Cambridge de Fontes de Rádio).

TENTANDO ALCANÇAR AS ESTRELAS

> *O primeiro nome dado para os pulsares foi LGMs, por Little Green Men, por uma sugestão de que os pulsos representavam transmissões de rádio intencionalmente por uma forma alienígena. Isso causou um grande alarme a ponto das autoridades universitárias considerarem manter a descoberta em segredo. Então Jocelyn Bell descobriu outro pulsar, provando que era um fenômeno natural.*
> Little Green Men (Homenzinhos Verdes).

Hoje, os radiotelescópios costumam ser organizados em bancos, suas antenas apontando para a mesma área do céu e os dados reunidos de todos eles. Cada telescópio tem um grande prato de coleta que foca as ondas de rádio recebidas pela antena. Usando uma técnica chamada interferometria, desenvolvida por Ryle e Hewish, os dados de cada antena são combinados (ou "interferidos"). Sinais coincidentes reforçam uns aos outros, enquanto sinais conflitantes se cancelam mutuamente. O efeito é atingir a capacidade de coleta de um único prato gigantesco. Para minimizar problemas da ionosfera e o vapor d'água atmosférico, os melhores locais para radiotelescópios muitas vezes estão localizados a altas altitudes em regiões áridas.

Embora os radiotelescópios possam ser usados para investigar o Sol e os planetas do sistema solar, eles têm sido mais úteis para explorar objetos tão distantes que não podem ser vistos usando-se telescópios óticos. Isso tem levado a descobertas importantes como quasares e pulsares.

QUASARES – PODEROSOS E REMOTOS

O quasar é a abreviação da expressão inglesa *quasistellar object*, ou "objeto quase estelar". Quasares são objetos com muita energia, com um desvio importante para o vermelho (veja a página 201), que significa que eles são extremamente remotos. Existem 200.000 quasares conhecidos, todos entre 780 milhões e 28 bilhões de anos-luz de distância, o que os torna os objetos mais distantes dos quais temos conhecimento. Os primeiros quasares foram localizados no final dos anos 1950 e descritos pelo astrônomo holandês Maarten Schmidt (1929-) em 1962. Surtos maciços de radiação de quasares podem ser produzidos pela liberação de energia gravitacional à medida que a matéria cai em direção a um buraco negro imenso. Até 10% dessa massa é convertido em energia capaz de escapar antes do horizonte de eventos (veja a página 197). A fusão nuclear que ocorre dentro das estrelas não poderia produzir o brilho do quasar, forte o suficiente (com luz visível e outras formas de radiação eletromagnética) para ser detectado da Terra a longas distâncias. A explosão de uma supernova poderia produzir energia suficiente para ser vista durante poucas semanas, mas um quasar persiste. Para os quasares mais distantes serem visíveis, eles precisam ser dois trilhões (2×10^{12}) de vezes tão brilhantes quanto o Sol. Ou foram – esses objetos estão a bilhões de anos-luz de distância, logo estamos os vendo como se eles estivessem próximos do início do universo.

PARA CIMA, PARA CIMA, E LONGE

Nosso entendimento da astronomia e da física do espaço mudou consideravelmente durante o século XX. Mas talvez o desenvolvimento mais importante seja a união do tempo com o espaço em um único conceito – o *continuum* espaço-tempo, que será discutido no próximo capítulo.

Maarten Schmidt

PULSARES – FEIXES GIRATÓRIOS DE POTÊNCIA

Um pulsar é um corpo estelar altamente magnetizado, em rotação. Forma-se quando os recursos de combustível de uma estrela imensa se esgotam e seu centro entra em colapso, transformando-se em um corpo incrivelmente denso chamado estrela de nêutrons. O pulsar é assim chamado porque ao girar emite radiação altamente direcional que só pode ser observada quando aponta diretamente para a Terra – criando um pulso muito parecido ao feixe de um farol refletindo-se no mar. Os intervalos entre os pulsos variam de 1,4 milissegundo a 8,5 segundos. A taxa desacelera até que ele acaba parando, depois de um período de 10-100 milhões de anos, de modo que a maioria dos pulsares que já se formarm (99%), não pulsa mais.

O primeiro pulsar foi descoberto em 1967 por uma doutoranda de 24 anos, Jocelyn Bell (agora Jocelyn Bell Burnell). Controversamente, foi o orientador dela, Antony Hewish, quem recebeu o Prêmio Nobel (em 1974) pela descoberta, e não ela. Observações em 1974 de um pulsar em um sistema binário (em que um pulsar gira em torno de uma estrela nêutron, com um período orbital de oito horas) forneceram as primeiras evidências de ondas de gravidade, confirmando outra parte da teoria geral da relatividade de Einstein.

Jocelyn Bell Burnell

Quando um pulsar gira, suas emissões radioativas só podem ser detectadas da Terra em pulsos.

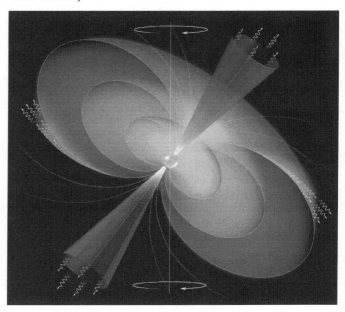

CAPÍTULO 7

ESPAÇO-TEMPO
continuado

Durante milhares de anos, observar o espaço e querer saber sobre sua estranha geografia era exatamente isso – olhar para fora, tentar ver como as estrelas e os planetas, o Sol e a Lua se relacionam com a Terra. Os movimentos do Sol e da Lua eram o relógio celestial da humanidade, medindo as horas, os dias, os meses e os anos. Mas tempo e espaço eram considerados conceitos separados. Desde o início do século XX, no entanto, nossa relação com o tempo e o espaço começou a mudar. Depois de Einstein, eles se tornaram unidos como um *continuum*, e o estudo do espaço tornou-se focado não apenas "no que está lá", mas no passado e possivelmente no futuro de nosso universo.

Uma estrela distorcendo o continuum espaço-tempo, criando um efeito gravitacional.

ESPAÇO-TEMPO CONTINUADO

Uma breve história do tempo

Embora seja fácil ver a passagem dos dias, o padrão de um ano inteiro se torna evidente somente com o registro e a contagem. A primeira evidência de pessoas registrando o tempo data de 20.000 anos atrás. A matemática e os primeiros conhecimentos de astronomia provavelmente tenham surgido juntos quando as pessoas aprenderam a acompanhar e a prever os movimentos dos corpos celestes.

O curso de um dia era medido usando-se um *gnomon*, um ponteiro de um relógio solar que projeta uma sombra para acompanhar o progresso do Sol pelo céu. Durante milênios este foi o melhor guia para a passagem do tempo. Então, no século XVII, Galileu comparou um lustre balançando com seu próprio pulso e descobriu o movimento regular de um pêndulo. O pêndulo leva sempre o mesmo tempo para oscilar: quando o arco diminui, o movimento do pêndulo desacelera para manter o intervalo regular.

Galileu projetou um relógio de pêndulo, mas nunca o construiu. Foi Christiaan Huygens que construiu o primeiro relógio de pêndulo em 1656. Mais tarde, Robert Hooke usou a oscilação natural de uma mola para controlar o mecanismo de um relógio. A medida do tempo por meios mecânicos foi a norma até 1927, quando o engenheiro canadense de telecomunicações Warren Marrison, que trabalhava na Bell Telephone Laboratories, New Jersey, descobriu que poderia medir o tempo com exatidão usando as vibrações de um cristal de quartzo em um circuito elétrico.

"Minha alma anseia em saber este enigma tão intrincado. Confesso a Vós, Senhor, que sou ignorante do que seja o tempo."
Santo Agostinho

Uma clepsidra, usada para medir o tempo na Grécia Antiga. Os relógios d'água têm sido usados há milhares de anos.

Amanhã e amanhã e amanhã

Os relógios medem o tempo linear, que é bastante conveniente para vidas humanas, mas pode não representar toda a história. A ideia de que o tempo pode não ser linear foi sugerida tanto por Buda quanto por Pitágoras por volta de 500 a.C. Eles acreditavam que o tempo pudesse ser cíclico e que um ser humano, depois de morrer, podia renascer. Platão pensava que o tempo havia sido criado no início de todas as coisas. Mas, para Aristóteles, o tempo só existia onde havia movimento. Um paradoxo aparente, proposto pelo filósofo Zeno (c.490-430 a.C.), parece mostrar que nem o tempo nem o movimento podem existir. Se dividimos o tempo em partes cada vez menores, a distância atravessada por uma flecha em movimento torna-se cada vez mais curta até que, no instante "agora", a flecha não se move. Mas, nesse caso, ela não pode existir ou se mover, pois o tempo é formado de um número infinito de "agoras" em que nenhum movimento está ocorrendo.

UMA BREVE HISTÓRIA DO TEMPO

O mecanismo de funcionamento do relógio forneceu a primeira maneira de determinar o tempo com exatidão.

"...tempo absoluto, verdadeiro, matemático... de sua própria natureza, flui igualmente sem relação com nada externo."

Isaac Newton

Santo Agostinho

O filósofo cristão Santo Agostinho (354-430 d.C.) chegou à conclusão de que o tempo não existiria se não houvesse uma inteligência observadora, pois era apenas a lembrança de coisas passadas e a expectativa de eventos futuros que davam ao tempo qualquer existência fora do presente.

O matemático francês Nicole Oresme (1323-1382) indagava se o tempo celestial – tempo medido pelo movimento de corpos celestes – era mensurável: ou seja, se havia uma unidade que pudesse medir seus movimentos com números inteiros. Ele sugeriu que um criador inteligente certamente os teria feito assim, mas por pouco não percebeu que a falta de uma medida comum significa a não existência de Deus.

UNINDO ESPAÇO E TEMPO

Nossa experiência pessoal do tempo é simples. O tempo se move do passado para o presente e para o futuro sem chance de voltar, saltar para frente ou congelar. Ele se move a uma taxa continuamente em uma direção. Não é surpreendente que durante milênios supusemos que esta fosse a natureza do tempo. Mas talvez não seja.

Tudo é relativo

Todo movimento é relativo à posição ou movimento do observador. Logo, você pode atravessar a sala e alguém de pé e parado na sala julgará sua velocidade como sendo cerca de 5 km por hora; Tanto você quanto o observador estão em um globo que gira no espaço a quase 30 km por segundo, mas apenas seu movimento pela sala é notado. Um observador em um planeta distante (com um bom telescópio), no entanto, veria o globo girando e rodopiando. (Galileu percebeu isso, embora falasse de uma pessoa em um navio vista por um espectador na praia, e não de um alienígena com um telescópio.) Logo, a velocidade em que um objeto se move depende do referencial; o movimento só pode ser medido em relação aos outros objetos ou observadores. O referencial pode ser a mesma sala, o mesmo navio, o mesmo planeta ou a mesma galáxia.

Einstein descobriu uma exceção a essa regra básica: a luz, disse ele, sempre viaja à mesma velocidade – independentemente da velocidade em que o observador está se movendo. Ele explicou que não importa o quanto você esteja se deslocando, um feixe de luz passaria por você a 299.792.458 metros por segundo.

LEVANDO A GRAVIDADE A EXTREMOS: BURACOS NEGROS

Os buracos negros são "singularidades no espaço-tempo". Existem áreas onde a gravidade é tão forte que nem mesmo a luz escapa, e qualquer coisa que passe perto demais é sugada. Os buracos negros podem se formar quando as estrelas entram em colapso, tornando-se minúsculas, em alguns casos não maiores do que o núcleo de um átomo, e extremamente densas. A velocidade de escape exigida para se sair de um buraco negro é maior que a velocidade da luz. O tamanho de um buraco negro é medido por seu horizonte de eventos – o limite sobre o qual nada pode escapar. Embora um astronauta que caia em um buraco negro possa não notar nada incomum ao atravessar o horizonte de eventos, um observador de fora verá o tempo para aquela pessoa desacelerar. No limite do horizonte de eventos, eles parecem congelar no tempo.

O conceito de buraco negro (embora não o nome) foi sugerido pela primeira vez por duas pessoas independentemente – Pierre-Simon Laplace em 1795 e, antes dele, o filósofo inglês John Michell (1724-1793) em 1784.

Michell chamou de "estrela escura" o fenômeno de uma estrela tão densa e com uma atração gravitacional tão forte que a luz não podia escapar. A ideia foi retomada pelo físico alemão Karl Schwarzschild (1873-1916) logo antes de sua morte em 1916, quando ele calculou os campos gravitacionais de estrelas e de estrelas em colapso. O termo "buraco negro" foi cunhado pelo físico teórico americano John Archibald Wheeler (1911-2008) em 1967, quando cosmologistas encontraram a primeira evidência de sua existência.

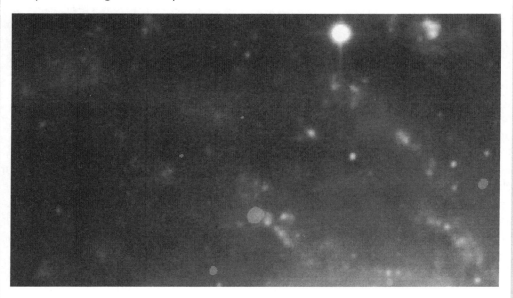

ESPAÇO-TEMPO CONTINUADO

Imagem de uma supernova pelo telescópio Hubble, o ponto brilhante embaixo, à esquerda.

Como a velocidade da luz é constante, outras coisas não podem ser – e uma delas é o tempo. De fato, ao se aproximar da velocidade da luz, o tempo desacelera e a distância se contrai. Einstein provou estar correto nesse sentido em 1971. Um relógio atômico levado para uma viagem em um avião muito rápido registrou um tempo ligeiramente mais curto que um relógio idêntico deixado estacionado no solo. Porém viajar em um avião rápido não é uma boa forma de estender sua vida – você precisaria girar em volta da Terra 180 bilhões de vezes para economizar um único segundo.

A teoria geral da relatividade de Einstein, publicada em 1915, foi além, trazendo juntos tempo, espaço e matéria, e usando a gravidade para explicar o efeito de um no outro. A matéria curva o tempo-espaço, como uma bola atirada sobre uma manta esticada causa um afundamento nesta. O modo como outros objetos e a luz se movem em resposta a essa inclinação chamamos de gravidade. Logo, assim como uma bola pequena rolará naturalmente para a área afundada da manta criada por uma bola grande, um corpo pequeno em um espaço gravitará naturalmente para um maior, restrito pela curvatura do tempo-espaço. Essa curvatura foi proposta muito antes de Einstein pelo matemático alemão Bernhard Reinmann (1826-1866), cujas ideias foram publicadas depois de sua morte em 1867-1868. Mas Einstein foi muito além de Reimann, por elaborar equações para explicar e prever a curvatura.

BEM LONGE E HÁ MUITO TEMPO

Existe outra forma menos teórica e complexa de nosso interesse pelo espaço se vincular ao interesse pelo tempo e a velocidade da luz. Quando olhamos para as estrelas, nós as vemos como elas eram no passado por causa da duração de tempo que leva para a luz delas chegar até nós. Mesmo a luz do Sol demora oito minutos para chegar até nós. Se o Sol tivesse desaparecido dois minutos atrás, nós continuaríamos a vê-lo brilhar, inconsciente do desastre iminente, por mais seis minutos.

A luz da estrela mais próxima, Proxima Centauri, leva quatro anos e três meses para nos alcançar. Uma das estrelas mais brilhantes já detectadas, vista pela primeira vez em 1988, foi a supernova. Uma vez que a supernova representa a morte de uma estrela que explodiu, essa estrela não existe mais. Estava a cinco bilhões de anos-luz de distância, logo a luz vista em 1988 significa a morte da estrela cinco bilhões de anos atrás, antes de nosso próprio sistema solar ter se formado. A supernova testemunhada por Kepler e Galileu em 1604 está a cerca de 20.000 anos-luz de distância – de modo que a estrela deixou de existir aproximadamente na época em que os mamutes andavam pela Europa glacial.

De volta ao início

É claro que quando ninguém sabia o que eram as estrelas e os planetas, era difícil dizer como eles estavam lá, e com algumas exceções notáveis, a maioria das culturas deixou essa questão para a religião. O arcebispo James Ussher (1581-1656) calculou a data da criação (da qual a idade do universo podia ser estimada) como 22 de outubro de 4004 a.C., com base nas genealogias registradas na Bíblia. Muitas outras sociedades propuseram suas próprias datas de criação. Os maias deram uma data para a criação que se traduz como 11 de agosto de 3114 a.C. O judaísmo colocou a criação em 22 de setembro ou 29 de março de 3760 a.C. O hinduísmo purânico seguiu a direção oposta, com uma data extravagante para a criação, de 158,7 trilhões de anos atrás. Há ainda sugestões de que o universo sempre existiu. Aristóteles, por exemplo, pensava que o universo fosse finito, mas eterno.

FORA DO CAOS

Anaxágoras, no século V a.C., sugeriu que o universo começou como matéria indiferenciada, inerte. Em algum momento, depois de um infinito em que nada aconteceu, a mente (sua analogia com as leis naturais do universo) começou a agir sobre essa matéria e iniciou um movimento giratório. Como consequência, matéria mais densa se ajuntou e matéria menos densa dirigiu-se para fora dos corpos então formados, ou deslizou entre eles. Isso não é tão diferente do modelo que os astrônomos modernos têm do desenvolvimento do universo, com sistemas solares se formando à medida que discos pré-planetários são amalgamados a partir de uma vasta nuvem de poeira, e por meio da ação da gravidade e da força centrípeta formaram-se em planetas. Anaxágoras trabalhou apenas a partir da lógica (e de muita imaginação).

Os filósofos Demócrito e Leucipo (5 a.C.) acreditavam que o cosmos tivesse se formado quando o movimento giratório levou os átomos a se aglutinarem, formando matéria. Como o universo é uma quantidade infinita de tempo e espaço e contém uma quantidade infinita de átomos, todos os mundos e configurações de átomos possíveis existirão, e então a existência de nosso mundo e da humanidade não é especial, mas inevitável. Como tudo está em fluxo constante, um cosmos surgirá e eventualmente se desintegrará, e seus átomos indestrutíveis serão reutilizados em um novo cosmo. Mes-

> "A [mente governava] esta rotação em que agora giram as estrelas, o Sol, a Lua, o ar separado e os outros. E o denso separa-se do leve, o quente do frio, o brilhante do escuro e o seco do molhado."
>
> Anaxágoras, fragmento B12.

ESPAÇO-TEMPO CONTINUADO

A divisão de espaço de Descartes em regiões contendo partículas que giram em torno de um centro, 1644.

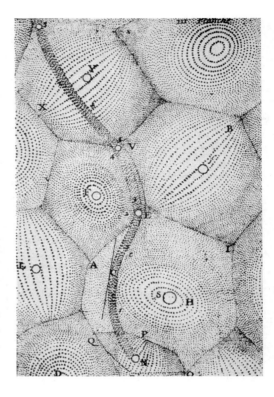

mo em um espaço de tempo mais curto, sabemos que os átomos em um sistema estelar que morre eventualmente são reciclados.

René Descartes descreveu um universo "vórtice" em que o espaço não estava vazio, mas cheio de matéria que rodopiava em redemoinhos, ou vórtices, produzindo o que mais tarde foi chamado de efeitos gravitacionais. Em 1687, Newton propôs um universo estático, infinito, em regime estacionário em que a matéria é distribuída igualmente (em grande escala). Seu universo era equilibrado gravitacionalmente, mas instável. Este perdurou como modelo científico até o século XX. Mesmo Einstein aceitou isso como verdade inquestionável até que as descobertas provaram o contrário.

O UNIVERSO MODERNO

Um aspecto das equações gerais da relatividade de Einstein é que elas não funcionam em um universo estático sem "falsificação". Como Einstein acreditava firmemente que o universo era estático, ele acrescentou uma "constante cosmológica" a suas equações para fazê-las funcionar. Mas os outros interpretaram suas equações de forma diferente. Um universo em expansão foi proposto pela primeira vez pelo cosmologista e matemático russo Alexander Friedmann (1888-1926). Usando as equações da relatividade de Einstein, Friedmann apresentou um modelo matemático de um universo em expansão em um trabalho publicado em 1922. Ele morreu de febre tifoide no ano seguinte com apenas 37 anos, uma doença contraída enquanto ele estava de férias na Crimeia, e seu trabalho foi desprezado. Einstein foi um dos poucos a ler o trabalho de Friedmann, mas rejeitou-o definitivamente. Entretanto, Einstein foi forçado a rejeitar seu próprio modelo anterior e abandonar a cons-

> Os filósofos gregos estoicos no século III a.C. acreditavam que o universo fosse como uma ilha cercada por um vazio infinito e estava em estado de fluxo constante. O universo estoico pulsa, mudando de tamanho, e sofrendo grandes modificações e conflagrações periódicas. Todas as partes são interconectadas de modo que o que acontece em algum lugar afeta o que acontece em toda parte, uma ideia espelhada curiosamente no embaralhamento quântico (veja a página 135).

DESVIO PARA O VERMELHO

Se a luz de uma estrela é analisada usando-se a espectroscopia, seu espectro será visto como "comprimido" para aos comprimentos de onda azuis, como se movessem na direção do observador (desvio para o azul), e "esticado" para os comprimentos de onda vermelhas, como se estivessem se afastando (desvio para o vermelho). Isso é chamado o efeito Doppler. Um efeito parecido ocorre com ondas sonoras; a sirene de um carro de polícia terá um tom mais agudo quando está mais próxima do ouvinte, pois as ondas sonoras estão comprimidas, e um tom mais grave quando se distancia, como se as ondas sonoras se esticassem. O desvio para o vermelho observado pelo Hubble, no entanto, não é resultado de um efeito Doppler causado pelo movimento das estrelas das galáxias (embora isso viesse a causar um desvio para o vermelho). Em vez disso, é resultado do espaço entre nossa galáxia e galáxias distantes que se estendem, e é assim que o universo se expande. O comprimento de onda da luz

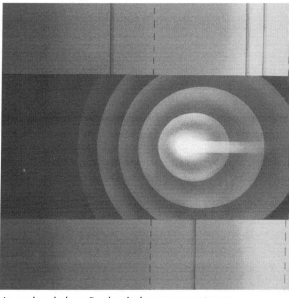

As ondas de luz são desviadas para o extremo vermelho ou o azul do espectro dependendo de a fonte estar se movendo para o observador ou se distanciando dele.

que atravessa aquele espaço estendido também é tracionado e estendido. A luz com um comprimento de onda mais longo é mais vermelha, daí o desvio para o vermelho. É por isso que a existência do desvio à direita é evidência para um universo em expansão. O desvio para o vermelho de algumas galáxias distantes foi medido pela primeira vez pelo astrônomo americano Vesto Slipher (1875-1969), e descrito em 1917. Mas foi Hubble que descobriu que o desvio para o vermelho era universal e que as galáxias mais distantes eram as que recuavam mais rapidamente. Ele publicou isso como a "Relação entre distância e velocidade radial entre nebulosas extragaláticas".

---

tante cosmológica depois de evidências de que Friedmann estava certo.

O astrônomo americano Edwin Hubble (1889-1953) demonstrou em 1929 que galáxias distantes se afastavam de nossa região espacial em todas as direções. Hubble tinha analisado essas galáxias espectroscopicamente e notou que seus espectros haviam se desviado para o extremo vermelho do espectro – o chamado "desvio para o vermelho" (veja o box acima). Esses achados foram tomados como evidência de que, de fato, o universo está se expandindo. Einstein então seguiu amplamente o modelo de Friedmann, mas adotou a visão de que o universo oscila entre a expansão, seguindo o

ESPAÇO-TEMPO CONTINUADO

Big Bang, e a contração, quando a gravidade puxa toda a matéria para dentro novamente, resultando em um Big Crunch e uma singularidade, que explodirá em outro Big Bang. O ciclo continua para sempre, mas como o tempo é único no espaço, tanto o tempo quanto o espaço não têm nem começo nem fim (ou têm inícios e fins infinitos, dependendo de como você deseja olhar para isso).

Do ovo cósmico ao Big Bang

A moderna visão do universo passou a existir com as teorias do padre e físico belga Georges Lemaître (1894-1966), que expressou a

GEORGE GAMOW (1904-1968)

George Gamow nasceu em Odessa, no Império Russo, uma área que agora faz parte da Ucrânia. Gamow foi um físico versátil e extremamente bem-sucedido, com descobertas e hipóteses importantes. Seus pais eram professores, embora sua mãe tivesse falecido quando Gamow tinha apenas nove anos. Sua educação foi interrompida quando sua escola foi bombardeada durante a Primeira Guerra Mundial, e como consequência muito de seu aprendizado foi como autodidata. Gamow trabalhou com alguns dos maiores físicos europeus de seu tempo, entre eles Rutherford e Bohr. Ele tentou escapar da União Soviética duas vezes, na primeira tentou atravessar 250 km de caiaque pelo mar Negro até a Turquia, e na segunda, atravessar do Murmansk até a Noruega. Ambas as tentativas foram frustradas pelo mau tempo. Gamow acabou fugindo junto com sua esposa quando participaram da *Solvay Physics Conference* na Bélgica em 1933, e se estabeleceram nos EUA em 1934.

O trabalho de Gamow foi da mecânica quântica até a astronomia; ele desenvolveu o modelo do átomo da "gota líquida", em que o núcleo é considerado uma gota do fluido nuclear não comprimido, descreveu o interior das estrelas gigantes vermelhas, resolveu o decaimento de partículas alfa e explicou que 99% do universo é composto de hidrogênio e hélio por causa das reações ocorridas no Big Bang. Ele previu a existência da radiação cósmica de fundo em micro-ondas, formulando a hipótese de que as reminiscências do Big Bang persistiriam depois de bilhões de anos. Sua estimativa foi que haveria um resfriamento para cerca de 5º acima do zero absoluto. Quando Penzias e Wilson descobriram a CMBR (*Cosmic Microwave Background Radiation* — radiação cósmica de fundo em micro-ondas) em 1965 (veja o box na página seguinte), eles verificaram que a temperatura, na verdade, tem 2,7 graus acima do zero absoluto.

DO OVO CÓSMICO AO BIG BANG

> **UM PRÊMIO NOBEL POR ACASO**
>
> Em 1978, Arno Penzias e Robert Wilson compartilharam o Prêmio Nobel de Física por descobrirem a radiação cósmica de fundo em micro-ondas. De fato, eles não estavam procurando isso e não a reconheceram, no início, quando fizeram a descoberta. Penzias e Wilson estavam sintonizando uma antena de micro-onda sensível no Bell Telephone Laboratories em Holmdel, New Jersey, para uso em astronomia de rádio quando detectaram uma interferência que estava afetando seu trabalho. Eles não conseguiram se livrar dela. Era constante e vinha de todas as partes do céu igualmente. De fato, eles "tropeçaram" na radiação cósmica de fundo em micro-ondas (CMBR). Não tão distante, na Universidade de Princeton, a equipe de Robert Dicke, Jim Peebles e David Wilkinson estava construindo um equipamento para procurar especificamente pela CMBR, e percebeu rapidamente o que Penzias e Wilson tinham descoberto. Ao ouvir a notícia, Dicke virou-se para os outros e disse: "Caras, fomos premiados".

visão de que o universo começou como um ponto infinitamente pequeno e denso – agora chamado singularidade, mas chamado por Lemaître de átomo primevo ou "ovo cósmico". Um evento incalculavelmente forte que agora chamamos de Big Bang explodiu essa singularidade, transformando toda a matéria do universo e explodindo-o pelo espaço.

Lemaître apresentou sua ideia de um universo em expansão na *Solvay Physics Conference* na Bélgica em 1927, quando enunciou pela primeira vez o que mais tarde se tornaria a Lei de Hubble – que a velocidade de objetos distantes que se afastam da Terra é proporcional à sua distância da Terra. Lemaître discutiu isso com Einstein na conferência, mas Einstein novamente rejeitou a teoria. Ele disse a Lemaître: "Seus cálculos matemáticos estão corretos, mas seus conceitos de física são abomináveis!". Entretanto, a descoberta de Hubble confirmou a física de Lemaître, demonstrando que o desvio para o vermelho na luz de galáxias longínquas é proporcional à sua distância da Terra.

Apesar de seu sucesso, a teoria do "ovo cósmico" de Lemaître foi ridicularizada, mesmo por Eddington, que defendia o modelo do universo expandido. O nome Big Bang originou-se com um comentário sarcástico do astrônomo inglês Fred Hoyle (1915-2001) em 1949. Hoyle continuou a defender um modelo de "estado estacionário do universo" bem depois de se estabelecer um consenso geral de que Lemaître estava certo. Embora o universo de Hoyle, descrito em 1948, se expandisse, ele incluiu a inserção regular de novos materiais para manter a densidade geral estável. O principal argumento contra a teoria do Big Bang foi que deveria haver certa energia de calor restante do evento original que poderia ser detectável. O físico George Gamow (veja o box na página 202) formulou a hipótese de que, com a expansão do universo, essa energia de calor teria resfriado, passando para a banda de micro-onda. A confirmação veio em 1965, com a descoberta acidental da radiação cósmica de fundo em micro-ondas (CMBR) por dois astrônomos de rádio, Arno Penzias e Robert Wilson em 1965 (veja o box acima). Com essa evidência, a maioria daqueles que discordavam passou a aceitar o Big Bang.

ESPAÇO-TEMPO CONTINUADO

Como o universo evoluiu desde o Big Bang.

Quantas estrelas?

Os primeiros catálogos de estrelas podiam listar apenas aquelas visíveis a olho nu. Com o aprimoramento da tecnologia, primeiro com o telescópio ocular e depois com telescópio por rádio, o número de estrelas detectáveis multiplicou-se de forma contínua e exponencial. O catálogo Draper (veja a página 180) acabou listando 359.083 estrelas. No entanto, o número estimado de estrelas no universo excede de longe qualquer catálogo e, assim como o universo, tende a se expandir. Até o final de 2010, a estimativa geralmente aceita era entre 10^{22} e 10^{24} estrelas. Então uma equipe de pesquisa coordenada por Pieter van Dokkum no Observatório de Keck no Havaí descobriu em 2010 que pode haver três vezes mais estrelas do que o que se pensava, por conta de uma proliferação de estrelas anãs vermelhas invisíveis anteriormente (talvez 20 vezes mais que as estimativas anteriores em algumas galáxias).

O universo observável

Agora temos várias formas de estimar a idade do universo: medindo a abundância

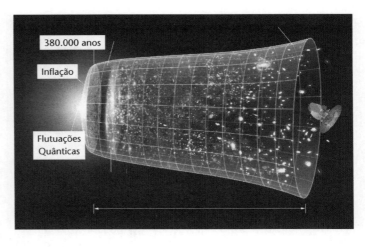

de isótopos radioativos como o urânio-238 e seus produtos de decaimento (nucleocosmocronologia); medindo o índice de expansão do universo e calculando retroativamente para identificar quando ele deve ter-se iniciado; e examinando aglomerados globulares de estrelas e deduzindo sua idade dos tipos de estrelas que eles contêm. O dado mais exato para a idade do universo atualmente é calculado como 13,7 bilhões de anos. Baseia-se nos dados da Sonda de Anisotropia de Micro-Ondas Wilkinson, da NASA, uma espaçonave que mede a radiação cósmica de fundo em micro-ondas.

A explosão de uma supernova mostrada em comprimentos de onda ótica (esquerda), ultravioleta (centro) e raio X (centro).

DO OVO CÓSMICO AO BIG BANG

O quasar mais distante está em torno de 28 bilhões de anos-luz de distância (veja a página 190) e pode parecer impossível se o universo tiver apenas 13,7 bilhões de anos. A anomalia é atribuída à expansão do espaço-tempo entre a Terra e o quasar. A luz que agora recebemos do quasar foi emitida talvez a 12,7 bilhões de anos-luz atrás, quando o quasar estava mais próximo da Terra, mas como o espaço entre os dois aumentou desde então, o quasar agora está muito mais afastado. Embora nem a luz nem o corpo possam viajar pelo espaço a velocidades maiores que a velocidade da luz, o tempo-espaço pode se expandir a qualquer taxa. É pensado que o universo observável (que teoricamente poderia ser observado se tivéssemos a tecnologia certa) tem em torno de 93 bilhões de anos-luz. Isso não coloca um limite ao tamanho do universo todo. Além dele, pode haver matéria que agora está separada da Terra por tanto espaço interveniente que sua luz ainda não chegou até nós.

BIG BANGS

Até 2010, não havia evidência para sugerir que o Big Bang pudesse ter sido um em um ciclo de universos em expansão e contração, mas então Sir Roger Penrose (1931-) e Vahe Gurzadyan (1955-) descobriram círculos concêntricos claros dentro da radiação cósmica de fundo em micro-ondas, o que sugere que as regiões de radiação têm uma temperatura muito menor que em outro lugar. Isto, alegam eles, sugere um Big Bang anterior, mais antigo, preservado como um tipo de fóssil no CMBR.

QUANTOS UNIVERSOS?

Embora a palavra "universo" signifique que existe apenas um, alguns cientistas sugeriram que existe, de fato, um multiverso, em que nosso próprio universo é apenas um entre muitos. Os físicos teóricos Hugh Everett III e Bryce DeWitt (1923-2004) sugeriram um modelo de "muitos mundos" nas décadas de 1960 e 1970, e o físico russo-americano Andrei Linde (1948-) descreveu em 1983 um modelo em que nosso universo é um de muitas "bolhas" formadas em um multiverso sujeito a inflação eterna.

TUDO MONTANHA ABAIXO A PARTIR DAQUI

Nosso próprio Sol está aproximadamente na metade do caminho de sua vida provável. Pode-se esperar que ainda dure uns poucos bilhões de anos antes de seguir o padrão observado em outra parte do universo, de expandir-se em um gigante vermelho para depois entrar em colapso e tornar-se uma anã branca, e finalmente esfriar cada vez mais.

Embora seja evidente que não estaremos aqui para testemunhar isso, o fim do universo – se ocorrer – preocupa alguns cosmologistas. Ele se expandirá continuamente até se tornar um caldo ralo de matéria dispersa, deixando de funcionar coerentemente como sistemas planetários? Ou será sugado de volta em um Big Crunch, pronto para explodir novamente em um novo Big Bang? Nesse caso, este ciclo pode ser eterno (embora a palavra não tenha significado em um sistema em que o tempo, juntamente com o espaço, é esmagado e recriado para iniciar do zero). O começo e o fim do universo são realmente as fronteiras da ciência, áreas que exploramos com lógica e matemática – mas mesmo aqui existem métodos experimentais que ajudarão a aprimorar nossas teorias à medida que moldarmos a física do futuro.

CAPÍTULO 8

FÍSICA
para o futuro

Quando em 1874 Max Planck disse que queria se especializar em física, seu orientador aconselhou-o a escolher uma disciplina diferente, pois não havia nada para descobrir nas ciências físicas. Felizmente, Planck ignorou o conselho. Ainda há, quase 150 anos depois, muito a ser descoberto na Física. Não conseguimos reconciliar a gravidade e a mecânica quântica; não podemos explicar a maior parte da massa do universo; existem partículas que não podemos detectar, mas suspeitamos que estejam em algum lugar para serem encontradas; não podemos explicar bem o que é energia e não sabemos qual será o destino de nosso universo; ou se ele é o único ou apenas um entre muitos. Estas são algumas das questões prontas para serem abordadas pelos físicos do futuro, que ainda estão em nossas salas de aula e auditórios de universidades.

Aplicações práticas da física aproveitam as leis naturais do universo para novas tecnologias.

FÍSICA PARA O FUTURO

Descartando tudo e começando de novo

No século XX, houve na física uma reavaliação fundamental de grande parte do conhecimento alcançado anteriormente, combinando espaço e tempo no *continuum* espaço-tempo, substituindo certezas por incertezas e probabilidades, transformando partículas e ondas em dualidades ondas-partículas, e introduzindo outras ideias que, embora bizarras, não podem ser rejeitadas. De fato, as novas teorias não revolucionaram tanto o conhecimento alcançado anteriormente, mas o ampliaram. Contudo, o conhecimento ampliado não responde por tudo, e deve ser incorporado em um conjunto de teorias ou modelos que explique tudo o que foi descoberto até agora, além daquilo que ainda não tem explicação.

Isto é tudo?

Parece um fracasso para a Física, mas um dos maiores problemas remanescentes é como explicar os 96% da densidade de massa-energia do universo. O universo que podemos ver, por refletir ou emitir luz, responde apenas por uma quantidade ínfima do que se sabe existir nele, cerca de 4%. O termo "matéria escura" foi cunhado para descrever matéria que sabemos existir, mas não conseguimos ver. A ideia de matéria escura foi proposta pela primeira vez pelo astrônomo búlgaro-suíço Fritz Zwicky (1898-1974) em 1933.

Zwicky aplicou cálculos derivados das teorias da relatividade de Einstein a interações gravitacionais observadas no aglomerado de galáxias Coma, e descobriu que o aglomerado deve conter massa centenas de vezes maior do que a luminosidade geral poderia sugerir. Ele propôs que o restante seria composto de matéria escura.

Então, o que é essa substância misteriosa? A teoria atual mais aceita divide a matéria escura em matéria bariônica e não bariônica. Matéria bariônica é matéria comum

Um anel de matéria escura formado pela colisão de duas galáxias, fotografado pelo telescópio Hubble em 2004.

composta de prótons e nêutrons e outros. Todos esses objetos visíveis no universo devem emitir ou refletir luz. Isso pode parecer bastante óbvio, mas é muito significativo. Se um planeta vagueia onde não está iluminado por qualquer estrela, ou se uma estrela se apaga, ela não pode mais ser vista. A matéria escura bariônica provavelmente é composta de matéria invisível, como nuvens de gás, estrelas esgotadas e planetas não iluminados. Estes são chamados Objetos com Halo Compacto e Grande Massa (MACHOs, do inglês *Massive Compact Halo Objects*). A presença de MACHOs pode ser inferida dos efeitos gravitacionais que eles têm; eles foram encontrados pela primeira vez na Via Láctea em 2000.

Porém não existem MACHOs suficientes para suprir toda a matéria escura. Acredita-se que a maior parte da matéria escura abranja Partículas Maciças Fracamente Interagentes (WIMPs, do inglês *Weakly Interactive Massive Particles*). Essas partículas são, por definição, difíceis de encontrar, pois elas não interagem com outras matérias através de forças eletromagnéticas. Parte da matéria escura pode ser decorrente dos neu-

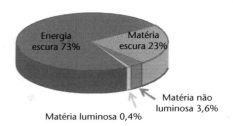

trinos (veja a página 145), mas ainda existe espaço para outras partículas não descobertas e hipotéticas como áxions e até mesmo partículas exóticas hipotéticas.

ENERGIA ESCURA

Se foi difícil aceitar a existência de matéria escura, os cosmologistas devem ter tido um choque muito maior quando os resultados do *Supernova Cosmology Project* foram anunciados em 1999. Esse estudo tinha examinado supernovas Tipo 1a, um tipo de estrela explosiva cuja massa e luminosidade são conhecidas e, portanto, cujo desvio para o vermelho (veja a página 201) pode ser calculado com exatidão. Os achados do projeto revelaram que o universo não estava se expandindo a uma taxa contínua nem descrescente, como se tinha suposto, mas acelerada. Essa aceleração desde então foi confirmada por outras pesquisas, inclusive estudos detalhados de radiação cósmica de fundo em micro-ondas. Para explicar esse fenômeno, os cientistas cunharam um novo termo – energia escura.

Mesmo com MACHOs e WIMPs, o orçamento de massa-energia do universo acusa um déficit acentuado. Atualmente se estima que quase três quartos (por volta de 74%) da massa-energia do universo responde pela misteriosa energia escura, sendo que a matéria escura corresponde a grande parte do resto. Considera-se que

---

METEORITOS ARTIFICIAIS

Fritz Zwicky adotou uma abordagem não convencional e inovadora à astronomia, e muitas de suas ideias (inclusive a matéria escura) não foram levadas a sério por seus contemporâneos. Em outubro de 1957, Zwicky disparou balas de metal do nariz do foguete Aerobee, criando meteoritos artificiais que podiam ser vistos do observatório de Mount Palomar. Uma das balas teria escapado do campo gravitacional da Terra sendo o primeiro objeto feito pelo homem a entrar na órbita solar.

FÍSICA PARA O FUTURO

> "O universo é formado em grande parte de matéria escura e energia escura, mas não sabemos qual delas é."
> Saul Perlmutter, do *Supernova Cosmology Project*, 1999.

a energia escura tem forte pressão negativa e, portanto, responde pela expansão acelerada do universo. Ela provavelmente é homogênea, não muito densa, mas está presente em toda parte que seria considerada espaço vazio. Uma concorrente pelo título de energia escura é a constante cosmológica, originalmente adicionada por Einstein como um artifício nas equações gerais de relatividade para explicar por que o universo não entra em colapso sob a força da gravidade. Einstein mais tarde abandonou a ideia, mas agora ela está sendo retomada para explicar esses novos achados.

Uma teoria é que a constante cosmológica age como antigravidade, evitando que a gravidade puxe o universo para si mesmo. A força da constante cosmológica no momento é considerada como um pouco maior que a força da gravidade, mas não se sabe se ela foi sempre a mesma ou será sempre a mesma, nem se é realmente uma constante. Nem todos os cosmologistas aceitam a ideia de uma constante cosmológica e apresentaram outras ideias até mesmo esotéricas como a "teoria das cordas" (veja a página 213). No entanto, nenhuma evidência convincente foi encontrada para fazer qualquer teoria particular parecer altamente provável.

Como parece o Universo desde o Big Bang.

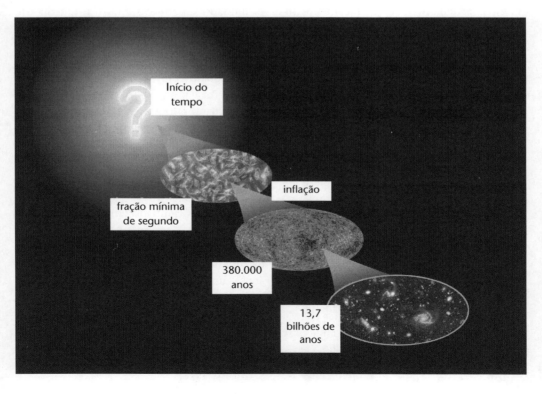

Simulação da criação e decaimento de um bóson de Higgs; ele produz dois jatos de hádrons e dois elétrons.

Onde mais procurar pela matéria?

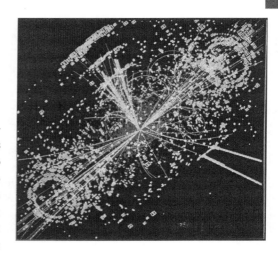

O modelo padrão da matéria é que os átomos são formados por partículas compostas como nêutrons e prótons, e que estes são formados de partículas elementares como quarks (veja a página 143). Há teorias sobre todo um conjunto de outras partículas cuja existência ainda não foi comprovada – ou que podem não existir mais. Explorar essas partículas experimentalmente, e não como modelo matemático, é tarefa complexa e onerosa, exigindo equipamentos altamente sofisticados, principalmente pelo fato de muitas terem uma duração muito pequena.

O bóson de Higgs postulado (ou partícula "Deus") é a única partícula elementar prevista pelo modelo padrão de matéria que ainda não foi detectada. Considera-se que ele confere massa à matéria, e foi sugerido pela primeira vez pelo físico teórico inglês Peter Higgs (1929-) em 1964.

Para entender isso, é necessário examinar por um instante as partículas que mediam as quatro forças fundamentais: o eletromagnetismo é mediado praticamente por fótons sem massa; os glúons ligam quarks pela forte força nuclear; e os bósons W e Z carregam força nuclear fraca e são muito pesados, falando em termos relativos – cerca de 10 vezes a massa de um fóton. O problema para os físicos é explicar a diferença na massa dessas partículas mediadoras de forças. A solução é um modelo que tenha algumas das partículas se deslocando lentamente nesse melaço cósmico.

O campo de Higgs é algo como um campo de força pelo qual a matéria tem de se mover no espaço. Algumas partículas quânticas são desaceleradas mais que outras ao se moverem por ele. A desaceleração de uma partícula confere efetivamente massa a ela. Os fótons não são inibidos pelo campo e têm muito pouca massa, mas os bósons W e Z são consideravelmente desacelerados pelo campo, e, portanto, têm massa significativa. O campo de Higgs é mediado pelo bóson de Higgs. Se a existência do bóson de Higgs pudesse ser comprovada, o modelo padrão estaria completo.

No entanto, como procuramos por tal partícula? Os físicos atualmente estão tentando explodir uma partícula e torná-la visível usando enormes aceleradores de partículas como o Grande Colisor de Hádron (*Large Hadron Collider* – LHC,) do CERN, que funciona em um túnel subterrâneo em Genebra, e no Tevatron de Fermilab, próximo de Chicago. A existência do quark "top" foi confirmada no Fermilab em 1995. Esses aceleradores disparam feixes de partículas a uma velocidade extremamente alta em direções opostas em torno de um círculo, de modo a provocar colisões entre elas. O LHC é a maior dessas máquinas, com um túnel circular de 27 km de circunferência. O

FÍSICA PARA O FUTURO

Stephen Hawking em gravidade zero a bordo de um Boeing 727 modificado.

LHC dispara feixes de prótons 11 meses do ano, e íons de chumbo um mês por ano.

Os feixes de prótons são acelerados a 3 m/s da velocidade da luz e disparados em rajadas de modo que as colisões não aconteçam continuamente, mas sempre em intervalos de pelo menos 25 nanossegundos.

Um próton acelerado leva apenas 90 microssegundos para completar um circuito do túnel colisor – o equivalente a 11.000 circuitos por segundo. O programa de pesquisa no LHC começou em 2010.

Os físicos esperam que, se o modelo padrão estiver correto, um bóson de Higgs será produzido a cada poucas horas; será necessário obter dados de dois ou três anos para confirmar que isso aconteceu.

Separando o joio do trigo?

Einstein lutou – e fracassou – para encontrar uma teoria unificadora que explicasse tudo, reunindo a gravidade e a mecânica quântica em um conjunto abrangente de equações. Anaxágoras poderia ter dito o mesmo. Ele queria encontrar uma única explicação para o movimento e a mudança de estado que ocorre no mundo físico. Ele insistiu que essa explicação não deveria ter qualquer componente supersticioso ou divino e deveria ser totalmente lógica. A mente cósmica, no modelo dele, pesquisada constantemente, regulava e controlava as mudanças infinitas que ocorriam para certificar-se de que elas estavam todas sob controle. O que ele queria dizer era que havia uma lei, que ele não tinha descoberto nem explicado, que controlava o fluxo de toda matéria. Esta era uma explicação insatisfatória, como observaram seus sucessores, mas não muito diferente das crenças de Einstein e Hawking de que deve haver uma teoria única e que podemos descobri-la. No final de sua vida, Einstein reconheceu que ele não conseguiria fazer isso, e que deveria deixar esse trabalho para outros cientistas. Isso ainda não foi realizado, e o abismo entre a teoria quântica e a teoria geral da relatividade – apesar de evidências experimentais de que ambas estão corretas – continua sendo um importante enigma para os físicos.

Uma abordagem a esse problema foi o desenvolvimento da teoria das cordas. No entanto, ainda não é uma teoria coerente, não pode ser testada e pode não ser amplamente aceita, mas procura unir a teoria quântica e a teoria geral da relatividade fornecendo uma descrição mais aprofundada de ambas. Na teoria das cordas, todas as partículas subatômicas são fragmentos minúsculos de corda, com extremidades abertas ou em laço, que vibram em muitas dimensões. A diferença entre as partículas não vem de sua composição, que é a mesma, mas da harmonia de suas vibrações. E essas vibrações não ocorrem apenas nas três dimensões de espaço e uma de tempo com a qual estamos familiarizados, mas em dez dimensões. Algumas delas podem ser enroladas em si mesmas ou durar apenas um tempo muito breve, de modo que não as percebemos. A teoria das cordas é altamente especulativa, e mesmo seus proponentes têm versões muito diferentes dela.

> "Teoria-M é uma teoria unificada que Einstein estava esperando encontrar... Se a teoria for confirmada pela observação, isso será a conclusão bem-sucedida de uma busca que começou há mais de 3000 anos. Nós teremos encontrado o grande design."
> Stephen Hawking, The Grand Design, 2010.

A teoria-M é um desenvolvimento da teoria das cordas que leva hipóteses da física a novas fronteiras. A adição de uma 1ª dimensão é sua contribuição mais modesta. Para cordas vibrantes, ela adiciona partículas pontos, membranas bidimensionais, formatos e entidades tridimensionais em mais dimensões que são impossíveis de visualizar (p-branas, onde p é um número no intervalo de zero a nove). O modo como os espaços internos são dobrados determina os aspectos que consideramos leis imutáveis do universo – tal como a carga sobre um elétron ou como a gravidade funciona. A teoria-M, portanto, permite diferentes universos com leis diferentes – até 10^{500} delas, de fato. Não existem fórmulas da teoria-M, como também não existe consenso sobre o que ela seja – uma única teoria, uma rede de teorias conectadas, ou alguma coisa que muda de acordo com as circunstâncias? Ninguém tem certeza do que representa M. O que Anaxágoras chamou de mente (*nous*) e Einstein chamou de teoria do campo unificado pode agora ser chamado de teoria-M, mas não estamos muito mais próximos de saber a resposta – ainda há muito a se fazer na Física.

O aglomerado de estrelas Messier 13, observado por Halley: "Este é nada mais que uma pequena mancha, mas ele é visto a olho nu quando o céu está sereno e a Lua, ausente".

Índice

Abhaya, Rei, 74
Academia de Experimento 21
Académie des Sciences 22
Alberto da Saxônia 78-79
al-Biruni, Abu Rayhan 19, 160, 162
al-Farisi, Kamal al-Din 48
al-Ghazali 33
al-Haytham, Ibn al-Hassan Ibn 18-19, 27-28, 49, 67, 160
Alhazen 18-19, 47-48, 49
al-Khwarizimi, Muhammed ibn Musa 159-160
al-Marwazi, Habash al-Hasib 160
alquimia 35, 36
Al-Rahwi 19
al-Shirazi, Quth al-Din 48
al-Sufi, Abd al-Rahman 160
Amontons, Guillaume 103
Ampère, André-Marie 101, 111
Analytical Mechanics (Lagrange) 90
Anaxágoras 26-28, 29, 70, 87, 199
Anaximander 17
Anderson, Carl 145
antimatéria 144-145
Aquino, Tomás 78
Aristarco 154-155
Aristóteles 18, 199
    e ideias da matéria 30, 31-32
    e ideias de mecânica 75-76, 77
    e ideias de tempo 194
    e método científico 23
    e velocidade da luz 67
    influência na Europa medieval 20, 30, 50
Arkwright, Thomas 90
Arquimedes 76
Arrhenius, Svante August 109, 112
Aryabhatiya 158

Aston, Francis 186
astrolábio 161
astronomia veja também continuum espaço--tempo
    e brilho das estrelas 184-185
    e cometas 176-179
    e energia nas estrelas 185-186
    e espectroscopia 180-182
    e Galileu 171-174, 175-176
    e modelo copernicano 165-164, 170
    e modelo ptolomaico 157, 163, 164, 166
    e na Índia 157, 158
    e pulsares 190, 191
    e quasares 190
    e radioastronomia 186-190
    e Tycho Brhae 165-166, 167
    e uso do telescópio 169-170, 171-172, 175-176, 183
    e Via Láctea 184
    instrumentos na 176-177, 182-184
    na China 153
    na Grécia Antiga 154-157
    na Mesopotâmia 153-154, 161
    no mundo árabe 158-160, 162
    no período pré-histórico 152
    visão da supernova 162-163
átomos
    decaimento 138, 139-140
    descrição de 29
    discussão sobre a existência de 35
    e antimatéria 144-145
    e compostos 41-42
    e corpuscularianismo 35
    e elementos 39-42
    e elétrons 122, 124-126, 128, 129, 130-133
    e fissão nuclear 141-142

e Interpretação de Copenhagen 134-137
e mecânica quântica 43, 126-139, 143-147, 149
e neutrinos 137, 145-147
e nêutrons 137-139
e partícula bóson de Higgs 147, 149, 210
e termodinâmica 42-43
força sobre 138-139
ideias de estrutura de Bohr 124-126
ideias do mundo árabe 33-34
ideias do século 17 dos 36-39
ideias dos gregos na Antiguidade 28-32
ideias hindu dos 32-33
modelo do pudim de passas 122-124
Aubrey, John 20, 37, 54, 58
Agostinho, Santo 196
Averroes 34, 78
Avicenna 19, 67, 77-78
Avogadro, Amedeo 42

Bacon, Francis 20, 67
Bacon, Roger 19-20, 48, 50-51, 67
Baliani, Batista 87
Becher, Johann 95
Becquerel, Alexandre 63, 116-117, 118, 139
Beeckman, Isaac 81
Benjamin Thompson, Conde de Rumford 99
Bernoulli, Daniel 88-89, 98
Berti, Gasparo 87
Bessel, Friedrich 182
Bevis, John 163
Bhaskara 95
Bohr, Niels 124-126, 127, 135, 148
Boltzmann, Ludwig 43, 124
Bonaparte, Napoleão 23
Book of Bodies and Distances (al-Marwazi) 160
Book of the Devil Valley Master 110
Bothe, Walter 137
Boyle, Robert 21, 22, 35, 37, 39, 59, 103
Bradley, James 69
Brady, Nicholas 39

Brahe, Tycho 161, 165-166, 167
Brahmagupta 158
Brentano, Franz 43
Broglie, Louis-Victor de 128, 129
Brown, Robert 42
Browne, Thomas 107
Brueghel, o Velho, Jan 25, 73
Bruno, Giordano 170
buracos negros 197
Buridan, Jean 78, 79, 163
Burnell, Jocelyn Bell 191

Calculadores de Oxford 80
calor
e ideias de fogo 95-96
e luz 103-105
e modelo mecânico 98, 99-100
e termodinâmica 98-103
e zero absoluto 102-103
modelo calórico 98-99, 101
camera escura 49
Cannon, Annie Jump 180, 181-182
Carnot, Nicolas Sadi 101-103
Cassini, Giovanni 167-168, 176
Cavendish, Henry 108
Cefeidas 183-184
Céres e os Quatro Elementos (Brueghel o Velho) 24-25
Cesi, Federico 21, 22
Chadwick, James 137-138, 140, 145
Châtelet, Émilie Du 95, 97
China
astronomia na 153
e ideias de magnetismo 110
mecânica na 75
Clausius, Rudolf 100, 101
cometa Halley 178-179
cometas 186-189
compostos 41-42
constante de Planck 128-129
continuum espaço-tempo veja também astronomia

ÍNDICE

e buracos negros 197
e desvio para o vermelho 201
e energia escura 208-209
e multiversos 205
e número de estrelas 203-205
e origens do universo 199-200
e teoria da relatividade 196, 198
e teoria do Big Bang 202-203, 205
e universo em expansão 200-202
e velocidade da luz 198-199
Copérnico, Nicolau 163-164
Coriolis, Gustave-Gaspard de 105-106
corpuscularianismo 35, 57-58
Cowan, Clyde 145-146
Curie, Marie 117-118, 119
Curie, Pierre 118, 119

Dalton, John 41-42, 103, 122
Davy, Humphry 98, 99, 106
De aspectibus (Sobre a perspectiva) (al--Haytham) 47
De magnete (Gilbert) 110, 155
De Nova Stella (Brahe) 166
Dee, John 170
Demócrito 19, 28, 29, 31, 199
Desaulx, J. 42
Descartes, René
descreve o universo 200
e geometria cartesiana 55
e ideias de matéria 32, 35, 37-38
e ideias de mecânica 81, 82
e ideias de ótica 52, 53-54
e velocidade da luz 67, 70
desvio para o vermelho 201
DeWitt, Bryce 205
Dialogue of the Two Chief World Systems (Galileu) 173-174
Dicke, Robert 203
Digges, Leonard 53, 169-170
Digges, Thomas 169-170
dinâmica 77-82, 84
Dirac, Paul 132-133, 144-145

Discursos e Demonstrações Matemáticas a Respeito de Duas Novas Ciências (Galileu) 174
Dokkum, Pieter van 204
Draper Catalogue of Stellar Spectra 180, 181-182
Draper Henry 180
Dresden Codex 162
Du Shi 75
dualidade da onda-partícula 127-137

Eck, Johannes 21
Eddington, Arthur 70-71, 185, 186
Edison, Thomas 186
efeito fotoelétrico 62, 63
Einstein, Albert 131
e a direção da luz 70
e a dualidade da onda-partícula 129-130
e a expansão do universo 200-201
e a Interpretação de Copenhagen 135-137
e a teoria da relatividade 196-198
e a teoria do Big Bang 202
e a teoria unificada 212
e a velocidade da luz 70
e eletromagnetismo 203
e o efeito fotoelétrico 62, 63
e o éter 32
e o método científico 23
e o movimento das moléculas 42-43
e o paradoxo EPR 135-137
e o Projeto Manhattan 142
elementos 39-42
eletricidade 106-111
eletromagnetismo 61-62, 111-114
elétrons 122, 124-126, 128, 129, 130-133
Empédocles 30, 31, 46, 57, 67, 95
empirismo 36
energia cinética 106
energia escura 209-210
energia potencial 106
energia
conservação da 94

ÍNDICE

conversão da 94-95, 99
e calor 95-96
e eletricidade 106-111
e eletromagnetismo 61-62, 71, 111-114
e energia cinética 106
e energia potencial 106
e magnetismo 110-111
e movimento perpétuo 95
e radiação 116-119
e raios-X 114-115, 116-117
e termodinâmica 98-103
energia escura 209-210
Epicuro 28-29
esfera armilar 161
espectroscopia 180-182
Estrelas
brilho das 184-185
Cefeidas 183-184
distâncias das 182-184
e espectroscopia 180-182, 201
energia nas 185-186
número de 203-205
éter 31, 32, 53-54, 57, 62-66
Euclides 46
Euler, Leonard 90
Europa medieval
e ideias da luz 48-51
e ideias de matéria 31, 34-35
e ideias de mecânica 80
física na 19-20
influência de Aristóteles na 20, 34, 50
Everett III, Hugh 135, 205
Exner, Felix Maria 42
experiment dcom bola 81-82

Fabricius, Johann 172
Faraday, Michael 61, 100, 111, 112, 114, 115
Fay, Charles du 109
Fermat, Pierre de 70
Ferni, Enrico 140, 141, 142, 145
Feymann, Richard 94, 143, 147, 148

Filopono, João 77
física
descrição da 16-17
e crescimento de sociedades científicas 21-23
e ideias da Grécia Antiga de, 17-18
ideias do mundo árabe sobre 18-19
ideias sob re na Europa medieval 19-20
fissão nuclear 141-142
Fizeau, Hippolyte 69
Flammarion, Camille 179
Flamsteed, John 174-175
Fleming, Williamina 180-181
flogisto 95-96
fogo 95-96
Foucault, Léon 69-70
Franklin, Benjamin 107-108, 109
frascos de Leyden 107
Fresnel, Augustin-Jean 60-61
Friedmann, Alexander 200-201
Fujiwara, Sadiae 163

Galilei, Galileu 83
conflito com a igreja 172-174
descreve a física 16
e experimento com bola 81-82
e ideias de mecânica 81-82, 87
e medida do tempo 194
e método científico 20-21
e uso do telescópio 51, 53, 83, 171-172
e velocidade da luz 67
membro da Lyncean Academy 21
Galileo (espaçonave) 170
Galvani, Luigi 109
Gamow, George 202, 203
Gan De 171
Gassendi, Pierre 35, 57, 84, 166
Gay-Lussac, Joseph Louis 101, 103
Geber 19
Geiger, Hans 122
Gell-Mann, Murray 144
geometria cartesiana 55

ÍNDICE

Gilbert, William 110-111, 155
glúons 143
Gouy, Louis Georges 42
Gravesande, Willem 95
gravidade 85, 169
Gray, Stephen 108-109
Grécia Antiga
	astronomia na 154-157
	e ideias da matéria 33-34
	e ideias de átomos 28-32
	e ideias de luz 46-47
	e ideias de mecânica 84
	física na 17-18
Grosseteste, Richard 48-50
Guericke, Otto von 37, 41, 107
Gurzadyan, Vahe 205

Halley, Edmund 174, 175, 176-178
Hamilton, Sir William Rowan 90, 91
Hargreaves, James 89-90
Harriot, Thomas 172
Hartsoeker, Nicolaas 38-39
Hawking, Stephen 43, 212, 213
Heaviside, Oliver 188
Heisenberg, Thomas 182
Henry, Joseph 111-112, 113
Heron de Alexandria 46-47, 87
Hertz, Heinrich 43, 114, 117
Hertzsprung, Ejnar 183, 184-185
Hertzsprung-Russell, diagram 184, 185
Hewish, Antony 189
Hey, James 189
Hidrodinâmica (Bernoulli) 88, 98
Higgs, Peter 211
Hiparco 77, 155-156
Hipócrates 30
Hittorf, Johann Wilhelm 114
homeomerias 29
Hooke, Robert 21, 22, 59, 174, 194
	e astronomia 182
	e ideias da luz 182
	e Isaac Newton 56-57, 59

e Micrographia 21, 22, 56-57
e microscopia 56-57
Horrocks, Jeremiah 177
Hoyle, Fred 203
Hubble, Edwin 184, 201, 203
Hubble, telescópio especial 183
Huygens, Christiaan 53
	constrói relógio de pêndulo 194
	e ideias da luz 58, 60, 67, 68
	e uso do telescópio 175-176

Idade da Razão, A 35
ímpeto 77, 80
Índia
	astronomia na 157, 158
	e ideias da luz 46
	e ideias dos átomos 32-33
índice de refração negativa 69
inércia 82, 84
Interpretação de Copenhagen 134-137

Jansky, Karl 188-189
Joliot-Curie, Fréderic 136, 137, 141, 142
Joliot-Curie, Irène 136, 137, 141
Joule, James Prescott 99, 100, 103

Kanada (Kashyapa) 32, 33
Karlsruhe Tritium Neutrino Experiment (KATRIN) 147
Kelvin, Lord 64, 100, 103
Kennely, Edwin 188
Kepler, Johannes 51-52, 78, 83, 85, 167-169
Kleist, Georg von 107

Lagrange, Joseph-Louis 41, 90
Lambert, Heinrich 103
Laplace, Pierre Simon 86, 103, 197
Lattes, César 138
Lavoisier, Antoine 26, 39-41, 96, 98-99, 103
Leavitt, Henrietta Swan 181, 183
Leeuwenhoek, Antonie van 53
lei de Ohm, 109-110

ÍNDICE

Lei de Snell 70
Leibnitz, Gottfried 86, 95
Leigh, David 102
Lemaître, Georges 202-203
lentes 53
Leucipo 28-29, 199
Lodge, Sir Oliver 186-187
Lorentz, Hendrik 32
Luz veja também ótica
    como linha reta 70-71
    desenvolvimento da teoria das ondas 58-62
    dualidade onda-partícula 127-137
    e calor 103-105
    e efeito fotoelétrico, 52, 63
    e éter 53-54, 57, 62-66
    e fótons 62, 63
    e ideias hindus da 46
    e radiação eletromagnética 61-62, 71
    ideias de Isaac Newton sobre 57-58
    ideias do mundo árabe da 47-48
    ideias do século 16 e 17 sobre 51-54
    velocidade da 67-70, 198-199
Lyncean Academy 21-22, 104

Mach, Ernst 91
Magiae naturalis (della Porta) 104
Maias 162
Manhattan Project 142
Marrison, Warren 194
massa, conservação da 26, 40
matéria escura 208-209
matéria
    e Anaxágoras 26-28, 29
    e atomismo 28-34
    e teoria elementar 30-31
    ideias da Europa medieval sobre 31, 34-35
    ideias do mundo árabe da 33-34
    ideias dos gregos antigos da 26-32
    ideias hindus da 32-33
Maury, Antonia 181

Maxwell, James Clerk 32, 61-62, 100, 102-103, 107, 167
mecânica celestial 85-86, 81
mecânica dos fluidos 86-89, 90
mecânica quântica 43, 126-139, 143-147, 149
mecânica
    e Calculadores de Oxford 80
    e dinâmica 77-82, 84
    e Galileu 81-82
    e ímpeto 77-80
    e Isaac Newton 84-85
    e Revolução Industrial 89-90
    e velocidade 80
    experimento do túnel 79-80
    ideias sobre a, no mundo árabe 84
    ideias sobre no século 16 e 17 80-82
    ideias sobre, no século 18 e 19 90-91
    inércia 82, 84
    mecânica celeste 86-89, 91
    mecânica dos fluidos 76-89, 90
    mecânica estática 78
    momentum 82, 84
    na China 75
    na Grécia Antiga 75-77, 78
    na Mesopotâmia 74-75
    no Sri Lanka 74
Mendeleev, Dmitri 40
Mersenne, Marin 67
mésons 138
Mesopotâmia 74-75, 153-154, 161
método científico 18, 19, 20, 21, 23, 36, 49
Michell, John 197
Michelson, Albert 64-66
Micrographia (Hooke) 22, 56-57, 59
Mill, John Stuart 52
modelo atômico pudim de passas 122-124
momentum 82, 84
Morley, Edward 64-66
movimento perpétuo 86
movimento veja mecânica
Muller, Johannes 163

multiversos 205

Mundo árabe
    astronomia no 158-160, 162
    e ideias da matéria 33-34
    e ideias de luz 47-48
    e ideias de mecânica 84
    física no 18-19

Musschenbroek, Pieter van 107

Nagaoka, Hantaro 124

Nernst, Walther 102

neutrinos 137, 145-147

nêutrons 137-139

New Experiments and Observations Touching Cold (Boyle) 103

Newton, Isaac 86
    descreve o universo 200
    e astronomia 174, 175, 176
    e corpuscularianismo 35
    e eletricidade 107
    e gravidade 85, 169
    e ideias de átomos 38, 41
    e ideias de luz 57-58, 68-69
    e ideias de mecânica 84-86
    e ideias de óptica 54-57
    e ideias de tempo 195
    e leis de movimento 84-85
    e raciocínio dedutivo e indutivo 18
    e Robert Hooke 56-57, 59

Nicholas de Autrecourt 34-35

Nordman, Charles 187

O Novo Órganon das Ciências (Bacon) 20

Observatório Real 174

Occhialini, Giuseppe 128-129

Ohm, Georg 109

On a General Method in Dynamics (Hamilton) 90

óptica veja também luz
    e desenvolvimento de lentes 53
    e trabalho de Robert Hooke sobre 56-57
    ideias de Isaac Newton sobre 54-58

    ideias de René Descartes sobre 52, 53-54

Oresme, Nicole 196

Orsted, Christian 111

Ótica (Bacon) 50

Panzias, Arno 203

Papa Alexandre 54

paradoxo EPR 135-137

Parakrambahu, Rei 74

paralaxe 181, 182, 183

Parmênides 26, 31

partícula bóson de Higgs 147, 149, 210-212

partículas subatômicas veja mecânica quântica

pártons 143-144

Pascal, Blaise 88

Pauli, Wolfgang 137, 145, 146

Peebles, Jim 203

pêndulo de Foucault 23

Penrose, Sir Roger 205

Perlmutter, Saul 210

Perrin, Jean 43, 122

Philosophical Transactions 22

Pickering, Edward 180-181

Pingzbau Table Talks (Zhy Yu) 110

Pitágoras 17, 154

Planck, Max 62, 63, 106
    e mecânica quântica 126
    e radiação do corpo negro 126

Platão 18
    e ideias dos átomos 28, 30, 31
    e ideias da luz 46
    e ideias do tempo 194

Plínio, o Velho 53

Podolsky, Boris 135

Poisson, Siméon-Denis 101

Porta, Giambattista della 21, 104

pósitron 145

Powell, Cecil 138

Prévost, Pierre 99

Principia (Newton) 174, 177

Prognostication Everlasting (Digges) 170

Pseudo-Geber 34
Ptolomeu, Claudius 47, 70, 156, 157, 161
pulsars 190, 191

quadrante 161
quarks 143
quasares 190, 204-205

raciocínio dedutivo 18
raciocínio indutivo 18
racionalismo 36
radiação 116-119
radiação do corpo negro 104-105, 187-188
radioastronomia 186-190
raios-X 114-115, 116-117
Ramsay, Sir William 140
Rankine, William 106-107
Reber, Grote 189
refração da luz 70-71
Regiomantus 163
Reimann, Bernhard 198
Reines, Frederick 145-146
Richer, Jean 176
Ridwan, Ali ibn 160
Rodolfo II, Imperador 167, 168
Rohault, Jacques 38
Romer, Ole 67-68
Röntgen, Wilhelm Conrad 114-115, 118
Rosen, Nathan 135
Russell, Henry 184-185
Rutherford, Ernest 118, 122, 124, 139-140
Ryle, Martin 189

Sahl, Ibn 70
Samkhya, escola de 46
Sceptical Chymist, The (Boyle) 35
Scheiner, Julius 188
Schmidt, Maarten 190
Schrödinger, Erwin 130-133, 134-135
Schwarzschild, Karl 197
Shakir, Já'far Muhammad ibn Musa ibn 160
Shapley, Harlow 183-184

Skellett, Albert 189
Slipher, Vesto 201
Snellius, Willebrord 70
Sobre Revolução das Esferas Celestes (Coperni-
cus) 163-164
Sociedade Real 22
sociedades científicas 21-23
Sócrates 27, 28
Soddy, Frederick 138, 139-140
Sri Lanka 74
Stahl, Georg Ernst 95-96
Starry Messenger (Galileu) 172, 173
Stonehenge 152
Szilárd, Léo 141-142
Tales de Mileto 17, 18, 26, 110
telescópios 51, 52-53, 83, 169-170, 171-
172, 175-176, 183
tempo
medida do 194-196
e paradox de Zeno 194, 195
teoria da onda 59-62
teoria das cordas 213
teoria do Big Bang 202-203, 205
teoria elementar 30-31, 95
teoria unificada 213
teoria-M 213
termodinâmica 42-43, 98-103
Tesla, Nikola 187
Thomson, George 129
Thomson, Joseph John 43, 122-124
Torricelli, Evangelista 22, 88
Twain, Mark 179

Ussher, James 199

vácuo, descoberta do 37
Vaisheshika, escola de 46
Vasaba, Rei 74
Vedanga Jyotisa 158
velocidade 80
Via Láctea 184
Vishnu Purana 46

Viviani, Vincenzo 22
Volta, Alessandro 109

Wheeler, John Archibald 197
Wilkinson, David 203
Wilsing, Johannes 188
Wilson, Robert 203
Wren, Sir Christopher 22, 174
Wright, Edward 155

Young, Thomas 51
Yukawa, Hideki 138-139

Zeno, paradoxo de 194, 195
zero absoluto 102-103
Zhang Heng 75
Zhu Yu 110
Zij al-Sindb (al-Khwarizimi) 159
Zwicky, Fritz 208, 209

Créditos das imagens

Shutterstock: 16, 17, 27 (2x inferior), 28, 31 (2x superior), 51 (1), 65 (superior), 67, 69, 78, 94 (inferior), 95, 126 (inferior), 127 (superior), 144, 152 (superior), 159 (inferior), 161 (todas), 165, 181

Photos.com: 21, 27 (superior), 30, 36

Corbis: 24, 44, 66 (inferior), 71, 92, 119, 120, 129, 137, 156 (inferior), 202, 206

Bridgeman: 31 (inferior), 40, 54, 72, 172 (inferior), 178 (inferior)

Science Photo Library: 39, 41, 47 (superior), 63 (superior), 64, 86 (superior), 98, 102, 106 (inferior), 111, 132 (inferior), 135 (superior), 136 (superior), 136 (inferior), 155, 172 (meio), 183 (inferior), 184 (superior), 184 (inferior), 189, 190, 191 (inferior), 192, 197, 200, 201

British Museum: 53 (inferior)

Mary Evans: 157

Topfoto: 76 (1) 89, 91, 159 (superior), 171

Getty: 82

Clipart: 77, 100

The Nuremberg Chronicle: 18; Rita Greer: 22; Arnaud Clerget: 23 (superior); *A Pictorial History* de Joseph G. Gall (1996): 23 (inferior); Rebecca Glover: 33, 57, 180 (superior); Monfredo de Monte Imperiali, 14th C: 34; Johann Kerseboom: 37; Smithsonian Institution (The Dibner Library Portrait Collection): 43; Girolamo di Matteo de Tauris for Sixtus IV: 46; Nino Pisano: 47 (inferior); Noé Lecocq: 48 (superior); bank note Iraq: 48;Gnangarra 49 (superior); Stefan Kühn: 49 (inferior), 139; Bibliotheca Apostolica Vaticana: 50; René Descartes: 52 (direita); Isaac Newton: 55 (inferior), 57 (superior), 84, 175; Hooke: 58; Wenceslas Hollar: 59; Christiaan Huygens: 60 (superior); Caspar Netscher: 60 (inferior); James Clerk Maxwell: 62 (inferior); Alain Le Rille: 65 (inferior); Falcorian: 66 (superior); Giulio Parigi: 68; manuscrito de Ibn Sahl: 70; Antoine-Yves-Goguet: 74; Tamar Hayardeni: 76 (direita); Bill Stoneham: 80; Justus Sustermans: 83; Sir Godfrey Kneller: 86 (inferior); Danielis Bernoulli: 88; Nicolas de Largillière: 97; *Harper's New Monthly Magazine*,n° 231, agosto 1869: 99; V Bailly (1813): 101; Peter Gervai: 103; ESA/NASA: 104, 188 (superior), 198; Scott Robinson: 106 (superior); Otto Von Guericke: 107 (superior); L. Margat-L'Huillier, *Leçons de Physique* (1904): 107 (inferior); *Natural Philosophy for Commom and High Schools* (1881), p. 159 de Le Roy C. Cooley: 108; Ryan Romma: 110; National Archaelogical Museum of spain: 110 (inferior); Nevit Dilmen: 113 (inferior); *Experimental Researches in Eletricity* (vol. 2, plate 4): 113 (superior); Arthur William Poyser (1892) *Magnetism and Electricity*: 114; Harriet Moore: 115; George Grantham Bain Collection (Library of Congress): 118, 185 (superior); NASA/JPL: 125 (superior), 176; Paul Ehrenfest: 127 (inferior); inductiveload: 128; US Airforce: 130; Gerhard Hund: 132 (superior); Berlin Robertson: 135 (superior); Smithsonian Institute: 140; Gary Sheehan (Atomic Energy Commission): 141 (inferior); Julian Herzog: 149; ESO/Stéphane Guisard; Simon Wakefield: 152 (inferior); Brian J. Ford, *Images of Science* (1993): 154 (inferior); J. van Loon (c.1611-1686): 156 (superior); NAS: 160, 212; Dresden Codex: 162; Andreas Cellarius: 164; *Die Gartenlaube*: 168; Whipple Museum of the History of Science: 169 (direita); Thomas Murray: 174; Antonio Cerezo, Pablo Alexandre, Jesús Merchán, David Marsán: 167; The Yerkes Observatory: 178 (meio); *Popular Science Monthly*, Vol. 11: 179; Smithsonian Institute Archives: 180 (inferior); Michael Perryman: 182; NASA/HST: 183 (superior); Hannes Grobe: 185 (inferior); Napoleon Sarony: 187; Yebes: 188 (inferior); Astronomical Institute, Academy of Sciences of the Czech Republic: 191 (superior); Museo Barracco: 194; Sandro Botticelli: 196; NASA/WMAP Science Team: 204 (superior), 210; NASA/Swift/ S Immler: 204 (inferior); NASA/ESA, MJ Lee e H. Ford (Johns Hopkins University): 208; Lucas Taylor: 211; ESA/Hubble e Nasa: 213

Wikiouser: Didier B 81; Tamorlan 87 (inferior); rama 96 (superior); Fastifission: 124; orangedor: 126 (superior); ShakataGaNai: 146

Autor desconhecido: 35, 51, 52 (1), 62 (superior), 109, 125, 163, 166 (direita)